Strumenti

Economia

Robert Gibbons

Teoria dei giochi

il Mulino
Prentice Hall International

Titolo originale
A Primer in Game Theory

Original English language edition published by Harvester-Wheatsheaf
A Division of Simon & Schuster International Group, Englewood Cliffs,
New Jersey, USA

Una coedizione di
Prentice Hall International, Hemel Hempstead, England
Società editrice il Mulino, Bologna, Italia

Traduzione
Luigi Brighi

Coordinamento editoriale
Marina Mazzanti

ISBN 88-15-04321-7

Indice

Prefazione

La teoria dei giochi concerne l'analisi delle decisioni che coinvolgono più individui. Questo tipo di problemi si presenta frequentemente nella teoria economica; l'esempio più ricorrente è il caso dei contesti concorrenziali oligopolistici in cui ogni impresa deve tener conto di ciò che le altre imprese fanno. Tuttavia, vi sono molte altre applicazioni della teoria dei giochi che riguardano campi della teoria economica diversi dalla teoria dell'organizzazione industriale. A livello microeconomico, ad esempio, i modelli che formalizzano i processi di scambio (come i modelli di contrattazione o i modelli di asta) fanno ricorso alla teoria dei giochi. A un livello di aggregazione intermedio, la teoria finanziaria e l'economia del lavoro considerano modelli con comportamenti strategici da parte delle imprese sui mercati degli input (anziché sul mercato del prodotto, come nel caso dell'oligopolio). Anche all'interno dell'impresa vi sono decisioni che coinvolgono più individui: le varie divisioni di una impresa possono competere tra loro per assicurarsi una maggior quota dei fondi destinati agli investimenti. Infine, a un maggior livello di aggregazione, l'economia internazionale fa ricorso a modelli in cui i paesi competono (o colludono) nella scelta delle tariffe e delle politiche commerciali; in macroeconomia vengono proposti modelli in cui gli effetti della politica monetaria sono determinati dall'interazione strategica tra l'autorità monetaria e altre istituzioni preposte alla fissazione di prezzi e salari.

Questo libro è stato pensato come introduzione alla teoria dei giochi per coloro che, in seguito, intendono costruire (o almeno utilizzare) modelli di teoria dei giochi in ambito economico e con una prospettiva applicata. Vi sono tre ragioni principali che hanno indotto, nel corso dell'esposizione, a dare alle applicazioni economiche della teoria dei giochi un rilievo non inferiore a quello dato alla pura teoria. In primo luogo, le applicazioni sono un efficace ausilio all'insegnamento della teoria; pur essendo presenti anche argomentazioni formali relative a giochi astratti, dal punto di vista dell'insegnamento esse rivestono un ruolo secondario. In secondo luogo, le applicazioni illustrano il processo di costruzione del modello, cioè come la descrizione informale di una situazione decisionale che coinvolge più individui viene tradotta in un problema formale in termini di teoria dei giochi. Infine, la varietà delle applicazioni mostra come questioni simili sorgano in aree differenti della teoria economica e come i medesimi strumenti di teoria dei giochi possano essere utilizzati in ogni circostanza. Per dare maggior risalto alle ampie potenzialità della teoria, le consuete applicazioni nell'ambito dell'organizzazione industriale sono state sostituite con applicazioni relative a vari campi della teoria economica, tra i quali l'economia del lavoro e la macroeconomia[1].

In questo libro prenderemo in esame quattro classi di giochi: giochi statici con informazione completa, giochi dinamici con informazione completa, giochi statici con informazione incompleta e giochi dinamici con informazione incompleta. (Un gioco è a informazione incompleta se un giocatore non conosce il payoff di un altro come, ad esempio, nel caso di una vendita all'asta in cui chi fa un offerta non sa quanto un altro partecipante è disposto a pagare per il bene messo all'asta). A ognuna di queste quattro classi di giochi corrisponde una nozione di equilibrio del gioco: equilibrio di Nash, equilibrio di Nash perfetto nei sottogiochi, equilibrio di Nash bayesiano ed equilibrio bayesiano perfetto.

Vi sono due modi (collegati tra loro) per organizzare la riflessione su questi concetti di equilibrio. In primo luogo, si potrebbe costruire una sequenza di concetti di equilibrio in ordine crescente in cui i concetti di equilibrio più forti (cioè più restrittivi) sono tentativi di eliminare equilibri implausibili ammessi dalle nozioni di equilibrio più deboli. Si vedrà, ad esempio, che l'equilibrio di Nash perfetto nei sottogiochi è più forte dell'equilibrio di Nash e che, a sua volta, l'equilibrio bayesiano perfetto è più forte dell'equilibrio di Nash perfetto nei sottogiochi. Un secondo modo di vedere la questione è quello di considerare ogni equilibrio come un equilibrio bayesiano perfetto (o eventualmente un concetto di equilibrio ancora più forte) il quale, a sua volta, risulta equivalente all'equilibrio di

[1] Una buona raccolta di applicazioni della teoria dei giochi alla teoria della organizzazione industriale è contenuta nel libro di Tirole, *The Theory of Industrial Organization*, Cambridge, Mass., Mit Press, 1988; trad. it. *Teoria dell'organizzazione industriale*, Milano, Hoepli, 1991.

Nash in giochi statici con informazione completa, all'equilibrio di Nash perfetto nei sottogiochi in giochi dinamici con informazione completa (e perfetta) e all'equilibrio bayesiano perfetto in giochi dinamici con informazione incompleta.

Il principale prerequisito matematico per l'uso di questo libro è il calcolo differenziale per funzioni di una variabile; i rudimenti di teoria della probabilità e di analisi matematica saranno introdotti man mano che si renderanno necessari.

Ho imparato la teoria dei giochi da David Kreps, John Roberts e Bob Wilson quando frequentavo l'università e successivamente da Adam Brandenburger, Drew Fudenberg e Jean Tirole; la prospettiva teorica adottata in questo libro si ispira al loro insegnamento. Per quanto riguarda, invece, le applicazioni e gli altri aspetti didattici del libro sono debitore agli studenti del dipartimento di economia del MIT che hanno ispirato e ricompensato con le loro osservazioni i corsi tenuti dal 1985 al 1990. Sono molto grato a tutti questi amici per le idee e l'incoraggiamento che mi hanno dato; inoltre, sono molto grato a Joe Farrell, Milt Harris, George Mailath, Matthew Rabin, Andy Weiss e a molti altri recensori anonimi che mi hanno inviato utili commenti al manoscritto. Infine, desidero esprimere il mio apprezzamento per i consigli e l'incoraggiamento di Jack Repcheck della Princeton University Press e per il sostegno finanziario della Olin Fellowship in Economics durante il mio soggiorno al National Bureau of Economic Research.

Giochi statici con informazione completa

Capitolo 1

In questo capitolo consideriamo giochi che hanno la seguente semplice struttura: i giocatori scelgono simultaneamente le azioni e successivamente ricevono i payoff i quali dipendono dalle particolari azioni scelte. All'interno di questa classe di giochi statici (o con mosse simultanee) concentriamo l'attenzione sui giochi con *informazione completa*, cioè quei giochi in cui la funzione dei payoff (la funzione che determina il payoff di ogni giocatore in corrispondenza della combinazione delle azioni scelte da tutti i giocatori) di ogni giocatore è nota a tutti i giocatori. I giochi dinamici (o con mosse sequenziali) verranno presi in esame nei capitoli 2 e 4 e i giochi con informazione incompleta (giochi in cui almeno un giocatore non conosce con certezza la funzione dei payoff di un altro – come, ad esempio, nelle aste dove la disponibilità a pagare da parte di un offerente per il bene che viene messo all'asta non è nota agli altri partecipanti) nei capitoli 3 e 4.

Il paragrafo 1 considera due aspetti basilari della teoria dei giochi: come si descrive un gioco e come si risolve. Vengono sviluppati non solo gli strumenti che useremo per studiare i giochi statici con informazione completa, ma anche gli elementi fondamentali della teoria che utilizzeremo per analizzare i giochi più sofisticati dei capitoli successivi. Vengono definite la *rappresentazione in forma normale* di un gioco e la nozione di *strategia strettamente dominata* e, inoltre, si mostra che alcuni giochi possono essere risolti applicando l'idea che giocatori razionali non giocano strategie strettamente dominate; tuttavia, in altri giochi questo approccio produce una predizione molto imprecisa circa lo svolgimento del gioco (a volte talmente imprecisa da portare a prevedere che «qualunque cosa può accadere»). Infine, viene introdotta la definizione di *equilibrio di Nash* –

un concetto di soluzione in grado di fornire predizioni più accurate per una classe di giochi molto ampia – e vengono presentate alcune ragioni che ne motivano l'introduzione.

Nel paragrafo 2 si analizzano quattro applicazioni facendo uso degli strumenti sviluppati nel paragrafo precedente: il modello di concorrenza imperfetta di Cournot [1938], quello di Bertrand [1883], il modello di arbitrato con offerta definitiva di Farber [1980] e il problema delle terre comuni (discusso da Hume [1739] e altri). Per ogni applicazione, la descrizione informale del problema viene tradotta in termini di rappresentazione in forma normale del gioco il quale viene poi risolto ricavando l'equilibrio di Nash. (Ognuna di queste applicazioni ha un unico equilibrio di Nash, tuttavia discuteremo anche esempi in cui ciò non si verifica).

Nel paragrafo 3 si ritorna alla teoria. In primo luogo viene definita la nozione di *strategia mista*, interpretandola in termini di incertezza di un giocatore su ciò che farà un altro giocatore. Successivamente, viene enunciato e discusso il teorema di Nash [1950] che garantisce l'esistenza dell'equilibrio di Nash (eventualmente in strategie miste) per una ampia classe di giochi. Poiché presentiamo la teoria elementare nel paragrafo 1, poi le applicazioni nel paragrafo 2 ed infine una ulteriore parte di teoria nel paragrafo 3, è evidente che la conoscenza della teoria presentata nel paragrafo 3 non è un prerequisito per la comprensione delle applicazioni del paragrafo 2. Tuttavia, le idee di strategia mista e di esistenza dell'equilibrio di Nash compariranno (di tanto in tanto) nei capitoli successivi.

Sia questo capitolo che quelli successivi si concludono con problemi, suggerimenti per ulteriori letture e riferimenti bibliografici.

1. Teoria elementare: giochi in forma normale ed equilibrio di Nash

1.1. Rappresentazione dei giochi in forma normale

Nella rappresentazione in forma normale di un gioco ogni giocatore sceglie simultaneamente una strategia e la combinazione delle strategie scelte dai giocatori determina un payoff per ogni giocatore. Illustriamo la rappresentazione del gioco in forma normale con un classico esempio – *il dilemma del prigioniero*. Due individui sospettati vengono arrestati e accusati di aver commesso un crimine. La polizia non ha prove sufficienti per condannare i sospettati a meno che almeno uno di loro non confessi. La polizia tiene i sospettati in celle separate e a ciascuno di essi vengono spiegate le conseguenze che deriveranno dalle loro eventuali azioni. Se nessuno dei due confessa entrambi saranno condannati per un reato minore la cui sanzione prevede un mese di reclusione; se entrambi confessano la pena che dovranno scontare è di sei mesi di reclusione; infine, se uno confessa e l'altro no, chi ha confessato verrà immediatamente rimesso in libertà, mentre l'altro dovrà scontare una pena di nove mesi di reclusione – sei mesi per il crimine commesso e tre per aver ostacolato il corso della giustizia.

Il problema dei prigionieri può essere rappresentato mediante la bimatrice seguente. (Come nel caso di una matrice, una bimatrice può avere un numero arbitrario di righe e di colonne; il prefisso «bi» si riferisce al fatto che in un gioco con due giocatori vi sono due numeri in ogni casella della matrice, che sono i payoff dei due giocatori).

		Prigioniero 2	
		Tacere	Parlare
Prigioniero 1	Tacere	–1, –1	–9, 0
	Parlare	0, –9	–6, –6

Il dilemma del prigioniero

In questo gioco, ogni partecipante ha due strategie a propria disposizione: confessare (o Parlare) e non confessare (o Tacere). I payoff dei due giocatori quando viene scelta una particolare coppia di strategie sono riportati nella casella corrispondente della bimatrice. Per convenzione, il payoff del cosiddetto giocatore di riga (in questo caso il prigioniero 1) è il primo nell'ordine ed è seguito dal payoff del giocatore di colonna (il prigioniero 2); quindi se, per esempio, il prigioniero 1 sceglie Tacere e il prigioniero 2 sceglie Parlare, allora il prigioniero 1 riceve il payoff –9 (che significa nove mesi di reclusione) e il prigioniero 2 riceve il payoff 0 (che significa il rilascio immediato).

Volgiamo ora l'attenzione al caso generale. La *rappresentazione in forma normale* di un gioco specifica: 1) i giocatori che partecipano al gioco; 2) le strategie a disposizione di ogni giocatore e 3) i payoff ricevuti da ogni giocatore per ogni possibile combinazione di strategie scelte dai giocatori. Spesso, si farà riferimento a giochi con n giocatori in cui i giocatori sono numerati da 1 a n e un giocatore arbitrario è chiamato giocatore i. Si indicherà con S_i l'insieme delle strategie a disposizione del giocatore i (lo *spazio delle strategie* di i) e con s_i un elemento arbitrario di questo insieme. (A volte scriveremo $s_i \in S_i$ per indicare che la strategia s_i è un elemento dell'insieme di strategie S_i). Con $(s_1, ..., s_n)$ si indicherà una combinazione di strategie, una per ogni giocatore, e con u_i la *funzione dei payoff* del giocatore i: $u_i(s_1, ..., s_n)$ è il payoff del giocatore i se i giocatori scelgono le strategie $(s_1, ..., s_n)$. Le informazioni fin qui esposte possono essere raccolte nella seguente definizione:

DEFINIZIONE. La *rappresentazione in forma normale* di un gioco con n giocatori specifica lo spazio delle strategie dei giocatori $S_1, ..., S_n$ e le loro funzioni dei payoff $u_1, ..., u_n$. Questo gioco è indicato con $G = \{S_1, ..., S_n; u_1, ..., u_n\}$.

Anche se in un gioco in forma normale i giocatori scelgono le loro strategie simultaneamente, ciò non implica necessariamente che i partecipanti *agiscano* simultaneamente; è sufficiente, infatti, che ciascuno scelga la propria azione senza conoscere le scelte degli altri, come avviene nel caso in cui i prigionieri prendono le loro decisioni in celle separate e in momenti arbitrari del tempo. Inoltre, sebbene in questo capitolo vengano impiegati giochi in forma normale soltanto per rappresentare giochi statici in cui tutti i giocatori muovono senza conoscere le scelte degli altri, nel capitolo 2 si vedrà che anche i giochi con mosse sequenziali ammettono una rappresentazione in forma normale; tuttavia, nel caso di giochi con mosse sequenziali è disponibile anche una forma alternativa di rappresentazione – la rappresentazione del gioco in *forma estesa* – che spesso costituisce un quadro di riferimento più appropriato per analizzare aspetti di natura dinamica.

1.2. Eliminazione iterata di strategie strettamente dominate

Avendo illustrato un modo per rappresentare il gioco, si procede ora ad una prima descrizione di come si risolve un problema formulato in termini di teoria dei giochi. Cominciamo dal dilemma del prigioniero perché è un problema che si può facilmente risolvere applicando l'idea che un giocatore razionale non giochi una strategia strettamente dominata.

Nel dilemma del prigioniero se un sospettato intende giocare Parlare, l'altro preferirà giocare Parlare e rimanere in prigione per sei mesi piuttosto che giocare Tacere e rimanere in prigione per nove mesi. Analogamente, se un sospettato intende giocare Tacere, l'altro preferirà giocare Parlare ed essere rimesso in libertà immediatamente piuttosto che giocare Tacere e rimanere in prigione per un altro mese. Quindi, per il prigioniero i, giocare Tacere è dominato da giocare Parlare – qualunque sia la strategia scelta dal prigioniero j, il payoff che riceve il prigioniero i giocando Tacere è inferiore a quello che riceve giocando Parlare. (Lo stesso vale per una qualsiasi bimatrice in cui i payoff 0, –1, –6 e –9 sono sostituiti, rispettivamente, dai payoff T, R, P ed S e a condizione che valgano le diseguaglianze $T > R > P > S$; questi simboli per i payoff richiamano le idee di Tentazione, Ricompensa, Punizione e Stupidità (o Sprovvedutezza)). Più in generale:

DEFINIZIONE. Nel gioco in forma normale $G = \{S_1, ..., S_n; u_1, ..., u_n\}$ siano s_i' e s_i'' due strategie ammissibili per il giocatore i (cioè, s_i' e s_i'' sono elementi di S_i). La strategia s_i' è *strettamente dominata* dalla strategia s_i'' se, per ogni combinazione ammissibile di strategie degli altri giocatori, il payoff che i riceve giocando s_i' è strettamente inferiore a quello che riceve giocando s_i'':

$$u_i(s_1, ..., s_{i-1}, s_i', s_{i+1}, ..., s_n) < u_i(s_1, ..., s_{i-1}, s_i'', s_{i+1}, ..., s_n) \quad \text{(SD)}$$

per ogni $(s_1, ..., s_{i-1}, s_{i+1}, ..., s_n)$ ottenuto dagli spazi di strategie degli altri giocatori $S_1, ..., S_{i-1}, S_{i+1}, ..., S_n$.

Giocatori razionali non giocano strategie strettamente dominate; infatti, nessuna credenza da parte di un giocatore (relativa alle strategie scelte dagli altri giocatori) è tale da rendere una strategia dominata una scelta ottima[1]. Pertanto, nel dilemma del prigioniero un giocatore razionale sceglie Parlare, così che (Parlare, Parlare) sarà l'esito raggiunto da due giocatori razionali anche se i payoff ricevuti dai due giocatori in corrispondenza di (Parlare, Parlare) sono peggiori di quelli ottenibili in corrispondenza di (Tacere, Tacere). Il dilemma del prigioniero ha molte applicazioni (tra le quali la corsa agli armamenti e il problema del *free-rider* per quanto riguarda l'offerta di beni pubblici); prenderemo in esame alcune sue varianti nei capitoli 2 e 4. Per il momento, invece, cerchiamo di stabilire se anche in altri giochi l'idea che giocatori razionali non giocano strategie strettamente dominate consenta di individuare una soluzione.

[1] Un interessante problema che ci si pone a questo proposito è il seguente: se nessuna credenza da parte del giocatore i (relativa alle strategie scelte dagli altri giocatori) è tale da rendere la strategia s_i una scelta ottima, è possibile concludere che allora deve esistere un'altra strategia che domina strettamente s_i? La risposta è affermativa *ammesso* che si adottino definizioni adeguate di «credenza» e «un'altra strategia»; queste definizioni chiamano in causa l'idea di strategie miste che sarà introdotta nel paragrafo 3.1.

		Giocatore 2		
		Sinistra	Centro	Destra
Giocatore 1	Su	1, 0	1, 2	0, 1
	Giù	0, 3	0, 1	2, 0

FIG. 1.1.

Si consideri il gioco astratto della figura 1.1[2]. Il giocatore 1 ha due strategie a disposizione mentre il giocatore 2 ne ha tre: $S_1 = \{\text{Su, Giù}\}$ e $S_2 = \{\text{Sinistra, Centro, Destra}\}$. Per il giocatore 1 nessuna delle due strategie Su e Giù è strettamente dominata: Su è meglio di Giù se 2 gioca Sinistra (poiché $1 > 0$); viceversa, Giù è meglio di Su se 2 gioca Destra (poiché $2 > 0$). Per il giocatore 2, invece, Destra è strettamente dominata da Centro (poiché $2 > 1$ e $1 > 0$); quindi, se il giocatore 2 è razionale non giocherà Destra. Inoltre, se il giocatore 1 sa che il giocatore 2 è razionale, allora il giocatore 1 può eliminare Destra dallo spazio delle strategie del giocatore 2; in altri termini, se il giocatore 1 sa che il giocatore 2 è razionale allora il giocatore 1 può giocare il gioco della figura 1.1 *come se* fosse il gioco della figura 1.2.

		Giocatore 2	
		Sinistra	Centro
Giocatore 1	Su	1, 0	1, 2
	Giù	0, 3	0, 1

FIG. 1.2.

Nella figura 1.2, per il giocatore 1 la strategia Giù è strettamente dominata da Su; se il giocatore 1 è razionale (e sa che il giocatore 2 è razionale così che è appropriato considerare il gioco della figura 1.2) non giocherà Giù. Inoltre, se il giocatore 2 sa che il giocatore 1 è razionale *e* se il giocatore 2 sa che il giocatore 1 sa che il giocatore 2 è razionale (così che il giocatore 2 sa che la figura 1.2 è una descrizione adeguata del gioco), allora il giocatore 2 può eliminare Giù

[2] La maggior parte di questo libro tratta applicazioni economiche piuttosto che giochi astratti per due ragioni; in primo luogo, perché le applicazioni sono di per sé interessanti e secondariamente perché le applicazioni sono spesso un utile strumento per spiegare la teoria sottostante. Tuttavia, quando introdurremo alcune fondamentali idee teoriche faremo a volte ricorso ad esempi astratti che non hanno alcuna diretta applicazione economica.

dallo spazio delle strategie del giocatore 1 e il gioco si riduce a quello rappresentato nella figura 1.3. A questo punto, per il giocatore 2 la strategia Sinistra è strettamente dominata da Centro e l'esito del gioco sarà (Su, Centro).

		Giocatore 2	
		Sinistra	Centro
Giocatore 1	Su	1, 0	1, 2

FIG. 1.3.

Questo procedimento è detto *eliminazione iterata di strategie strettamente dominate*. Nonostante sia basato sull'attraente idea che giocatori razionali non giocano strategie strettamente dominate, questo procedimento ha due inconvenienti. In primo luogo, ogni passo del gioco richiede una assunzione aggiuntiva su ciò che i giocatori conoscono sulla razionalità dell'avversario. Per essere autorizzati ad applicare il procedimento per un numero arbitrario di passi è necessario assumere che la razionalità dei giocatori sia *conoscenza comune* (*common knowledge*). In altre parole, occorre assumere non solo che tutti i giocatori sono razionali, ma anche che tutti i giocatori sanno che tutti sono razionali e, inoltre, che tutti i giocatori sanno che tutti i giocatori sanno che tutti sono razionali e così via *ad infinitum*. (Si veda Aumann [1976] per la definizione formale di conoscenza comune).

Il secondo inconveniente del procedimento di eliminazione iterata di strategie strettamente dominate è che, spesso, fornisce una predizione non molto precisa su quale sarà l'esito del gioco. Ad esempio, si consideri il gioco della figura 1.4; in questo gioco non vi sono strategie strettamente dominate da eliminare. (Non avendo dato la minima giustificazione di questo gioco esso può apparire arbitrario o addirittura patologico. Per una applicazione economica con caratteristiche simili a questo gioco rimandiamo il lettore al caso di tre o più imprese nel modello di Cournot del paragrafo 2.1). Poiché a nessuna strategia del gioco si applica l'eliminazione iterata delle strategie strettamente dominate, il procedimento non fornisce alcuna predizione sull'esito del gioco.

	L	C	R
T	0, 4	4, 0	5, 3
M	4, 0	0, 4	5, 3
B	3, 5	3, 5	6, 6

FIG. 1.4.

Il prossimo argomento è l'equilibrio di Nash – un concetto di soluzione che fornisce predizioni molto più accurate per una classe molto ampia di giochi. Mostreremo che l'equilibrio di Nash è un concetto di soluzione più forte rispetto al procedimento di eliminazione iterata di strategie strettamente dominate, nel senso che le strategie dei giocatori corrispondenti a un equilibrio di Nash sopravvivono sempre alla eliminazione iterata delle strategie strettamente dominate mentre non è vero il contrario[3]. Nei capitoli successivi si sosterrà che in giochi più articolati anche l'equilibrio di Nash fornisce una predizione troppo imprecisa sull'esito del gioco e si procederà a introdurre nozioni di equilibrio ancora più forti e più adatte a giochi di maggiore complessità.

1.3. Motivazione e definizione dell'equilibrio di Nash

Un modo per motivare la definizione di equilibrio di Nash è di sostenere che se il compito della teoria dei giochi è quello di offrire una soluzione unica a un problema formulato in termini di teoria dei giochi allora la soluzione deve essere un equilibrio di Nash nel senso seguente. Si supponga che la teoria dei giochi sia in grado di offrire una unica predizione circa la strategia che ogni giocatore adotterà. Affinché questa predizione sia corretta è necessario che ogni giocatore sia disposto a scegliere la strategia prescritta dalla teoria; perciò, per ogni giocatore la strategia prescritta deve essere la miglior risposta di quel giocatore alle strategie prescritte per gli altri giocatori. Una tale predizione può essere definita *strategicamente stabile* o *autovincolante* (*self-enforcing*), poiché nessun giocatore, singolarmente preso, desidera deviare dalla propria strategia prescritta. Una tale predizione è detta equilibrio di Nash:

DEFINIZIONE. Nel gioco in forma normale con n giocatori, $G = \{S_1, ..., S_n; u_1, ..., u_n\}$, le strategie $(s_1^*, ..., s_n^*)$ sono un *equilibrio di Nash* se, per ogni giocatore i, s_i^* è la miglior risposta del giocatore i alle strategie specificate per gli altri $n - 1$ giocatori, $(s_1^*, ..., s_{i-1}^*, s_{i+1}^*, ..., s_n^*)$:

$$u_i(s_1^*, ..., s_{i-1}^*, s_i^*, s_{i+1}^*, ..., s_n^*) \geq u_i(s_1^*, ..., s_{i-1}^*, s_i, s_{i+1}^*, ..., s_n^*) \quad \text{(EN)}$$

per ogni strategia ammissibile s_i in S_i; cioè, s_i^* risolve il problema

[3] Cioè, se una strategia non è strettamente dominata (neanche in iterazioni successive) non è detto che faccia parte di un equilibrio di Nash [*N.d.T.*].

$$\max_{s_i \in S_i} u_i(s_1^*, \ldots, s_{i-1}^*, s_i, s_{i+1}^*, \ldots, s_n^*).$$

Per collegare questa definizione alla sua motivazione si supponga che la teoria dei giochi proponga le strategie $(s_1', ..., s_n')$ come soluzione del gioco in forma normale $G = \{S_1, ..., S_n; u_1, ..., u_n\}$. Affermare che $(s_1', ..., s_n')$ *non* è un equilibrio di Nash per G equivale a dire che esiste un giocatore i per il quale s_i' *non* è una risposta ottima a $(s_1', ..., s_{i-1}', s_{i+1}', ..., s_n')$. In altri termini, esiste una strategia s_i'' in S_i tale che

$$u_i(s_1', ..., s_{i-1}', s_i', s_{i+1}', ..., s_n') < u_i(s_1', ..., s_{i-1}', s_i'', s_{i+1}', ..., s_n').$$

Perciò, se la teoria propone le strategie $(s_1', ..., s_n')$ come soluzione ma queste strategie non sono un equilibrio di Nash, allora almeno un giocatore avrà un incentivo a deviare dalla prescrizione della teoria la quale risulterà falsificata dall'effettivo svolgimento del gioco. Un'altra giustificazione dell'equilibrio di Nash, strettamente legata a quella appena data, si basa sull'idea di convenzione: affinché una convenzione su come giocare un dato gioco si affermi, le strategie prescritte dalla convenzione devono essere un equilibrio di Nash altrimenti almeno un giocatore non si atterrà alla convenzione.

Per maggior concretezza, prenderemo in esame e risolveremo alcuni esempi. Si considerino i tre giochi in forma normale precedentemente descritti – il dilemma del prigioniero e le figure da 1.1 a 1.4. Un approccio non molto elegante per trovare gli equilibri di Nash di un gioco è quello di controllare, per ciascuna possibile combinazione di strategie, se la condizione (EN) della definizione è soddisfatta[4]. In un gioco con due giocatori questo approccio procede nel modo seguente: per ogni giocatore e per ogni strategia ammissibile di quel giocatore, si determina la miglior risposta dell'avversario a quella strategia. Per quanto riguarda il gioco della figura 1.4 questa operazione è mostrata nella figura 1.5 in cui è stato sottolineato il payoff associato alla miglior risposta del giocatore j in corrispondenza di ciascuna strategia ammissibile del giocatore i. Se il giocatore di colonna gioca L, per esempio, la miglior risposta del giocatore di riga è M, poiché 4 è maggiore sia di 3 che di 0; di conseguenza il payoff di 4 per il giocatore di riga nella casella (M, L) della bimatrice è sottolineato.

[4] Nel paragrafo 3.1 introdurremo la distinzione tra strategie pure e strategie miste. Si vedrà che la definizione data nel presente paragrafo descrive gli equilibri di Nash in *strategie pure* e che possono esistere anche equilibri di Nash in *strategie miste*. A meno che non venga esplicitamente affermato altrimenti, tutti i riferimenti di questo paragrafo sono agli equilibri di Nash in strategie pure.

Una coppia di strategie soddisfa la condizione (EN) se la strategia di ogni giocatore è una risposta ottima alla strategia dell'altro – in altri termini, se nella corrispondente casella della bimatrice entrambi i payoff sono sottolineati. Quindi, (B, R) è l'unica coppia di strategie che soddisfa la condizione (EN); lo stesso vale per (Parlare, Parlare) nel dilemma del prigioniero e (Su, Centro) nel gioco della figura 1.1. Queste coppie di strategie sono gli unici equilibri di Nash di questi giochi[5].

	L	C	R
T	$0, \underline{4}$	$\underline{4}, 0$	$5, 3$
M	$\underline{4}, 0$	$0, \underline{4}$	$5, 3$
B	$3, 5$	$3, 5$	$\underline{6}, \underline{6}$

Fig. 1.5.

Passiamo ora a esaminare la relazione tra equilibrio di Nash ed eliminazione iterata di strategie strettamente dominate. Il lettore si ricorderà che nel dilemma del prigioniero e nella figura 1.1 le strategie di equilibrio di Nash – rispettivamente (Parlare, Parlare) e (Su, Centro) – sono le uniche che sopravvivono alla eliminazione iterata di strategie strettamente dominate. Questo risultato può essere generalizzato: se l'eliminazione iterata di strategie strettamente dominate consente di scartare tutte le strategie tranne $(s_1^*, ..., s_n^*)$, allora questa combinazione di strategie è l'unico equilibrio di Nash del gioco. (Per una dimostrazione di questo risultato si veda l'appendice 1.1). In generale, l'eliminazione iterata di strategie strettamente dominate *non* è in grado di rimuovere tutte le combinazioni di strategie tranne una; pertanto, ciò che è importante sottolineare è che l'equilibrio di Nash è un concetto di soluzione più forte dell'eliminazione iterata di strategie strettamente dominate, nel senso che illustreremo qui di seguito. Se le strategie $(s_1^*, ..., s_n^*)$ sono un equilibrio di Nash allora sopravvivono alla eliminazione iterata di strategie strettamente dominate (di nuovo, per la dimostrazione si veda l'appendice), tuttavia vi sono strategie che sopravvivono alla eliminazione iterata di strategie strettamente dominate ma che non sono parte di nessun equilibrio di Nash. Per comprendere meglio quest'ultimo punto si noti che l'equilibrio di Nash della figura 1.4 fornisce una predizione unica, (B, R), mentre l'eliminazione iterata di strategie strettamente

[5] Questa affermazione è corretta anche se non limitiamo l'attenzione agli equilibri di Nash in stratregie pure; infatti, in questi tre giochi non esistono equilibri di Nash in strategie miste. Su questo punto si veda il problema 1.10.

dominate propone la predizione meno accurata possibile: nessuna strategia è eliminata così che qualsiasi esito può verificarsi.

Dopo aver mostrato che l'equilibrio di Nash è un concetto di soluzione più forte dell'eliminazione iterata di strategie strettamente dominate, dobbiamo ora domandarci se l'equilibrio di Nash non sia un requisito eccessivamente severo; in altri termini, siamo certi che un equilibrio di Nash esista? Nash [1950] ha mostrato che in ogni gioco finito (cioè, un gioco in cui sia il numero dei giocatori, n, che gli insiemi di strategie, $S_1, ..., S_n$, sono finiti) esiste almeno un equilibrio di Nash. (Questo equilibrio può essere in strategie miste, le quali verranno discusse nel paragrafo 3.1; per una formulazione più precisa del teorema di Nash si veda il paragrafo 3.2). Cournot [1838] ha proposto la stessa nozione di equilibrio nell'ambito di un particolare modello di duopolio e ha dimostrato (in base ad una argomentazione di tipo costruttivo) che in tale modello un equilibrio esiste; su questo punto si veda il paragrafo 2.1. In ogni applicazione esaminata in questo libro seguiremo l'esempio di Cournot: dimostreremo che un equilibrio di Nash (o uno più forte) esiste costruendone uno. Tuttavia, nei paragrafi teorici faremo riferimento al teorema di Nash (o ad un suo analogo per concetti di soluzione più forti) e ci limiteremo ad affermare che in base a tale teorema un equilibrio esiste.

Concludiamo questo paragrafo con un altro classico esempio – *la battaglia dei sessi.* Questo esempio consente di mostrare che un gioco può avere molteplici equilibri di Nash ed inoltre sarà richiamato nel paragrafo 3.2 del presente capitolo e nel paragrafo 2.1 del capitolo 3 per illustrare la nozione di strategie miste. Nella originaria esposizione del gioco (che, come risulterà evidente, risale agli anni Cinquanta), un uomo e una donna devono decidere su come passare la serata. Nella versione del gioco qui esaminata il sesso dei partecipanti è «neutro». Pat e Chris, che sono in due luoghi separati, devono decidere se andare all'Opera oppure ad un incontro di Lotta. Entrambi i giocatori preferirebbero trascorrere la serata assieme piuttosto che ognuno per conto proprio, tuttavia, Pat preferirebbe passare la serata assieme andando all'incontro di Lotta, mentre Chris all'Opera, come viene descritto nella bimatrice che rappresenta il gioco. Sia la coppia di strategie (Opera, Opera) che (Lotta, Lotta) sono equilibri di Nash.

		Pat	
		Opera	Lotta
Chris	Opera	2, 1	0, 0
	Lotta	0, 0	1, 2

La battaglia dei sessi

Precedentemente abbiamo sostenuto che se la teoria dei giochi deve essere in grado di fornire una soluzione unica di un gioco allora la soluzione deve essere un equilibrio di Nash. Questo ragionamento ignora la possibilità di giochi in cui la teoria non fornisce una soluzione unica. Inoltre, si è anche sostenuto che, affinché una convenzione su come il gioco verrà giocato si affermi, le strategie prescritte dalla convenzione devono essere un equilibrio di Nash; anche questo ragionamento, tuttavia, ignora la possibilità di giochi in cui non prevalga alcuna convenzione. In alcuni giochi con molteplici equilibri di Nash uno degli equilibri si distingue dagli altri come la soluzione «obbligata» del gioco. (Gran parte della teoria presentata nei successivi capitoli non è altro che un tentativo di individuare, per diverse classi di giochi, questo equilibrio «obbligato»). Quindi, l'esistenza di una molteplicità di equilibri non è di per sé un problema per tali giochi. Tuttavia, nella battaglia dei sessi gli equilibri (Opera, Opera) e (Lotta, Lotta) sembrano «obbligati» nella stessa misura; ciò suggerisce che vi possono essere giochi per i quali la teoria dei giochi non fornisce una soluzione unica e per i quali non si afferma nessuna convenzione[6]. In tali giochi l'equilibrio di Nash, in quanto predizione dell'effettivo svolgimento del gioco, perde gran parte della sua attrattiva.

Appendice. Questa appendice contiene le dimostrazioni di due Proposizioni che sono state enunciate in modo informale nel paragrafo 1.3. Saltare queste dimostrazioni non pregiudica sostanzialmente la comprensione degli argomenti successivi. Tuttavia, per i lettori non abituati a costruire dimostrazioni e a manipolare definizioni formali la lettura e comprensione di questa appendice può essere un esercizio molto proficuo.

PROPOSIZIONE A. Nel gioco in forma normale con n giocatori $G = \{S_1, ..., S_n; u_1, ..., u_n\}$, se l'eliminazione iterata di strategie strettamente dominate rimuove tutte le strategie tranne $(s_1^*, ..., s_n^*)$, allora queste strategie sono l'unico equilibrio di Nash del gioco.

PROPOSIZIONE B. Nel gioco in forma normale con n giocatori $G = \{S_1, ..., S_n; u_1, ..., u_n\}$, se le strategie $(s_1^*, ..., s_n^*)$ sono un equilibrio

[6] Nel paragrafo 3.2 descriviamo un terzo equilibrio di Nash (in strategie miste) per la battaglia dei sessi. A differenza degli equilibri (Opera, Opera) e (Lotta, Lotta) il terzo equilibrio ha payoff simmetrici, come è lecito attendersi dalla soluzione unica di un gioco simmetrico; tuttavia, il terzo equilibrio è inefficiente e sembra quindi improbabile che esso si affermi come convenzione. Qualunque siano le relative valutazioni personali sugli equilibri della battaglia dei sessi un punto rimane: possono esistere giochi per i quali la teoria non è in grado di indicare una soluzione unica e per i quali non si afferma nessuna convenzione.

di Nash allora sopravvivono alla eliminazione iterata di strategie strettamente dominate.

Cominciamo con la Proposizione B che è la più semplice da dimostrare. Seguiamo un ragionamento per assurdo, cioè assumiamo che in base al procedimento di eliminazione iterata di strategie strettamente dominate venga eliminata una delle strategie di un equilibrio di Nash e mostriamo che, se tale assunzione è vera, otteniamo una contraddizione la quale prova che l'assunzione iniziale deve essere falsa.

Si supponga che le strategie $(s_1^*, ..., s_n^*)$ sono un equilibrio di Nash per il gioco in forma normale $G = \{S_1, ..., S_n; u_1, ..., u_n\}$ e che (eventualmente dopo che altre strategie diverse da $(s_1^*, ..., s_n^*)$ sono state eliminate) s_i^* è la prima delle strategie $(s_1^*, ..., s_n^*)$ ad essere eliminata in base al criterio della dominanza stretta. Quindi deve esistere una strategia s_i'' che non è ancora stata eliminata da S_i e che domina strettamente s_i^*. In base alla definizione di (SD) si ha

$$[1.1] \quad u_i(s_1, ..., s_{i-1}, s_i^*, s_{i+1}, ..., s_n) < u_i(s_1, ..., s_{i-1}, s_i'', s_{i+1}, ..., s_n)$$

per ogni $(s_1, ..., s_{i-1}, s_{i+1}, ..., s_n)$ che può essere costruita dalle strategie che non sono ancora state eliminate dagli spazi delle strategie degli altri giocatori. Poiché s_i^* è la prima delle strategie di equilibrio ad essere eliminata, le strategie di equilibrio degli altri giocatori non sono ancora state eliminate, di conseguenza una delle implicazioni della [1.1] è

$$[1.2] \quad \begin{aligned} & u_i(s_1^*, ..., s_{i-1}^*, s_i^*, s_{i+1}^*, ..., s_n^*) \\ & < u_i(s_1^*, ..., s_{i-1}^*, s_i'', s_{i+1}^*, ..., s_n^*); \end{aligned}$$

ma la [1.2] è contraddetta dalla condizione (EN): s_i^* deve essere la miglior risposta a $(s_1^*, ..., s^*_{i-1}, s_{i+1}^*, ..., s_n^*)$, di conseguenza non può esistere una strategia s_i'' che domina strettamente s_i^*. Questa contraddizione completa la dimostrazione.

Con la dimostrazione della Proposizione B si è già dimostrata in parte anche la Proposizione A: ciò che rimane da mostrare è che se l'eliminazione iterata di strategie strettamente dominate elimina tutte le strategie tranne $(s_1^*, ..., s_n^*)$ allora tali strategie sono un equilibrio di Nash; in base alla Proposizione B anche qualunque altro eventuale equilibrio di Nash avrebbe dovuto sopravvivere, quindi questo equilibrio deve essere unico. Si assuma che G sia finito.

La dimostrazione è ottenuta, di nuovo, sulla base di un ragionamento per assurdo. Si supponga che l'eliminazione iterata di strategie strettamente dominate elimini tutte le strategie tranne $(s_1^*, ..., s_n^*)$

e che queste ultime non siano un equilibrio di Nash. Allora, deve esistere un giocatore i e una qualche strategia ammissibile s_i in S_i tale che la condizione (EN) non sia soddisfatta e quindi s_i deve risultare strettamente dominata da qualche altra strategia s_i' a qualche stadio del procedimento di eliminazione. Le formulazioni esplicite di queste due osservazioni sono: esiste s_i in S_i tale che

$$u_i(s_1^*, \ldots, s_{i-1}^*, s_i^*, s_{i+1}^*, \ldots, s_n^*) < u_i(s_1^*, \ldots, s_{i-1}^*, s_i, s_{i+1}^*, \ldots, s_n^*) \quad [1.3]$$

ed esiste s_i' nell'insieme delle strategie del giocatore i che rimangono a qualche stadio del procedimento di eliminazione tale che

$$u_i(s_1, \ldots, s_{i-1}, s_i, s_{i+1}, \ldots, s_n) < u_i(s_1, \ldots, s_{i-1}, s_i', s_{i+1}, \ldots, s_n) \quad [1.4]$$

per ogni $(s_1, \ldots, s_{i-1}, s_{i+1}, \ldots, s_n)$ che può essere costruito dalle strategie rimanenti nello spazio delle strategie degli altri giocatori a quello stadio del procedimento di eliminazione. Poiché le strategie $(s_1^*, \ldots, s_{i-1}^*, s_{i+1}^*, \ldots, s_n^*)$ non sono in nessun caso eliminate, una delle implicazioni della [1.4] è

$$u_i(s_1^*, \ldots, s_{i-1}^*, s_i^*, s_{i+1}^*, \ldots, s_n^*) < u_i(s_1^*, \ldots, s_{i-1}^*, s_i', s_{i+1}^*, \ldots, s_n^*). \quad [1.5]$$

Se $s_i' = s_i^*$ (cioè, se s_i^* è la strategia che domina strettamente s_i) allora la [1.5] contraddice la [1.3] e la dimostrazione è completa. Se invece $s_i' \neq s_i^*$, allora qualche altra strategia deve successivamente dominare in senso stretto s_i', poiché s_i' non sopravvive al procedimento di eliminazione. Quindi, valgono diseguaglianze simili alle [1.4] e [1.5] con s_i' e s_i'' rispettivamente al posto di s_i e s_i'. Di nuovo, se $s_i'' = s^*$ la dimostrazione è completa; in caso contrario, altre due diseguaglianze simili possono essere ricavate. Poiché s_i^* è l'unica strategia di S_i che sopravvive al procedimento, la ripetizione del ragionamento (in un gioco finito) alla fine completa la dimostrazione.

2. Applicazioni

2.1. Il modello di duopolio di Cournot

Come si è osservato nel paragrafo precedente, Cournot [1838] ha anticipato la definizione di equilibrio di Nash di oltre un secolo (ma soltanto nel contesto di un particolare modello di duopolio). Non è quindi sorprendente che il lavoro di Cournot sia un classico della teoria dei giochi e anche uno dei riferimenti fondamentali della teoria dell'organizzazione industriale. In questo paragrafo consideriamo una versione molto semplice del modello di Cournot; altre varianti saranno esaminate in ognuno dei capitoli successivi. In questo paragrafo utilizziamo il modello di Cournot per illustrare: *a*) la traduzione di una descrizione informale di un problema in una rappresentazione in forma normale di un gioco; *b*) i calcoli da svolgere per ricavare l'equilibrio di Nash del gioco; *c*) l'eliminazione iterata di strategie strettamente dominate.

Con q_1 e q_2 si indicano le quantità (di un bene omogeneo) prodotto, rispettivamente, dall'impresa 1 e dall'impresa 2. Con $P(Q) = a - Q$ si indica il prezzo di mercato quando la quantità complessiva offerta sul mercato è $Q = q_1 + q_2$. (Più precisamente, $P(Q) = a - Q$ per $Q < a$ e $P(Q) = 0$ per $Q \geq a$). Si assuma che il costo totale dell'impresa i per produrre la quantità q_1 sia $C_i(q_i) = cq_i$; in altri termini, non vi sono costi fissi e il costo marginale è costante e pari a c il quale, a sua volta, è assunto inferiore ad a, cioè $c < a$. Seguendo Cournot, si assume che le imprese scelgano simultaneamente le quantità da produrre[7].

Per trovare l'equilibrio di Nash del gioco di Cournot traduciamo in primo luogo il problema in un gioco in forma normale. Si rammenti dal paragrafo precedente che la rappresentazione del gioco in forma normale specifica: 1) i giocatori che prendono parte al gioco; 2) le strategie a disposizione di ogni giocatore e 3) i payoff ricevuti da ogni giocatore in corrispondenza di ogni combinazione di strategie scelte dai giocatori. Naturalmente, nel caso di duopolio ci sono due giocatori – le due imprese. Nel modello di Cournot le strategie a disposizione di ogni impresa sono le diverse quantità che possono essere prodotte. Supporremo che la produzione sia perfettamente divisibile in modo continuo e, ovviamente, che quantità negative di produzione non siano ammissibili. Quindi, lo spazio delle strategie di ogni impresa può essere rappresentato da $S_i = [0, \infty)$, l'insieme dei numeri reali non negativi, e una generica strategia s_i è una quantità $q_i \geq 0$. Tuttavia, poiché $P(Q) = 0$ per $Q \geq a$ nessuna delle due imprese produrrà una quantità $q_i > a$; si può quindi ritenere che quantità eccessivamente grandi non sono ammissibili e quindi non dovrebbero fare parte dello spazio delle strategie dell'impresa.

Rimangono da specificare i payoff dell'impresa i in funzione del-

[7] Il modello di Bertrand [1883] in cui le imprese scelgono i prezzi anziché le quantità verrà discusso nel paragrafo 2.2, mentre il modello di Stackelberg [1934], in cui le imprese scelgono le quantità ma una impresa sceglie prima dell'altra (e la sua scelta è osservata dall'altra), nel paragrafo 1.2 del capitolo 2. Infine, il modello di Friedman [1971] in cui l'interazione descritta nel modello di Cournot si verifica ripetutamente nel tempo è discusso nel paragrafo 3.3 del capitolo 2.

le strategie scelte da entrambe le imprese e, infine, definire e ricavare l'equilibrio. Si assume che il payoff di un'impresa sia dato semplicemente dal suo profitto. Quindi, il payoff $u_i(s_i, s_j)$ di un generico gioco in forma normale con due giocatori può essere scritto, in questo caso, come segue[8]:

$$\pi_i(q_i, q_j) = q_i[P(q_i + q_j) - c] = q_i[a - (q_1 + q_2) - c].$$

Come abbiamo visto nel paragrafo precedente, in un gioco in forma normale con due giocatori la coppia di strategie (s_1^*, s_2^*) è un equilibrio di Nash se, per ogni giocatore i,

$$u_i(s_i^*, s_j^*) \geq u_i(s_i, s_j^*) \qquad \text{(EN)}$$

per ogni strategia ammissibile s_i in S_i. Oppure, in modo equivalente, si deve verificare che per ogni giocatore i, s_i^* risolve il problema di ottimo

$$\max_{s_i \in S_i} u_i(s_i, s_j^*).$$

Nel modello di duopolio di Cournot la definizione corrispondente è la seguente: la coppia di quantità (q_1^*, q_2^*) è un equilibrio di Nash se, per ogni impresa i, q_i^* è la soluzione del problema

$$\max_{0 \leq q_i < \infty} \pi_i(q_i, q_j^*) = \max_{0 \leq q_i < \infty} q_i[a - (q_i + q_j^*) - c].$$

Assumendo che $q_j^* < a - c$ (diseguaglianza che risulta soddisfatta, come si vedrà in seguito), la condizione del primo ordine del problema di ottimizzazione dell'impresa i è sia necessaria che sufficiente ed è data da

$$q_i = \frac{1}{2}(a - q_j^* - c). \qquad [1.6]$$

Perciò, se la coppia (q_1^*, q_2^*) è un equilibrio di Nash le quantità scelte dalle imprese devono soddisfare simultaneamente le due equazioni

[8] Si osservi che abbiamo cambiato leggermente la notazione scrivendo $u_i(s_i, s_j)$ invece di $u_i(s_1, s_2)$. Entrambe le espressioni rappresentano il payoff del giocatore i in funzione delle strategie scelte da tutti i giocatori. Impiegheremo queste espressioni (e le espressioni corrispondenti nel caso con n giocatori) in modo intercambiabile.

$$q_1^* = \frac{1}{2}(a - q_2^* - c)$$

e

$$q_2^* = \frac{1}{2}(a - q_1^* - c).$$

La soluzione di questa coppia di equazioni è

$$q_1^* = q_2^* = \frac{a-c}{3},$$

che è in effetti inferiore ad $a - c$, come avevamo assunto.

L'intuizione che sorregge questo risultato è semplice. Naturalmente ogni impresa desidererebbe essere un monopolista sul mercato e in tal caso scegliere q_i in modo da massimizzare $\pi_i(q_i, 0)$ – cioè produrre la quantità di monopolio $q_m = (a-c)/2$ e ottenere il profitto di monopolio $\pi_i(q_m, 0) = (a-c)^2/4$. Dato che vi sono due imprese i profitti aggregati per il duopolio sarebbero massimizzati producendo una quantità aggregata, $q_1 + q_2$, pari alla quantità di monopolio q_m come, per esempio, nel caso $q_i = q_m/2$ per ogni i. Tuttavia, questo tipo di accordo presenterebbe dei problemi in quanto ogni impresa avrebbe incentivo a non rispettare l'accordo: poiché la quantità di monopolio è bassa, il prezzo associato, $P(q_m)$, è alto e a tale prezzo ogni impresa desidera aumentare la propria quantità prodotta pur essendo consapevole che tale aumento farà diminuire il prezzo che si realizza sul mercato. (Per comprendere formalmente questo punto si utilizzi l'equazione [1.6] per verificare che $q_m/2$ *non* è la miglior risposta da parte dell'impresa 2 alla quantità $q_m/2$ scelta dall'impresa 1). Al contrario, nell'equilibrio di Cournot la quantità aggregata è maggiore e quindi il prezzo associato è più basso e la tentazione di aumentare la quantità prodotta è minore – la tentazione è minore esattamente di quanto basta per dissuadere ogni impresa dall'aumentare la propria produzione, in quanto vi è la consapevolezza che ciò farà cadere il prezzo che si realizza sul mercato. Si veda il Problema 1.4 per una analisi di come la presenza di n oligopolisti influenzi, in equilibrio, questo *trade-off* tra la tentazione ad aumentare la produzione e la riluttanza a far cadere il prezzo di mercato.

Un modo alternativo a quello algebrico per ricavare l'equilibrio di Nash del gioco di Cournot è quello di procedere graficamente nel modo seguente. L'equazione [1.6] fornisce la risposta ottima dell'impresa i alla strategia di *equilibrio* dell'impresa j, q_j^*. Un ragionamento analogo ci consente di ricavare sia la risposta ottima dell'impresa 2 ad una *arbitraria* strategia dell'impresa 1, che la risposta ottima dell'impresa 1 ad una *arbitraria* strategia dell'impresa 2. Assumendo che la strategia dell'impresa 1 soddisfi la condizione $q_1 < a - c$, la risposta ottima dell'impresa 2 è

$$R_2(q_1) = \frac{1}{2}(a - q_1 - c);$$

analogamente, se $q_2 < a - c$ la risposta ottima dell'impresa 1 è

$$R_1(q_2) = \frac{1}{2}(a - q_2 - c).$$

Come si vede dalla figura 1.6, queste due funzioni di risposta ottima si intersecano soltanto una volta in corrispondenza della coppia di quantità di equilibrio (q_1^*, q_2^*).

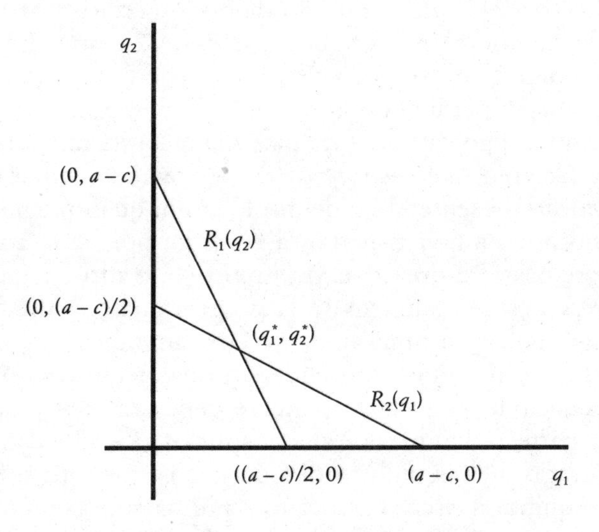

FIG. 1.6.

Un terzo modo per ricavare l'equilibrio di Nash è quello di applicare il procedimento di eliminazione iterata di strategie strettamente dominate. Questo procedimento consente di ottenere una soluzione unica – la quale, grazie alla Proposizione A dell'Appendice al paragrafo 1.3, deve essere l'equilibrio di Nash (q_1^*, q_2^*). Il procedimento completo richiede un numero infinito di passi in corrispondenza di ognuno dei quali viene eliminata una frazione delle quantità rimanenti nello spazio di strategie di ciascuna impresa; discutiamo qui soltanto i primi due passaggi. In primo luogo, si osservi che la quantità di monopolio $q_m = (a - c)/2$ domina strettamente ogni altra quantità maggiore. In altri termini, per ogni $x > 0$, $\pi_i(q_m, q_j) > \pi_i(q_m + x, q_j)$

per tutte le quantità $q_j \geq 0$. Per comprendere questo punto si noti che se $Q = q_m + x + q_j < a$ allora

$$\pi_i(q_m, q_j) = \frac{a-c}{2}\left[\frac{a-c}{2} - q_j\right]$$

e

$$\pi_i(q_m + x, q_j) = \left[\frac{a-c}{2} + x\right]\left[\frac{a-c}{2} - x - q_j\right]$$

$$= \pi_i(q_m, q_j) - x(x + q_j),$$

inoltre, se $Q = q_m + x + q_j \geq a$, allora $P(Q) = 0$ così che producendo una quantità inferiore si aumentano i profitti. In secondo luogo, dato che le quantità maggiori di q_m sono state eliminate, la quantità $(a-c)/4$ domina strettamente qualunque quantità più piccola. In altre parole, per ogni x compreso tra zero e $(a-c)/4$, $\pi_i[(a-c)/4, q_j] > \pi_i[(a-c)/4 - x, q_j]$ per tutte le quantità q_j comprese tra zero e $(a-c)/2$. Per comprendere questo punto si osservi che

$$\pi_i\left(\frac{a-c}{4}, q_j\right) = \frac{a-c}{4}\left[\frac{3(a-c)}{4} - q_j\right]$$

e

$$\pi_i\left(\frac{a-c}{4} - x, q_j\right) = \left[\frac{a-c}{4} - x\right]\left[\frac{3(a-c)}{4} + x - q_j\right]$$

$$= \pi_i(q_m, q_j) - x\left[\frac{a-c}{2} + x - q_j\right].$$

Dopo questi due passi, le quantità rimaste nello spazio delle strategie di ogni impresa sono quelle comprese nell'intervallo di estremi $(a-c)/4$ e $(a-c)/2$. Ripetendo questi ragionamenti si ricavano intervalli per le quantità rimanenti ancora più piccoli e al limite tali intervalli convergono al punto $q_i^* = (a-c)/3$.

Anche l'eliminazione iterata di strategie strettamente dominate può essere descritta graficamente tenendo presente (si veda la nota 1; si veda anche la discussione del paragrafo 3.1) che una strategia è strettamente dominata se e solo se non vi è alcuna credenza sulle scelte degli altri giocatori in base alla quale la strategia sia una risposta ottima. Poiché in questo modello vi sono soltanto due imprese possiamo riformulare questa osservazione nel modo seguente: una quantità q_i è strettamente dominata se e solo se non vi è alcuna credenza su q_j tale che q_i sia la miglior risposta dell'impresa *i*. Anche in questo caso discutiamo soltanto i primi due passi del procedimento di eliminazione. In primo luogo, non è una risposta ottima per l'impresa *i* produrre una quantità superiore a quella di monopolio, $q_m = (a - c)/2$. Per comprendere questa osservazione si consideri, per esempio, la funzione di risposta ottima dell'impresa 2: nella figura 1.6, $R_2(q_1)$ è uguale a q_m quando $q_1 = 0$ e diminuisce all'aumentare di q_1. Quindi, per ogni $q_j \geq 0$, se l'impresa *i* ritiene che l'impresa *j* sceglierà q_j, allora la miglior risposta dell'impresa *i* è inferiore o uguale a q_m; non vi è alcun valore di q_j in corrispondenza del quale la miglior risposta dell'impresa *i* sia superiore a q_m. In secondo luogo, dato questo limite superiore alla quantità dell'impresa *j* possiamo derivare un limite inferiore per la risposta ottima dell'impresa *i*: se $q_j \leq (a - c)/2$, allora $R_i(q_j) \geq (a - c)/4$ come è mostrato nella figura 1.7 per la risposta ottima dell'impresa 2[9]. Come nel caso precedente, ripetendo questi ragionamenti si ricava una quantità unica $q_i^* = (a - c)/3$.

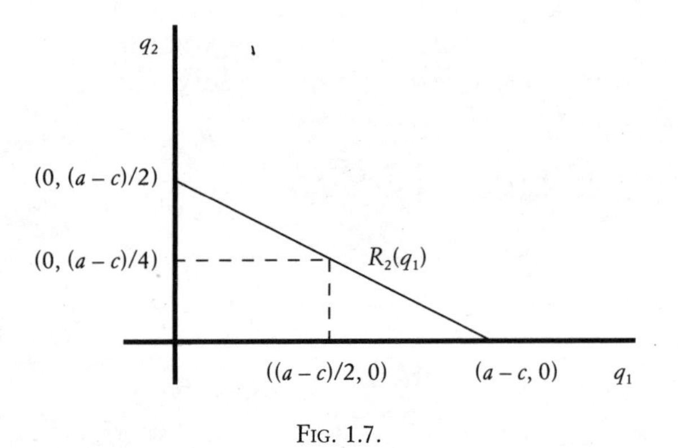

FIG. 1.7.

Concludiamo questo paragrafo modificando il modello di Cournot in modo che l'eliminazione iterata di strategie strettamente dominate *non* consenta di ricavare una soluzione unica. A tale proposito, aggiungiamo una o più imprese al caso di duopolio fin qui considerato. Si vedrà che il primo dei due passi discussi nel caso di duopolio continua a valere, ma che, tuttavia, il procedimento si arresta a questo stadio. Pertanto, quando vi sono più di due imprese

[9] Questi due ragionamenti sono leggermente incompleti in quanto non abbiamo analizzato la risposta ottima dell'impresa *i* quando l'impresa *i* è incerta su q_j. Si supponga che l'impresa *i* sia incerta su q_j, ma ritenga che il valore atteso di q_j sia $E(q_j)$. Poiché $\pi_i(q_i, q_j)$ è lineare in q_j la risposta ottima dell'impresa *i* in questo particolare caso di incertezza è semplicemente uguale alla propria risposta ottima quando è certa che l'impresa *j* scelga $E(q_j)$ – questo caso sarà trattato nel testo.

l'eliminazione iterata di strategie strettamente dominate consente di ricavare soltanto l'imprecisa predizione che la quantità di ogni impresa non sarà superiore alla quantità di monopolio (conclusione analoga a quella ottenuta per la figura 1.4 in cui tale procedimento non consente di eliminare alcuna strategia.)

Per comodità analizziamo il caso con tre imprese. Si indichi con Q_{-i} la somma delle quantità scelte dalle imprese diverse da i e sia $\pi_i(q_i, Q_{-i}) = q_i(a - q_i - Q_{-i} - c)$ se $q_i + Q_{-i} < a$ (mentre $\pi_i(q_i, Q_{-i}) = -cq_i$ se $q_i + Q_{-i} \geq a$). È vero anche in questo caso che la quantità di monopolio $q_m = (a - c)/2$ domina strettamente qualsiasi altra quantità superiore. In altri termini, per qualsiasi $x > 0$, $\pi_i(q_m, Q_{-i}) > \pi_i(q_m + x, Q_{-i})$ per tutte le quantità $Q_{-i} \geq 0$, proprio come nel primo passo del caso di duopolio. Tuttavia, poiché oltre all'impresa i ve ne sono altre due, tutto ciò che si può dire su Q_{-i} è che è compreso tra zero e $a - c$, poiché q_j e q_k sono compresi tra zero e $(a - c)/2$. Ma ciò implica che nessuna quantità $q_i \geq 0$ è strettamente dominata per l'impresa i, poiché per ogni q_i tra zero e $(a - c)/2$ esiste un valore di Q_{-i} tra zero e $a - c$ (cioè, $Q_{-i} = a - c - 2q_i$) tale che q_i è la risposta ottima dell'impresa i a Q_{-i}. Pertanto, nessuna ulteriore strategia può essere eliminata.

2.2. Il modello di duopolio di Bertrand

Consideriamo un diverso modello di interazione fra i duopolisti basato sul suggerimento di Bertrand [1983] secondo cui le imprese scelgono i prezzi e non le quantità come invece accadeva nel modello di Cournot. È importante notare che il modello di Bertrand è un *gioco differente* dal modello di Cournot: gli spazi delle strategie sono diversi, le funzioni dei payoff sono diverse e (come risulterà chiaro) il comportamento negli equilibri di Nash dei due modelli è diverso. Alcuni autori riassumono queste differenze facendo riferimento agli equilibri di Cournot e di Bertrand. Tuttavia, tale impiego dei termini può essere fuorviante: esso in effetti si riferisce alla differenza tra i giochi di Cournot e di Bertrand e alla differenza tra i comportamenti di equilibrio in questi giochi e *non* alla differenza nel concetto di equilibrio impiegato in questi giochi. *In entrambi i giochi il concetto di equilibrio utilizzato è l'equilibrio di Nash definito nel paragrafo precedente.*

Si consideri il caso di prodotti differenziati. (Si veda il problema 1.7 per il caso di prodotti omogenei). Se le imprese 1 e 2 scelgono rispettivamente i prezzi p_1 e p_2, la quantità che i consumatori domandano all'impresa i è

$$q_i(p_i, p_j) = a - p_i + bp_j,$$

dove $b > 0$ riflette in che misura il prodotto dell'impresa i è un sostituto del prodotto dell'impresa j. (Questa funzione di domanda non è realistica poiché la domanda per il prodotto dell'impresa i è positiva anche quando l'impresa i fissa un prezzo arbitrariamente alto, a condizione che anche l'impresa j fissi a sua volta un prezzo sufficientemente elevato. Come risulterà chiaro il problema ha senso soltanto se $b < 2$). Come nella discussione del modello di Cournot si assume che non vi sono costi fissi di produzione e che i costi marginali sono costanti e pari a c, con $c < a$, ed inoltre che le imprese agiscono (cioè scelgono i loro prezzi) simultaneamente.

Come nel caso precedente, il primo passo da compiere per trovare un equilibrio di Nash è quello di tradurre il problema in un gioco in forma normale. Anche in questo caso vi sono due giocatori, tuttavia, questa volta le strategie a disposizione di ogni impresa sono i diversi prezzi che possono essere fissati piuttosto che le diverse quantità che possono essere prodotte. Si assume che i prezzi siano non negativi e che, tuttavia, possa essere scelto qualsiasi prezzo non negativo – ad esempio, non vi è alcuna restrizione per prezzi espressi in lire. Pertanto, lo spazio delle strategie di ogni impresa può essere rappresentato nuovamente da $S_i = [0, \infty)$, l'insieme dei numeri reali non negativi e una generica strategia s_i è ora una scelta di prezzo, $p_i \geq 0$.

Assumeremo nuovamente che la funzione dei payoff di ogni impresa è data dal proprio profitto. Il profitto dell'impresa i quando essa sceglie il prezzo p_i e il rivale sceglie il prezzo p_j è dato da

$$\pi_i(p_i, p_j) = q_i(p_i, p_j)\,[p_i - c] = [a - p_i + bp_j]\,[p_i - c].$$

Quindi, la coppia di prezzi (p_1^*, p_2^*) è un equilibrio di Nash se, per ogni impresa i, il prezzo p_i^* risolve il seguente problema

$$\max_{0 \leq p_i \leq \infty} \pi_i(p_i, p_j^*) = \max_{0 \leq p_i \leq \infty} [a - p_i + bp_j^*]\,[p_i - c].$$

La soluzione del problema di ottimizzazione dell'impresa i è

$$p_i^* = \frac{1}{2}(a + bp_j^* + c).$$

Perciò, affinché la coppia di prezzi (p_i^*, p_j^*) sia un equilibrio di Nash le scelte di prezzo delle imprese devono soddisfare le equazioni

$$p_1^* = \frac{1}{2}(a + bp_2^* + c)$$

e

$$p_2^* = \frac{1}{2}(a + bp_1^* + c).$$

La soluzione di questa coppia di equazioni è

$$p_1^* = p_2^* = \frac{a + c}{2 - b}.$$

2.3. Arbitrato con offerta definitiva

Per molti lavoratori del settore pubblico vige il divieto di sciopero e le controversie salariali vengono regolate sulla base di un arbitrato vincolante. (Il campionato di *base-ball* delle categorie maggiori è forse un esempio più calzante rispetto al settore pubblico, tuttavia è meno importante economicamente). Molte altre controversie, compresi i casi di negligenza nella prestazione di cure mediche e i reclami da parte degli azionisti nei confronti dei loro agenti di borsa, richiedono l'intervento di un arbitrato. Le due forme più importanti sono l'arbitrato *convenzionale* e l'arbitrato con *offerta definitiva*. Nel caso di arbitrato con offerta definitiva le due parti in causa formulano le loro proposte salariali e l'arbitro ne seleziona una come decisione finale vincolante per entrambe le parti. Al contrario, nel caso di arbitrato convenzionale l'arbitro è libero di imporre qualsiasi salario come decisione finale. Deriviamo ora le proposte salariali corrispondenti all'equilibrio di Nash in un modello di arbitrato con offerta definitiva sviluppato da Farber [1980][10].

Supponiamo che le parti in causa siano una impresa e un sindacato e che la controversia riguardi i salari. Lo svolgimento temporale del gioco è il seguente. In un primo momento l'impresa e il sindacato formulano simultaneamente le loro proposte indicate rispettivamente con w_f e w_u. Successivamente, l'arbitro sceglie una delle due proposte come decisione finale. (Come accade per molti cosiddetti giochi statici, anche questo è in realtà un gioco dinamico del tipo che verrà discusso nel capitolo 2; il gioco dinamico viene ridotto ad un gioco statico tra impresa e sindacato introducendo delle assunzioni sul comportamento dell'arbitro nella seconda fase del gioco). Si assuma che l'arbitro abbia in mente una decisione finale che desidere-

[10] Questa applicazione richiede la conoscenza di alcuni concetti elementari di teoria della probabilità: distribuzione cumulativa di probabilità, funzione di densità di probabilità e valore atteso. Le definizioni di questi concetti verranno introdotte al momento opportuno; per maggiori dettagli si consulti un qualsiasi manuale introduttivo sulla probabilità.

rebbe imporre e che indichiamo con x. Inoltre, si assuma che, dopo aver osservato le proposte delle parti, w_f e w_u, l'arbitro semplicemente scelga la proposta più vicina a x; posto che $w_f < w_u$ (come è intuibile che sia e come si rivelerà essere vero), l'arbitro sceglierà w_f se $x < (w_f + w_u)/2$, mentre sceglierà w_u se $x > (w_f + w_u)/2$; si veda la figura 1.8. (Non è rilevante ciò che accade se $x = (w_f + w_u)/2$; si supponga che l'arbitro scelga in base al risultato del lancio di una moneta).

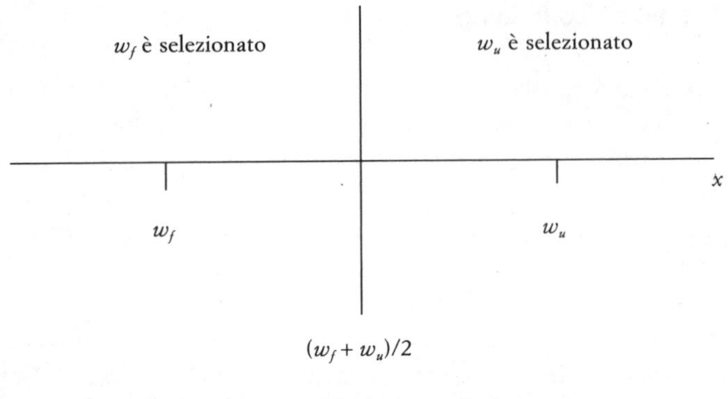

FIG. 1.8.

Il valore di x è noto all'arbitro ma non alle due parti in causa. Le parti ritengono che x sia distribuito casualmente in base a una distribuzione cumulativa di probabilità indicata con $F(x)$, la cui funzione di densità di probabilità associata è a sua volta indicata con $f(x)$[11]. Data questa specificazione del comportamento dell'arbitro, se le proposte sono w_f e w_u allora le parti ritengono che le probabilità Prob{w_f è selezionato} e Prob{w_u è selezionato} possono essere espresse nel modo seguente:

$$\text{Prob}\{w_f \text{ è selezionato}\} = \text{Prob}\left\{x < \frac{w_f + w_u}{2}\right\} = F\left(\frac{w_f + w_u}{2}\right)$$

e

$$\text{Prob}\{w_u \text{ è selezionato}\} = 1 - F\left(\frac{w_f + w_u}{2}\right).$$

[11] In altri termini, la probabilità che x sia inferiore a un valore arbitrario x^* è indicata da $F(x^*)$ e la derivata di questa probabilità è indicata con $f(x^*)$. Poiché $F(x)$ è una probabilità, si ha $0 \leq F(x^*) \leq 1$ per ogni x^*. Inoltre, se $x^{**} > x^*$ allora $F(x^{**}) > F(x^*)$, così che $f(x^*) \geq 0$ per ogni x^*.

Perciò il valore atteso del salario che sarà fissato dall'arbitro è

$$w_f \cdot \text{Prob}\{w_f \text{ è selezionato}\} + w_u \cdot \text{Prob}\{w_u \text{ è selezionato}\}$$

$$= w_f \cdot F\left(\frac{w_f + w_u}{2}\right) + w_u \cdot \left[1 - F\left(\frac{w_f + w_u}{2}\right)\right].$$

Si assume che l'obiettivo dell'impresa è di minimizzare il valore atteso del salario deciso dall'arbitro, mentre quello del sindacato è di massimizzarlo. Affinché la coppia di proposte (w_f^*, w_u^*) sia un equilibrio di Nash del gioco tra l'impresa e il sindacato, w_f^* deve essere una soluzione di[12]

$$\min_{w_f} w_f \cdot F\left(\frac{w_f + w_u^*}{2}\right) + w_u \cdot \left[1 - F\left(\frac{w_f + w_u^*}{2}\right)\right]$$

e w_u^* deve essere la soluzione di

$$\max_{w_u} w_f \cdot F\left(\frac{w_f^* + w_u}{2}\right) + w_u \cdot \left[1 - F\left(\frac{w_f^* + w_u}{2}\right)\right].$$

Perciò, la coppia di proposte salariali (w_f^*, w_u^*) deve soddisfare le condizioni del primo ordine di questi problemi di ottimo, cioè

$$(w_u^* - w_f^*) \cdot \frac{1}{2} f\left(\frac{w_f^* + w_u^*}{2}\right) = F\left(\frac{w_f^* + w_u^*}{2}\right)$$

e

$$(w_u^* - w_f^*) \cdot \frac{1}{2} f\left(\frac{w_f^* + w_u^*}{2}\right) = \left[1 - F\left(\frac{w_f^* + w_u^*}{2}\right)\right].$$

(Rinviamo la discussione per stabilire se le condizioni del primo ordine siano anche sufficienti). Poiché i membri di sinistra delle condizioni del primo ordine sono uguali, anche i membri di destra devono essere tali, il che implica

[12] Nella formulazione dei problemi di ottimo dell'impresa e del sindacato si è assunto che la proposta dell'impresa sia inferiore a quella del sindacato. È immediato mostrare che in equilibrio tale diseguaglianza deve essere soddisfatta.

$$F\left(\frac{w_f^* + w_u^*}{2}\right) = \frac{1}{2}; \tag{1.7}$$

in altri termini, la media delle proposte salariali deve essere uguale alla mediana della decisione finale preferita dall'arbitro. Sostituendo la [1.7] in una qualsiasi delle due condizioni del primo ordine si ottiene

$$(w_u^* - w_f^*) = \frac{1}{f\left(\frac{w_f^* + w_u^*}{2}\right)}; \tag{1.8}$$

cioè, la differenza tra le due proposte deve essere uguale al reciproco del valore della funzione di densità calcolata in corrispondenza della mediana della decisione finale preferita dall'arbitro.

Il seguente esempio consente di ricavare un risultato di statica comparata molto interessante da un punto di vista intuitivo. Si supponga che la decisione finale preferita dall'arbitro sia distribuita normalmente con media m e varianza σ^2; in tal caso la funzione di densità è

$$f(x) = \frac{1}{\sqrt{2\pi\sigma^2}} \exp\left\{-\frac{1}{2\sigma^2}(x-m)^2\right\}.$$

(In questo esempio si può mostrare che le precedenti condizioni del primo ordine sono anche sufficienti). Poiché la distribuzione normale è simmetrica attorno alla media, la mediana è uguale alla media, m; pertanto la [1.7] diviene

$$\frac{w_f^* + w_u^*}{2} = m$$

e la [1.8] diviene

$$w_u^* - w_f^* = \frac{1}{f(m)} = \sqrt{2\pi\sigma^2},$$

così che le proposte corrispondenti all'equilibrio di Nash sono

$$w_u^* = m + \sqrt{\frac{\pi\sigma^2}{2}} \qquad \text{e} \qquad w_f^* = m - \sqrt{\frac{\pi\sigma^2}{2}}.$$

Perciò, in equilibrio, le proposte delle parti sono centrate attorno al valore atteso della decisione finale preferita dall'arbitro (cioè, m) e la differenza tra le proposte delle parti aumenta all'aumentare dell'incertezza sulla decisione finale preferita dall'arbitro, (cioè, σ^2).

L'intuizione sottostante a tale equilibrio è semplice. Ognuna delle parti in causa è posta di fronte a un dilemma (*trade-off*). Una proposta più aggressiva (cioè, una proposta più bassa da parte dell'impresa o una proposta più alta da parte del sindacato) consente di ottenere un payoff migliore se tale proposta è scelta dall'arbitro come decisione finale, tuttavia una proposta più aggressiva ha una probabilità più bassa di essere scelta. (Nel capitolo 3 vedremo che un *trade-off* simile si presenta in un modello di asta in cui le offerte sono in buste sigillate e il bene viene aggiudicato al miglior offerente: una offerta più bassa consente di ottenere un payoff maggiore se l'offerta risulta vincente, tuttavia le probabilità di vincita si riducono). Quando l'incertezza sulla decisione finale preferita dall'arbitro è maggiore (cioè, σ^2 è maggiore) le parti in causa possono permettersi un atteggiamento più aggressivo poiché è meno probabile che una proposta più aggressiva sia in netto contrasto con la decisione finale preferita dall'arbitro. Quando l'incertezza è molto piccola, invece, nessuna delle due parti può permettersi di formulare una proposta molto diversa dalla media, poiché è molto probabile che l'arbitro preferisca decisioni finali vicine ad m.

2.4. Il problema delle terre comuni

Almeno fin dai tempi di Hume [1739] i filosofi politici e gli economisti hanno compreso che se i cittadini rispondono soltanto a incentivi privati i beni pubblici non verranno prodotti in misura sufficiente e le risorse pubbliche saranno sovrautilizzate. Ai giorni nostri, anche una superficiale indagine sullo stato dell'ambiente terrestre rivela la forza di questa idea. Il noto saggio di Hardin [1968] ha portato il problema all'attenzione di una più ampia cerchia di persone. In questo paragrafo consideriamo un esempio di ambientazione bucolica.

Si consideri un villaggio in cui abitano n allevatori. Ogni estate gli allevatori portano le loro capre a pascolare sui prati del villaggio. Si indichi il numero di capre possedute dall'allevatore i-esimo con g_i e il numero totale di capre esistenti nel villaggio con $G = g_1 + ... + g_n$. Il costo per acquistare e allevare una capra è c ed è indipendente dal numero di capre posseduto dall'allevatore. Il valore che un allevatore ottiene portando al pascolo una capra sui prati del villaggio, quando vi sono un totale di G capre al pascolo, è $v(G)$ *per ogni capra*.

Poiché una capra ha bisogno di un quantitativo minimo di erba per sopravvivere, vi è un numero massimo di capre che possono essere portate a pascolare sui prati, G_{max}: $v(G) > 0$ per $G < G_{max}$, ma $v(G) = 0$ per $G \geq G_{max}$. Inoltre, le prime capre, che sono in numero ridotto, hanno molto posto per pascolare e dunque l'aggiunta di un'altra capra non arreca molto danno a quelle già presenti; diversamente, quando vi sono già molte capre al pascolo a tal punto che esse sono al livello di sopravvivenza (cioè, G è di poco inferiore a G_{max}), allora la presenza di un'altra capra peggiora sensibilmente lo stato delle altre. Formalmente: per $G < G_{max}$, $v'(G) < 0$ e $v''(G) < 0$, come è mostrato nella figura 1.9.

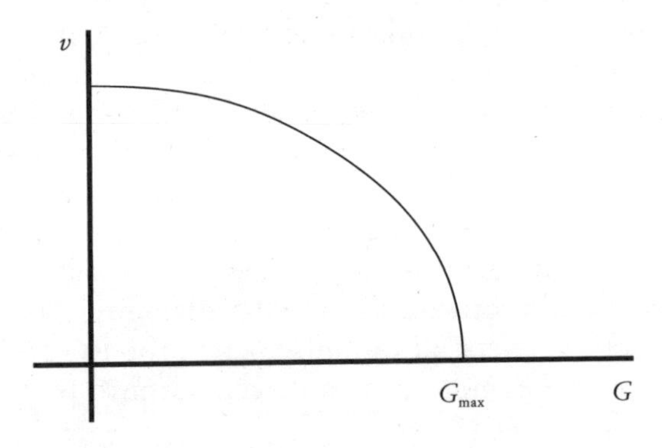

FIG. 1.9.

In primavera gli allevatori decidono quante capre tenere. Assumiamo che le capre siano divisibili in modo continuo. La strategia del pastore i consiste nella scelta del numero di capre da portare al pascolo sui prati del villaggio, g_i. Assumendo che lo spazio delle strategie sia $[0, \infty)$ si tiene conto di tutte le possibili scelte che l'allevatore può prendere in considerazione; tuttavia, sarebbe sufficiente considerare l'intervallo $[0, G_{max})$. Il payoff che l'allevatore i ottiene portando al pascolo g_i capre quando le quantità di capre portate al pascolo dagli altri allevatori sono $(g_1, ..., g_{i-1}, g_{i+1}, ..., g_n)$ è dato da

$$[1.9] \qquad g_i v(g_1, ..., g_{i-1}, g_i, g_{i+1}, ..., g_n) - cg_i.$$

Affinché $(g_1^*, ..., g_n^*)$ sia un equilibrio di Nash, per ogni i, g_i^* deve massimizzare la [1.9] dato che gli altri allevatori scelgono $(g_1^*, ..., g_{i-1}^*, g_{i+1}^*, ..., g_n^*)$. La condizione del primo ordine di questo problema di ottimo è

$$[1.10] \qquad v(g_i + g_{-i}^*) + g_i v'(g_i + g_{-i}^*) - c = 0,$$

dove g_{-i}^* indica $g_1^* + ... + g_{i-1}^* + g_{i+1}^* + ... + g_n^*$. Sostituendo g_i^* nella

[1.10], sommando le condizioni del primo ordine degli n allevatori e dividendo per n si ottiene

$$v(G^*) + \frac{1}{n} G^* v'(G^*) - c = 0, \qquad [1.11]$$

dove G^* indica $g_1^* + ... + g_n^*$. Diversamente, l'ottimo sociale, indicato con G^{**}, si ottiene dalla soluzione del problema di ottimo

$$\max_{0 \le G \le \infty} Gv(G) - Gc$$

la cui condizione del primo ordine è la seguente:

$$v(G^{**}) + G^{**}v'(G^{**}) - c = 0. \qquad [1.12]$$

Dal confronto tra la [1.11] e la [1.12] si ricava[13] che $G^* > G^{**}$: rispetto all'ottimo sociale, nell'equilibrio di Nash vi sono troppe capre al pascolo. La condizione del primo ordine [1.10] riflette gli incentivi a cui è soggetto l'allevatore che ha già portato al pascolo g_i capre e che sta valutando la possibilità di aggiungerne un'altra (o, più precisamente, una piccola frazione di un'altra). Il valore di una capra aggiuntiva è $v'(g_i + g_{-i}^*)$ e il costo è c. Il danno per l'allevatore relativo alle proprie capre presenti nel pascolo è $v'(g_i + g_{-i}^*)$ per ogni capra, o $g_i v'(g_i + g_{-i}^*)$ in totale. Le risorse comuni sono sovrautilizzate perché ogni allevatore tiene conto soltanto dei propri incentivi e non dell'effetto delle proprie azioni sugli altri allevatori, e ciò spiega perché vi è $G^*v'(G^*)/n$ nella [1.11], mentre vi è $G^{**}v'(G^{**})$ nella [1.12].

3. Teoria avanzata: strategie miste ed esistenza dell'equilibrio

3.1. Strategie miste

Nel paragrafo 1.3 si è definito S_i come l'insieme delle strategie a disposizione del giocatore i e si è affermato che la combinazione di strategie $(s_1^*, ..., s_n^*)$ è un equilibrio di Nash se, per ogni giocatore i, s_i^* è la miglior risposta del giocatore i alle strategie degli altri $n - 1$ giocatori:

$$u_i(s_1^*, ..., s_{i-1}^*, s_i^*, s_{i+1}^*, ..., s_n^*) \ge u_i(s_1^*, ..., s_{i-1}^*, s_i, s_{i+1}^*, ..., s_n^*) \qquad \text{(EN)}$$

[13] Supponiamo che, al contrario, $G^* \le G^{**}$; allora $v(G^*) \ge v(G^{**})$, poiché $v' < 0$; analogamente, $0 > v'(G^*) \ge v'(G^{**})$, poiché $v'' < 0$; infine, $G^*/n < G^{**}$. Perciò il membro a sinistra del segno di uguale della [1.11] è strettamente maggiore del membro di sinistra della [1.12]; ma ciò è impossibile poiché entrambi sono pari a zero.

per ogni strategia s_i in S_i. In base a questa definizione non vi è alcun equilibrio di Nash nel gioco seguente noto come *Matching pennies*.

		Giocatore 2	
		Testa	Croce
Giocatore 1	Testa	–1, 1	1, –1
	Croce	1, –1	–1, 1

Matching pennies

In questo gioco, lo spazio delle strategie di ogni giocatore è {Testa, Croce}. La storia che solitamente si racconta per giustificare i payoff della bimatrice è la seguente: ogni giocatore ha una moneta da un *penny* e deve scegliere se mostrare il lato su cui compare Testa o quello su cui compare Croce. Se i lati dei due *penny* sono gli stessi (cioè, se il lato mostrato di entrambe le monete è Testa, oppure Croce) allora il giocatore 2 vince il *penny* del giocatore 1; se i lati dei *penny* non sono gli stessi allora 1 vince il *penny* del giocatore 2. Nessuna coppia di strategie può soddisfare (EN) poiché, se le strategie dei giocatori sono uguali – (Testa, Testa) o (Croce, Croce) – allora il giocatore 1 preferisce cambiare le proprie strategie, mentre se le strategie sono diverse – (Testa, Croce) o (Croce, Testa) – allora sarà il giocatore 2 ad avere convenienza a cambiare.

La caratteristica distintiva di *Matching pennies* è che ogni giocatore vorrebbe battere in anticipo l'avversario (cioè, indovinare la strategia dell'altro senza che la propria strategia sia indovinata dall'avversario). Altre versioni di questo gioco si presentano anche nel poker, nel *base-ball*, in battaglia e altre situazioni. Nel poker un problema analogo è quello di stabilire con che frequenza bluffare: se è noto che il giocatore *i* non bluffa mai allora gli avversari di *i* si ritireranno quando *i* gioca in maniera aggressiva; ciò, tuttavia, fa sì che bluffare di tanto in tanto risulti conveniente per il giocatore *i*; dall'altro lato, anche bluffare troppo spesso è una strategia perdente. Nel *base-ball* si supponga che un lanciatore sia in grado di lanciare una palla forte e tesa oppure una palla curva e che un battitore sia in grado si colpirla se (e solo se) riesce ad anticipare correttamente il tipo di lancio che sarà effettuato. Analogamente, in battaglia si supponga che chi attacca può scegliere tra due località (oppure due vie, ad esempio «per terra o per mare») e chi si difende può parare l'uno o l'altro attacco se (e solo se) è correttamente previsto.

In qualsiasi gioco in cui ogni giocatore vorrebbe battere in anticipo l'avversario, non esiste alcun equilibrio di Nash (secondo il concetto di equilibrio definito nel paragrafo 1.3), poiché la soluzione di un tale gioco necessariamente comporta incertezza su ciò che i giocatori faranno. Introduciamo a questo punto la nozione di *strategia mista*, che sarà interpretata in termini di incertezza di un giocatore su ciò che farà un altro giocatore. (Questa interpretazione è stata avanzata da Harsany [1973] e sarà ulteriormente discussa nel paragrafo 2.1 del capitolo 3). Nel prossimo paragrafo estenderemo la definizione di equilibrio di Nash in modo da includere le strategie miste ed in tale modo catturare l'incertezza inerente alla soluzione di giochi come *Matching pennies*, poker, *base-ball* e battaglia.

Formalmente, una strategia mista per il giocatore i è una distribuzione di probabilità sulle (su alcune o tutte le) strategie contenute in S_i. Da ora in avanti faremo riferimento alle strategie in S_i come le *strategie pure* del giocatore i. Nei giochi con mosse simultanee con informazione completa analizzati in questo capitolo le strategie pure di un giocatore sono costituite dalle diverse azioni che un giocatore può intraprendere. In *Matching pennies*, per esempio, S_i è costituito da due strategie pure, Testa e Croce; quindi, una strategia mista per il giocatore i è la distribuzione di probabilità $(q, 1 - q)$, dove q è la probabilità di giocare Testa, $1 - q$ è la probabilità di giocare Croce e $0 \leq q \leq 1$. La strategia mista (0, 1) è semplicemente la strategia pura Croce; allo stesso modo, la strategia mista (1, 0) è la strategia pura Testa.

Un secondo esempio di strategia pura si può ricavare dalla figura 1.1 in cui il giocatore 2 ha a disposizione le strategie pure Sinistra, Centro e Destra. In questo caso una strategia mista per il giocatore 2 è la distribuzione di probabilità $(q, r, 1 - q - r)$, dove q è la probabilità di giocare Sinistra, r è la probabilità di giocare Centro e $1 - q - r$ è la probabilità di giocare Destra. Come in precedenza, $0 \leq q \leq 1$ ed inoltre $0 \leq r \leq 1$ e $0 \leq q + r \leq 1$. In questo gioco la strategia mista (1/3, 1/3, 1/3) attribuisce la stessa probabilità a Sinistra, Centro e Destra, mentre (1/2, 1/2, 0) attribuisce la stessa probabilità a Sinistra e Centro ma nessuna probabilità a Destra. Come sempre, le strategie pure di un giocatore sono semplicemente i casi limite delle sue strategie miste – per esempio, in questo caso la strategia pura Sinistra per il giocatore 2 è la strategia mista (1, 0, 0).

Più in generale, si supponga che il giocatore i abbia K strategie pure: $S_i = \{s_{i1}, ..., s_{iK}\}$. Una strategia mista per il giocatore i è una distribuzione di probabilità $(p_{i1}, ..., p_{iK})$, dove p_{ik} è la probabilità che il giocatore i giochi la strategia s_{ik} per $k = 1, ..., K$ e $p_{i1} + ... + p_{iK} = 1$. Scriveremo p_i per indicare una arbitraria strategia mista presa dall'insieme delle distribuzioni di probabilità su S_i, così come scriviamo s_i per indicare una arbitraria strategia pura presa da S_i.

DEFINIZIONE. Nel gioco in forma normale $G = \{S_1, ..., S_n; u_1, ..., u_n\}$ si supponga che $S_i = \{s_{i1}, ..., s_{iK}\}$. Una strategia mista per il giocatore i è una distribuzione di probabilità $p_i = (p_{i1}, ..., p_{iK})$, con $0 \leq p_{ik} \leq 1$ per $k = 1, ..., K$ e $p_{i1} + ... + p_{iK} = 1$.

Concludiamo questo paragrafo ritornando (brevemente) sulla nozione di strategie strettamente dominate introdotta nel paragrafo 1.2, in modo da illustrare i potenziali ruoli svolti dalle strategie miste nei ragionamenti sviluppati in relazione al criterio di dominanza. Si ricordi che se una strategia s_i è strettamente dominata, non esiste alcuna credenza per il giocatore i (sulle strategie che sceglieranno gli altri giocatori) in base alla quale risulti ottimale giocare s_i. A condizione che si ammettano strategie miste è vero anche il viceversa: se non esiste alcuna credenza per il giocatore i (sulle strategie che sceglieranno gli altri giocatori) in base alla quale risulti ottimale giocare la strategia s_i, allora esiste un'altra strategia che domina strettamente s_i[14]. I giochi delle figure 1.10 e 1.11 mostrano che il viceversa sarebbe falso se restringessimo l'attenzione alle sole strategie pure.

		Giocatore 2	
		L	R
	T	3, –	0, –
Giocatore 1	M	0, –	3, –
	B	1, –	1, –

FIG. 1.10.

La figura 1.10 mostra che una data strategia pura può essere strettamente dominata da una strategia mista anche se la strategia pura non è strettamente dominata da nessun'altra strategia pura. In questo gioco, per ogni credenza $(q, 1 - q)$ del giocatore 1 su come giocherà 2, la miglior risposta di 1 è T (se $q \geq 1/2$) oppure M (se $q \leq 1/2$), ma non può mai essere B. Tuttavia, B non è strettamente

[14] Pearce [1984] dimostra questo risultato nel caso di due giocatori e osserva che tale risultato è valido nel caso con n giocatori se si ammette che le strategie miste dei giocatori possano essere correlate – cioè, se si ammette che la credenza del giocatore i su ciò che farà il giocatore j possa essere correlata alla credenza di i su ciò che farà il giocatore k. Aumann [1987] suggerisce che tale correlazione delle credenze di i è del tutto plausibile, anche se j e k effettuano le loro scelte in modo completamente indipendente: per esempio, i può sapere che j e k hanno frequentato una scuola di economia aziendale, magari la stessa scuola, anche se può non sapere cosa è stato insegnato loro.

dominata né da T né da M. Il punto cruciale è che B è strettamente dominata da una strategia mista: se il giocatore 1 sceglie T con probabilità 1/2 ed M con probabilità 1/2 allora il payoff atteso di 1 è 3/2 indipendentemente da quale strategia (pura o mista) gioca 2 e 3/2 è maggiore del payoff pari a 1 che si avrebbe giocando B. Questo esempio illustra il ruolo svolto dalle strategie miste per trovare «un'altra strategia che domina strettamente s_i».

Giocatore 2

		L	R
	T	3, –	0, –
Giocatore 1	M	0, –	3, –
	B	2, –	2, –

FIG. 1.11.

La figura 1.11 mostra che una data strategia pura può essere la miglior risposta ad una strategia mista, anche se la strategia mista non è la miglior risposta a ogni altra strategia pura. In questo gioco, B non è una risposta ottima per il giocatore 1 né a L né a R da parte del giocatore 2, tuttavia B è la miglior risposta del giocatore 1 alla strategia mista $(q, 1-q)$ del giocatore 2, a condizione che $1/3 < q < 2/3$. Questo esempio illustra il ruolo delle strategie miste nella «credenza del giocatore *i*».

3.2. Esistenza dell'equilibrio di Nash

In questo paragrafo discutiamo diversi argomenti collegati all'esistenza dell'equilibrio di Nash. In primo luogo estendiamo la definizione di equilibrio di Nash data nel paragrafo 1.3 in modo da ammettere la possibilità di strategie miste. In secondo luogo, applichiamo questa definizione estesa a *Matching pennies* e alla battaglia dei sessi. Terzo, utilizziamo un ragionamento grafico per mostrare che ogni gioco con due giocatori in cui ogni giocatore ha due strategie pure ha un equilibrio di Nash (eventualmente in strategie miste). Infine, enunciamo e discutiamo il teorema di Nash [1950], il quale garantisce che ogni gioco finito (cioè, ogni gioco con un numero finito di giocatori, ognuno dei quali ha un numero finito di strategie pure) ha un equilibrio di Nash (eventualmente in strategie miste).

Si ricordi che la definizione di equilibrio di Nash data nel paragrafo 1.3 garantisce che la strategia pura di ogni giocatore sia la migliore risposta alle strategie pure degli altri giocatori. Per estendere la definizione in modo da tenere conto delle strategie miste imponiamo semplicemente la condizione che la strategia mista di ogni giocatore sia la miglior risposta alle strategie miste degli altri giocatori. Poiché ogni strategia pura può essere rappresentata come una strategia mista che assegna probabilità zero a tutte le altre strategie pure del giocatore, questa definizione estesa include quella precedente.

Per illustrare l'interpretazione della strategia mista del giocatore j come il risultato dell'incertezza del giocatore i su ciò che j farà, si calcoli la risposta ottima del giocatore i ad una strategia mista del giocatore j. Per fare un esempio cominciamo da *Matching pennies*. Supponiamo che il giocatore 1 creda che il giocatore 2 scelga Testa con probabilità q e Croce con probabilità $1 - q$; cioè, 1 crede che 2 giocherà la strategia mista $(q, 1 - q)$. Data questa credenza i payoff attesi del giocatore 1 sono $q \cdot (-1) + (1 - q) \cdot 1 = 1 - 2q$ se gioca Testa e $q \cdot 1 + (1 - q) \cdot (-1) = 2q - 1$ se gioca Croce. Poiché $1 - 2q > 2q - 1$ se e solo se $q < 1/2$, la risposta ottima in strategie pure del giocatore 1 è Testa se $q < 1/2$ e Croce se $q > 1/2$; inoltre il giocatore 1 è indifferente tra Testa e Croce se $q = 1/2$. A questo punto non rimane altro che considerare le possibili risposte del giocatore 1 in strategie miste.

Si indichi con $(r, 1 - r)$ la strategia mista in cui il giocatore 1 sceglie Testa con probabilità r. Per ogni valore di q compreso tra 0 e 1 calcoliamo il valore (o i valori) di r, indicati con $r^*(q)$, tali per cui la strategia mista $(r, 1 - r)$ è la miglior risposta del giocatore 1 alla strategia mista $(q, 1 - q)$ del giocatore 2. I risultati sono riportati nella figura 1.12. Il payoff atteso che il giocatore 1 riceve giocando $(r, 1 - r)$ quando il giocatore 2 gioca $(q, 1 - q)$ è

$$[1.13] \qquad rq \cdot (-1) + r(1 - q) \cdot 1 + (1 - r)q \cdot 1$$
$$+ (1 - r)(1 - q) \cdot (-1) = (2q - 1) + r(2 - 4q),$$

dove rq è la probabilità di (Testa, Testa), $r(1 - q)$ è la probabilità di (Testa, Croce) e così via[15]. Poiché il payoff atteso del giocatore 1 è crescente in r se $2 - 4q > 0$ e descrescente in r se $2 - 4q < 0$, la risposta ottima del giocatore 1 è $r = 1$ (cioè Testa) se $q < 1/2$ e $r = 0$ (cioè

[15] Gli eventi A e B sono *indipendenti* se Prob{A e B} = Prob{A} · Prob{B}. Perciò, avendo indicato con rq la probabilità che 1 scelga Testa e 2 scelga Croce, abbiamo assunto che 1 e 2 effettuano le loro scelte in modo indipendente, come si addice alla descrizione data dei giochi con mosse simultanee. Si veda Aumann [1974] per la definizione di *equilibrio correlato*, che si applica a giochi in cui si ammette la possibilità che le scelte dei giocatori siano correlate (ad esempio, perché i giocatori osservano la realizzazione di un evento casuale, come ad esempio il lancio di una moneta, prima di scegliere le loro strategie).

Croce) se $q > 1/2$, come indicato dai due segmenti orizzontali di $r^*(q)$ nella figura 1.12. Questo risultato è più forte di quello strettamente collegato ottenuto nel capoverso precedente: in quel caso si sono considerate soltanto strategie pure e si è concluso che se $q < 1/2$ allora Testa è la strategia pura ottima, mentre se $q > 1/2$ la strategia pura ottima è Croce; in questo caso, invece, consideriamo tutte le strategie sia pure che miste e ricaviamo nuovamente che se $q < 1/2$ allora Testa è la migliore di tutte le strategie (sia pure che miste) e se $q > 1/2$ allora Croce è la migliore di tutte le strategie.

La natura della risposta ottima del giocatore 1 a $(q, 1 - q)$ cambia quando $q = 1/2$. Come si è osservato precedentemente, quando $q = 1/2$ il giocatore 1 è indifferente tra le strategie pure Testa e Croce. Inoltre, poiché il payoff atteso del giocatore 1 nella [1.13] è indipendente da r quando $q = 1/2$, il giocatore 1 è anche indifferente tra tutte le strategie miste $(r, 1 - r)$. In altri termini, quando $q = 1/2$ la strategia mista $(r, 1 - r)$ è una risposta ottima a $(q, 1 - q)$ per qualsiasi valore di r compreso tra 0 e 1. Perciò, $r^*(1/2)$ è l'intero intervallo $[0, 1]$ come indicato dal segmento verticale di $r^*(q)$ nella figura 1.12. Nell'analisi del modello di Cournot del paragrafo 2.1, abbiamo chiamato $R_i(q_j)$ la *funzione* di risposta ottima dell'impresa i. Nel caso qui in esame, poiché esiste un valore di q in corrispondenza del quale $r^*(q)$ assume più di un valore, chiameremo $r^*(q)$ la *corrispondenza* di risposta ottima del giocatore 1.

Per derivare, in termini più generali, la risposta ottima del giocatore i alla strategia mista del giocatore j e per dare una enunciazione formale della definizione estesa dell'equilibrio di Nash, restringiamo l'attenzione al caso con due giocatori il quale consente di catturare le idee principali nel modo più semplice possibile. Si indichi con J e K

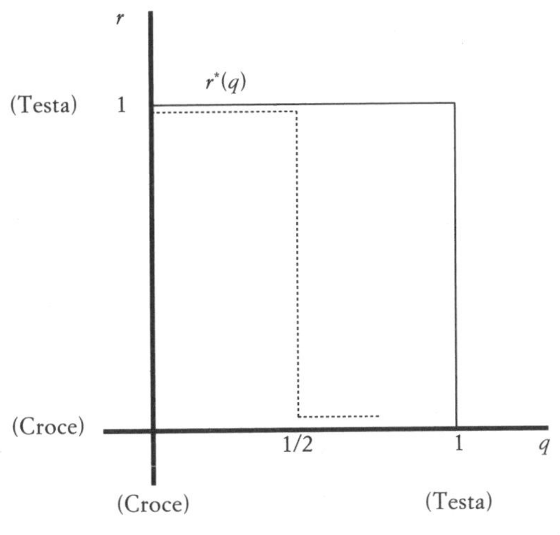

FIG. 1.12.

il numero di strategie presenti rispettivamente in S_1 e S_2. Scriveremo $S_1 = \{s_{11}, ..., s_{1J}\}$ e $S_2 = \{s_{21}, ..., s_{2K}\}$ e indicheremo con s_{1j} e s_{2k} arbitrarie strategie pure contenute rispettivamente in S_1 e S_2.

Se il giocatore 1 crede che il giocatore 2 giocherà le strategie $(s_{21}, ..., s_{2K})$ con probabilità $(p_{21}, ..., p_{2K})$, allora il payoff atteso del giocatore 1 ottenuto giocando la strategia pura s_{1j} è

$$\sum_{k=1}^{K} p_{2k} u_1(s_{1j}, s_{2k}), \tag{1.14}$$

e il payoff atteso del giocatore 1 ottenuto giocando la strategia mista $p_1 = (p_{11}, ..., p_{1J})$ è

$$\begin{aligned} v_1(p_1, p_2) &= \sum_{j=1}^{J} p_{1j} \left[\sum_{k=1}^{K} p_{2k} u_1(s_{1j}, s_{2k}) \right] \\ &= \sum_{j=1}^{J} \sum_{k=1}^{K} p_{1j} \cdot p_{2k} u_1(s_{1j}, s_{2k}), \end{aligned} \tag{1.15}$$

dove $p_{1j} \cdot p_{2k}$ è la probabilità che 1 giochi s_{1j} e 2 giochi s_{2k}. Il payoff atteso del giocatore 1 corrispondente alla strategia mista p_1, dato dalla [1.15], è la somma ponderata dei payoff attesi di ciascuna delle strategie pure $\{s_{11}, ..., s_{1J}\}$, dati dalla [1.14], dove i pesi sono le probabilità $(p_{11}, ..., p_{1J})$. Perciò, affinché la strategia mista $(p_{11}, ..., p_{1J})$ sia una risposta ottima del giocatore 1 alla strategia mista di 2, deve valere che $p_{1j} > 0$ solo se

$$\sum_{k=1}^{K} p_{2k} u_1(s_{1j}, s_{2k}) \geq \sum_{k=1}^{K} p_{2k} u_1(s_{1j'}, s_{2k})$$

per ogni $s_{1j'}$ in S_1. In altri termini, affinché una strategia mista sia una risposta ottima a p_2, essa deve assegnare una probabilità positiva ad una strategia pura soltanto se la strategia pura è essa stessa una risposta ottima a p_2. Viceversa, se il giocatore 1 ha varie strategie pure che sono risposte ottime a p_2, allora anche qualunque strategia mista che assegna tutta la probabilità ad alcune o a tutte queste risposte ottime in strategie pure (e probabilità zero a tutte le altre strategie pure) è una risposta ottima del giocatore 1 a p_2.

Per dare una enunciazione formale della definizione estesa di equilibrio di Nash, occorre calcolare il payoff atteso del giocatore 2 quando i giocatori 1 e 2 scelgono rispettivamente le strategie miste p_1 e p_2. Se il giocatore 2 crede che il giocatore 1 sceglierà le strategie $(s_{11}, ..., s_{1J})$ con probabilità $(p_{11}, ..., p_{1J})$, allora il payoff atteso del giocatore 2 ricevuto giocando le strategie $(s_{21}, ..., s_{2K})$ con probabilità $(p_{21}, ..., p_{2K})$ è

$$v_2(p_1, p_2) = \sum_{k=1}^{K} p_{2k}\left[\sum_{j=1}^{J} p_{1j}u_2(s_{1j}, s_{2k})\right]$$
$$= \sum_{j=1}^{J}\sum_{k=1}^{K} p_{1j} \cdot p_{2k}u_2(s_{1j}, s_{2k}).$$

Dati $v_1(p_1, p_2)$ e $v_2(p_1, p_2)$ possiamo riformulare la condizione richiesta dall'equilibrio di Nash che la strategia mista di ogni giocatore sia una risposta ottima alla strategia mista dell'altro giocatore: affinché la coppia di strategie miste (p_1^*, p_2^*) sia un equilibrio di Nash, p_1^* deve soddisfare

[1.16] $$v_1(p_1^*, p_2^*) \geq v_1(p_1, p_2^*)$$

per ogni distribuzione di probabilità p_1 su S_1, e p_2^* deve soddisfare

[1.17] $$v_2(p_1^*, p_2^*) \geq v_2(p_1^*, p_2)$$

per ogni distribuzione di probabilità p_2 su S_2.

DEFINIZIONE. Nel gioco in forma normale con due giocatori $G = \{S_1, S_2; u_1, u_2\}$, le strategie miste (p_1^*, p_2^*) sono un *equilibrio di Nash* se la strategia mista di ogni giocatore è una risposta ottima alla strategia mista dell'altro giocatore: la [1.16] e la [1.17] devono essere soddisfatte.

Giunti a questo punto possiamo applicare questa definizione a *Matching pennies* e alla battaglia dei sessi. A tal fine impiegheremo la rappresentazione grafica della risposta ottima del giocatore i alla strategia mista del giocatore j introdotta nella figura 1.12. Per completare le informazioni della figura 1.12 calcoliamo il valore (o i valori) di q, indicato con $q^*(r)$, tale che $(q, 1-q)$ sia una risposta ottima per il giocatore 2 alla strategia $(r, 1-r)$ del giocatore 1. I risultati sono riportati nella figura 1.13. Se $r < 1/2$ allora la risposta ottima di 2 è Croce, così che $q^*(r) = 0$; analogamente se $r > 1/2$ allora la risposta ottima di 2 è Testa, così che $q^*(r) = 1$. Se $r = 1/2$ allora il giocatore è indifferente non solo tra Testa e Croce ma anche fra tutte le strategie miste $(q, 1-q)$, così che $q^*(1/2)$ è l'intero intervallo $[0, 1]$.

Invertendo gli assi della figura 1.13 ricaviamo la figura 1.14. La figura 1.14 è meno agevole della figura 1.13 come rappresentazione della risposta ottima del giocatore 2 alla strategia mista del giocatore 1, tuttavia può essere combinata con la figura 1.12 per ricavare la figura 1.15.

La figura 1.15 è analoga alla figura 1.6 relativa all'analisi di Cournot del paragrafo 2.1. Come nel caso del gioco di Cournot l'equili-

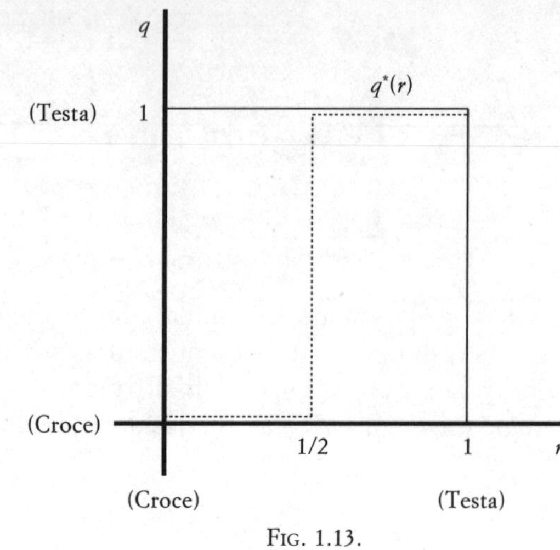

FIG. 1.13.

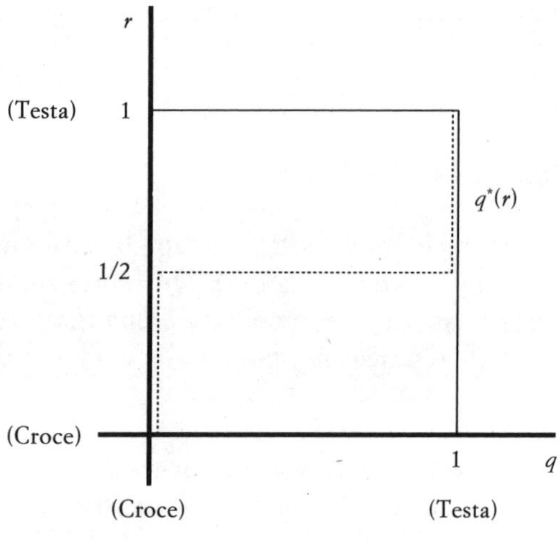

FIG. 1.14.

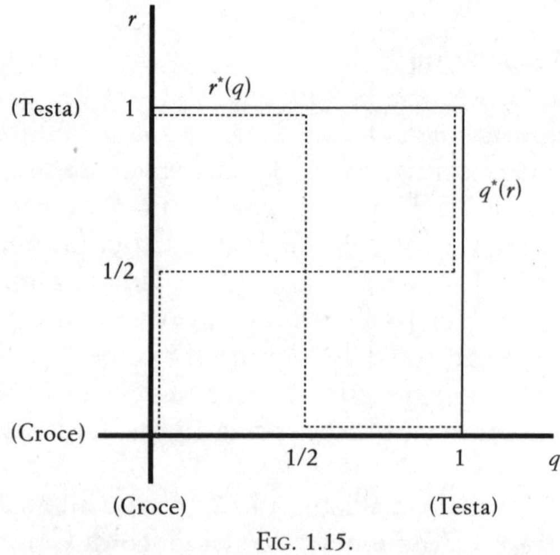

FIG. 1.15.

brio di Nash si ricava dall'intersezione delle funzioni di risposta ottima $R_2(q_1)$ e $R_1(q_2)$, anche nel caso di *Matching pennies* l'equilibrio di Nash (in strategie miste) si ottiene dall'intersezione delle corrispondenze di risposta ottima $r^*(q)$ e $q^*(r)$: se il giocatore i sceglie (1/2, 1/2) allora (1/2, 1/2) è una risposta ottima per il giocatore j, come richiesto dall'equilibrio di Nash.

Vale la pena sottolineare che tale equilibrio di Nash in strategie miste *non* si basa sul fatto che i giocatori lanciano una moneta, tirano un dado o altro scegliendo la propria strategia in modo casuale. Piuttosto, interpretiamo la strategia mista del giocatore j come un riflesso dell'incertezza del giocatore i sulla scelta del giocatore j di una strategia (pura). Nel *base-ball*, per esempio, un lanciatore può decidere se lanciare una palla tesa o una palla curva a seconda di quale tipo di lancio sia risultato migliore nel riscaldamento prima della partita. Se il battitore sa in che modo il lanciatore effettuerà la scelta, ma non ha osservato il riscaldamento del lanciatore, allora il battitore può credere che un lancio forte e teso oppure una palla curva sono ugualmente probabili. In questo caso rappresenteremmo la credenza del battitore con la strategia mista (1/2, 1/2) del lanciatore, quando in realtà il lanciatore sceglie una strategia pura basandosi su informazioni non disponibili al battitore. In termini più generali, l'idea appena espressa consiste nel dotare il giocatore j di un piccolo ammontare di informazione privata in modo che, condizionatamente alla realizzazione dell'informazione privata, il giocatore j preferisce leggermente una delle strategie pure rilevanti. Tuttavia, poiché il giocatore i non osserva l'informazione privata di j, il giocatore i rimane incerto sulla scelta di j e tale incertezza di i è rappresentata tramite la strategia mista di j. Una formulazione più rigorosa di questa interpretazione di strategia mista verrà data nel paragrafo 2.1 del capitolo 3.

Come secondo esempio di equilibrio di Nash in strategie miste consideriamo la battaglia dei sessi illustrata nel paragrafo 1.3. Si indichi con $(q, 1-q)$ la strategia mista in cui Pat sceglie Opera con probabilità q e con $(r, 1-r)$ la strategia mista in cui Chris sceglie Opera con probabilità r. Se Pat gioca $(q, 1-q)$ i payoff attesi di Chris sono $q \cdot 2 + (1-q) \cdot 0 = 2q$ se gioca Opera e $q \cdot 0 + (1-q) \cdot 1 = 1-q$ se gioca Lotta. Perciò se $q > 1/3$ la miglior risposta di Chris è Opera (cioè $r = 1$), se $q < 1/3$ la miglior risposta di Chris è Lotta (cioè $r = 0$) e se $q = 1/3$ allora qualsiasi valore di r è una risposta ottima. Analogamente, se Chris gioca $(r, 1-r)$ i payoff attesi di Pat sono $r \cdot 1 + (1-r) \cdot 0 = r$ se gioca Opera e $r \cdot 0 + (1-r) \cdot 2 = 2(1-r)$ se gioca Lotta. Perciò se $r > 2/3$ la miglior risposta di Pat è Opera (cioè $q = 1$), se $r < 2/3$ la miglior risposta di Pat è Lotta (cioè $q = 0$) e se $r = 2/3$ allora qualsiasi valore di q è una risposta ottima. Come mostrato nella figura 1.16 le strategie miste $(q, 1-q) = (1/3, 2/3)$ per Pat e $(r, 1-r) = (2/3, 1/3)$ per Chris sono quindi un equilibrio di Nash.

Diversamente dal caso della figura 1.15 in cui vi è una sola intersezione delle corrispondenze di risposta ottima dei giocatori, nella figura 1.16 vi sono tre intersezioni tra $r^*(q)$ e $q^*(r)$: oltre a $(q = 1/3, r = 2/3)$ vi sono anche $(q = 0, r = 0)$ e $(q = 1, r = 1)$. Le ultime due intersezioni rappresentano gli equilibri di Nash in strategie pure (Lotta, Lotta) e (Opera, Opera) descritte nel paragrafo 1.3.

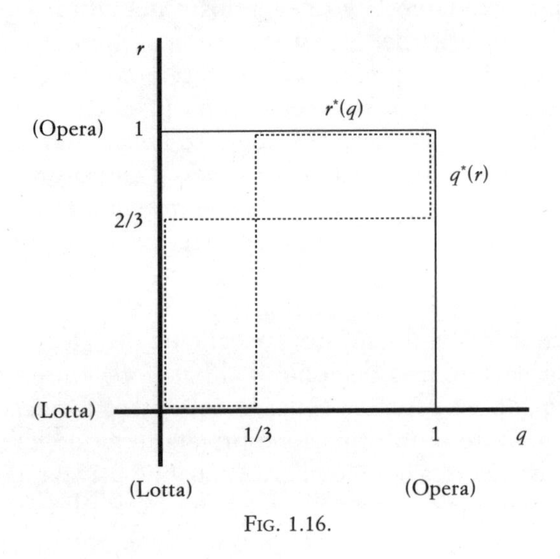

Fig. 1.16.

In qualsiasi gioco, un equilibrio di Nash (in strategie pure o miste) si presenta come una intersezione delle corrispondenze di risposta ottima dei giocatori anche quando vi sono più di due giocatori e anche quando alcuni o tutti i giocatori hanno più di due strategie pure. Sfortunatamente gli unici giochi in cui le corrispondenze di risposta ottima dei giocatori hanno semplici rappresentazioni grafiche sono i giochi con due giocatori in cui ognuno ha soltanto due strategie. Passiamo ora a mostrare con un ragionamento grafico che ogni gioco di questo tipo ammetta un equilibrio di Nash (eventualmente in strategie miste).

		Giocatore 2	
		Sinistra	Destra
Giocatore 1	Su	x, –	y, –
	Giù	z, –	w, –

Fig. 1.17.

Si considerino i payoff del giocatore 1 riportati nella figura 1.17. Vi sono due importanti confronti da effettuare: x rispetto a z e y rispetto a w. Basandoci su questi confronti possiamo definire quattro casi principali: *i*) $x > z$ e $y > w$, *ii*) $x < z$ e $y < w$, *iii*) $x > z$ e $y < w$ ed infine *iv*) $x < z$ e $y > w$. Prima discutiamo questi quattro casi principali e poi consideriamo i casi restanti che sono caratterizzati da $x = z$ o da $y = w$.

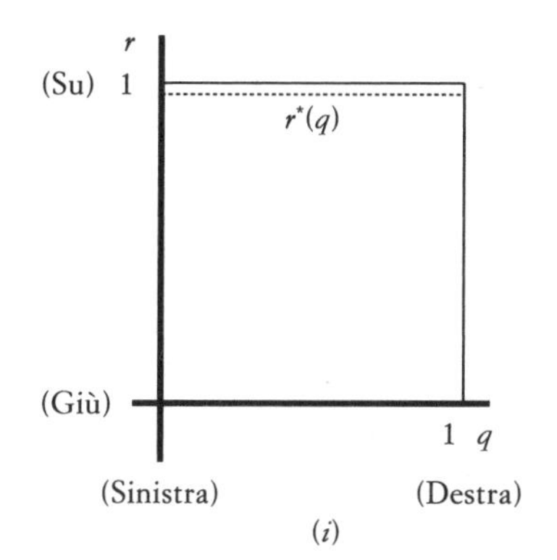

(*i*)

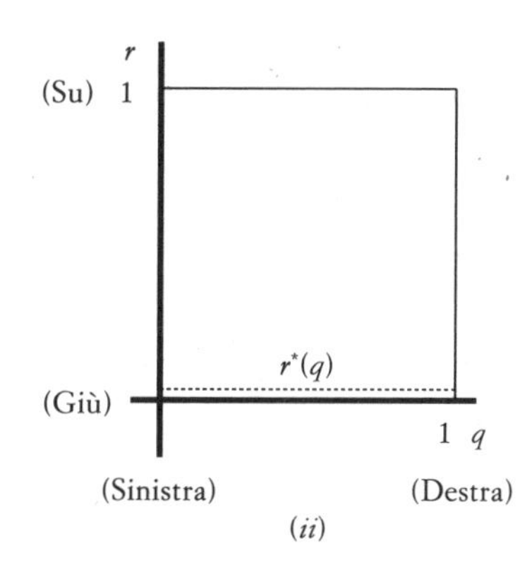

(*ii*)

FIG. 1.18.

Nel caso *i*) Su domina strettamente Giù per il giocatore 1 e nel caso *ii*) Giù domina strettamente Su. Si ricordi dal paragrafo precedente che una strategia s_i è strettamente dominata se e solo se non vi è alcuna credenza da parte del giocatore i (sulle strategie che sceglieranno gli altri giocatori) tale che risulti ottimale giocare s_i. Perciò, se $(q, 1 - q)$ è una strategia mista per il giocatore 2, dove q è la probabilità che 2 giochi Sinistra, allora nel caso *i*) non vi è alcun valore di q tale che Giù risulti ottimo per il giocatore 1, e nel caso *ii*) non vi è alcun valore di q tale che Su risulti ottimo. Se si indica con $(r, 1 - r)$ una strategia mista del giocatore 1, dove r è la probabilità che 1 giochi Su, possiamo rappresentare le corrispondenze di risposta ottima per i casi *i*) e *ii*) come riportato nella figura 1.18. (In questi due casi le corrispondenze di risposta ottima sono in realtà funzioni di risposta ottima, poiché non vi sono valori di q in corrispondenza dei quali il giocatore 1 ha risposte ottime multiple).

Nei casi *iii*) e *iv*) né Su né Giù sono strettamente dominate, perciò Su deve essere ottimo per qualche valore di q e Giù per altri. Si ponga $q' = (w - y)/(x - z + w - y)$; allora nel caso *iii*) Su è ottimo per $q > q'$ e Giù per $q < q'$, mentre nel caso *iv*) è vero il contrario. In entrambi i casi quando $q = q'$ qualsiasi valore di r è ottimo. Queste corrispondenze di risposta ottima sono rappresentate nella figura 1.19.

Poiché $q' = 1$ se $x = z$ e $q' = 0$ se $y = w$ le corrispondenze di risposta ottima per i casi caratterizzati da $x = z$ o da $y = w$ sono rappresen-

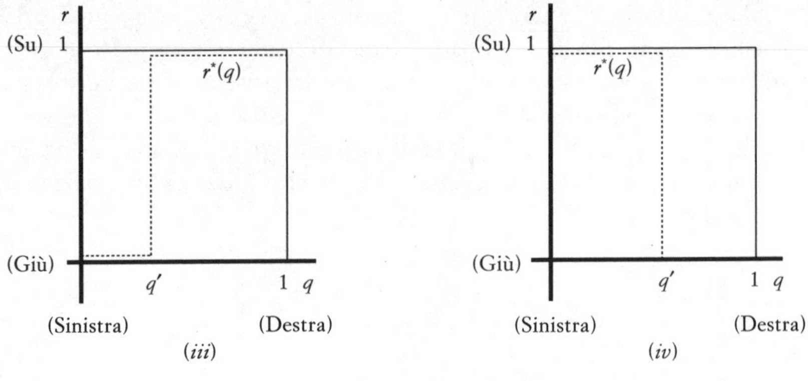

FIG. 1.19.

tate da curve a forma di L (cioè due lati adiacenti del quadrato unitario), come si avrebbe nella figura 1.19 se $q' = 1$ o a 0 nei casi *iii*) o *iv*).

Se nella figura 1.17 si aggiungono payoff arbitrari per il giocatore 2 e si effettuano calcoli analoghi si ricavano le stesse quattro corrispondenze di risposta ottima, con la differenza che ora l'asse orizzontale misura r e l'asse verticale q come nella figura 1.13. Invertendo gli assi di queste quattro figure come si è fatto per ricavare la figura 1.14 si giunge alle figure 1.20 e 1.21. (In queste ultime figure r' è definito in modo analogo a q' nella figura 1.19).

Il punto cruciale è che data una qualsiasi delle quattro corrispondenze di risposta ottima per il giocatore 1, $r^*(q)$ nelle figure 1.18 o 1.19, e una qualsiasi delle quattro del giocatore 2, $q^*(r)$ nelle figure 1.20 o 1.21, la coppia di corrispondenze di risposta ottima ha almeno una intersezione e quindi il gioco ha almeno un equilibrio di Nash. Lasciamo come esercizio il compito di controllare tutte le sedici possibili coppie di corrispondenze di risposta ottima; qui, invece, ci limitiamo a descrivere le caratteristiche qualitative dei casi che si possono presentare: 1) un unico equilibrio di Nash in strategie pure; 2) un unico equilibrio di Nash in strategie miste; o 3) due equilibri in strategie pure ed un unico equilibrio in strategie miste. Si rammenti dalla figura 1.15 che *Matching pennies* è un esempio del caso 2) e, dalla figura 1.16, che la battaglia dei sessi è un esempio del caso 3). Il dilemma del prigioniero è un esempio del caso 1) e si ottiene combinando i casi *i*) o *ii*) di $r^*(q)$ con i casi *i*) o *ii*) di $q^*(r)$[16].

[16] I casi caratterizzati da $x = z$ e $y = w$ non violano l'affermazione che una coppia di corrispondenze di risposta ottima ha almeno una intersezione. Al contrario, oltre alle caratteristiche qualitative descritte nel testo, in questo caso vi possono essere due equilibri di Nash in strategie pure senza alcun equilibrio di Nash in strategie miste e anche un continuum di equilibri di Nash in strategie miste.

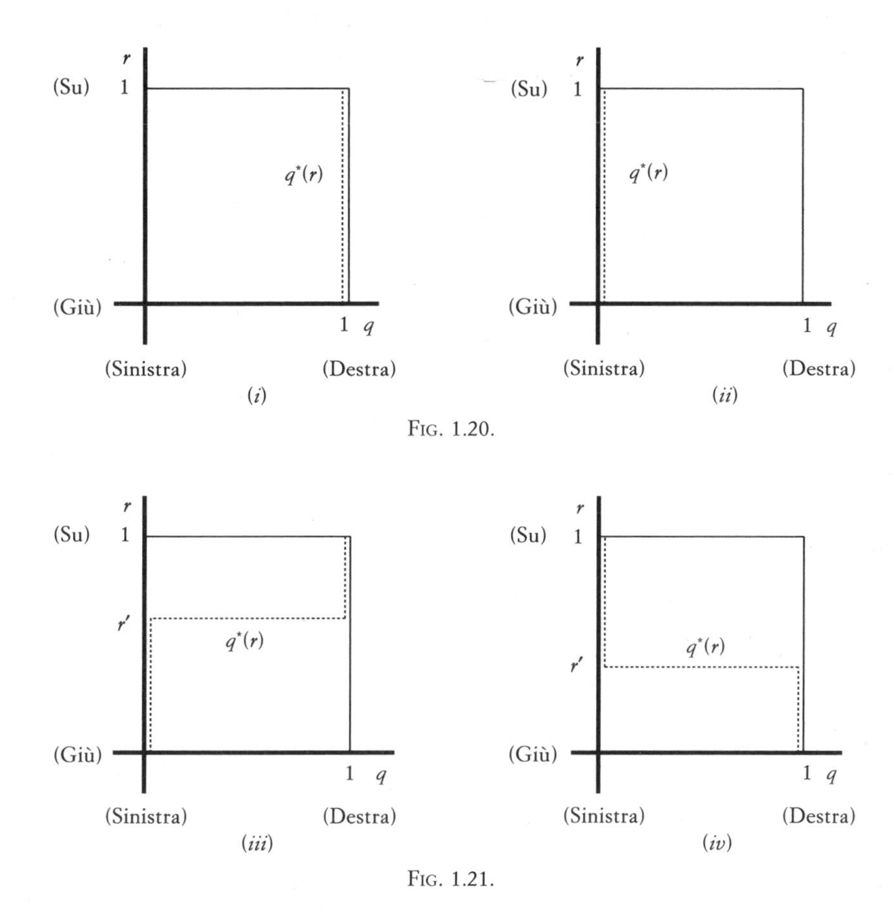

FIG. 1.20.

FIG. 1.21.

Concludiamo questo paragrafo con una discussione sull'esistenza dell'equilibrio di Nash in giochi più generali. Se le argomentazioni riportate sopra per i giochi due-per-due vengono riformulati matematicamente, anziché graficamente, possono essere generalizzate e applicate a giochi con n giocatori e con spazi di strategie finiti e arbitrari.

TEOREMA [Nash 1950]. Nel gioco in forma normale con n giocatori $G = \{S_1, ..., S_n; u_1, ..., u_n\}$, se n è finito e s_i è finito per ogni i allora esiste almeno un equilibrio di Nash, eventualmente in strategie miste.

La dimostrazione del teorema di Nash si basa su un *teorema del punto fisso*. Come semplice esempio di un teorema del punto fisso si supponga che $f(x)$ sia una funzione continua con dominio $[0, 1]$ e a valori in $[0, 1]$. Il teorema del punto fisso di Brouwer garantisce l'esistenza di almeno un punto fisso – cioè, esiste almeno un valore x^* in $[0, 1]$ tale che $f(x^*) = x^*$; la figura 1.22 mostra un esempio.

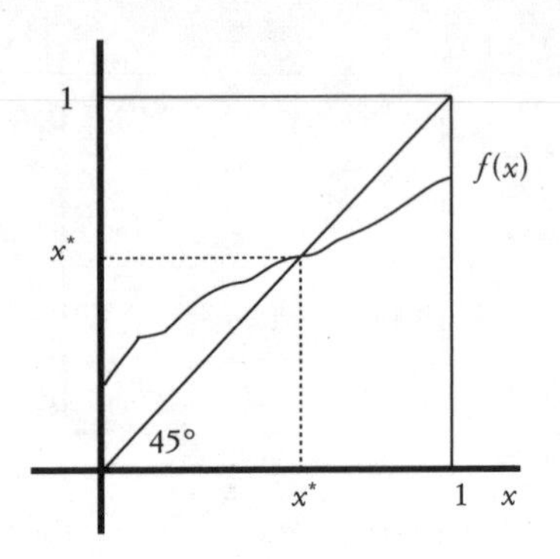

FIG. 1.22.

L'applicazione di un teorema del punto fisso per la dimostrazione del teorema di Nash richiede due passaggi: 1) mostrare che ogni punto fisso di una certa corrispondenza è un equilibrio di Nash; 2) utilizzare un appropriato teorema del punto fisso per mostrare che tale corrispondenza deve avere un punto fisso. La corrispondenza rilevante è la corrispondenza di risposta ottima con n giocatori. Il teorema del punto fisso rilevante è quello di Kakutani [1941] che generalizza il teorema di Brouwer e lo rende applicabile sia a funzioni che a corrispondenze (più precisamente, non tutte le corrispondenze ma un sottoinsieme di esse che presenta buone proprietà di regolarità).

La corrispondenza di risposta ottima con n giocatori è ottenuta dalle corrispondenze di risposta ottima degli n giocatori nel modo seguente. Si consideri una arbitraria combinazione di strategie miste $(p_1, ..., p_n)$. Per ogni giocatore i si derivi la risposta ottima (o le risposte ottime) alle strategie miste degli altri giocatori $(p_1, ..., p_{i-1}, p_{i+1}, ..., p_n)$. Si costruisca, poi, l'insieme di tutte le possibili combinazioni di tali risposte ottime di ogni giocatore. (Formalmente, si deriva la corrispondenza di risposta ottima di ogni giocatore e si costruisce il prodotto cartesiano di queste n corrispondenze individuali). Una combinazione di strategie miste $(p_1^*, ..., p_n^*)$ è un punto fisso di questa corrispondenza se $(p_1^*, ..., p_n^*)$ appartiene all'insieme di tutte le possibili combinazioni delle risposte ottime dei giocatori a $(p_1^*, ..., p_n^*)$. In altri termini, per ogni i, p_i^* deve essere una risposta ottima del giocatore i a $(p_1^*, ..., p_{i-1}^*, p_{i+1}^*, ..., p_n^*)$, ma questo corrisponde precisamente ad affermare che $(p_1^*, ..., p_n^*)$ è un equilibrio di Nash. Ciò completa il passaggio (1).

Il passaggio (2) richiede che la corrispondenza di risposta ottima di ogni giocatore sia continua in un senso appropriato. Il ruolo svolto dalla continuità nel teorema del punto fisso di Brouwer può essere compreso modificando $f(x)$ nella figura 1.22: se $f(x)$ è discontinua non necessariamente ha un punto fisso. Nella figura 1.23, per esempio, $f(x) > x$ per tutti gli $x < x'$ e $f(x) < x$ per $x \geq x'$[17].

Per illustrare la differenza tra $f(x)$ nella figura 1.23 e la corrispondenza di risposta ottima di un giocatore si consideri il caso *iii*) della figura 1.19: in corrispondenza di $q = q'$, $r^*(q')$ include zero, uno e l'intero intervallo compreso tra questi due valori. (In termini un po' più formali, $r^*(q')$ comprende il limite di $r^*(q)$ per q che tende a q' da sinistra, il limite di $r^*(q)$ per q che tende a q' da destra e tutti i valori di r compresi tra questi due estremi). Se $f(x')$ nella figura 1.23 si comportasse in modo analogo alla corrispondenza di risposta ottima del giocatore 1, $r^*(q')$, allora $f(x')$ includerebbe non solo il cerchietto in neretto (come nella figura) ma anche il cerchietto vuoto e l'intero intervallo compreso tra questi due punti; in tal caso $f(x)$ avrebbe un punto fisso in x'.

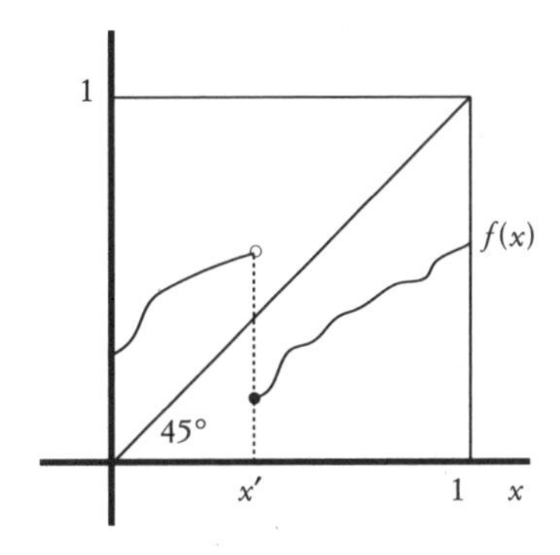

FIG. 1.23.

La corrispondenza di risposta ottima di ogni giocatore si comporta sempre come $r^*(q')$ nella figura 1.23: essa include sempre (le appropriate generalizzazioni de) il limite da sinistra, il limite da destra e i valori compresi tra essi. La ragione di questo risultato è che, come si è mostrato precedentemente nel caso con due giocatori, se vi sono diverse strategie pure del giocatore 1 che sono risposte ottime alle strategie miste degli altri giocatori, allora qualunque strategia mista p_i che assegna tutta la probabilità ad alcune o a tutte le strategie pure di risposta ottima del giocatore i (e probabilità zero a tutte le altre strategie pure del giocatore i) è anch'essa una risposta ottima per il giocatore i. Poiché la corrispondenza di risposta ottima di ogni giocatore si comporta sempre in questo modo tale sarà anche il com-

[17] Il valore di $f(x')$ è indicato dal cerchietto in neretto. Il cerchietto vuoto indica che $f(x')$ non include questo valore. La linea tratteggiata è stata introdotta soltanto per indicare che entrambi i cerchietti si presentano in prossimità di $x = x'$; essa non indica ulteriori valori di $f(x')$.

portamento della corrispondenza di risposta ottima con n giocatori; queste proprietà soddisfano il teorema di Kakutani, così che quest'ultima corrispondenza ha un punto fisso.

Il teorema di Nash garantisce l'esistenza dell'equilibrio per una ampia classe di giochi, tuttavia nessuna delle applicazioni analizzate nel paragrafo 2 fanno parte di questa classe (poiché ogni applicazione presenta spazi di strategie infiniti). Questo fatto mostra che le condizioni del teorema di Nash sono sufficienti ma non necessarie per l'esistenza di un equilibrio – vi sono numerosi giochi che non soddisfano le ipotesi del teorema e che tuttavia ammettono uno o più equilibri di Nash.

4. Problemi

Paragrafo 1

1.1. Che cos'è un gioco in forma normale? Che cos'è una strategia strettamente dominata in un gioco in forma normale? Che cos'è un equilibrio di Nash in strategie pure di un gioco in forma normale?

1.2. Nel seguente gioco in forma normale quali sono le strategie che sopravvivono alla eliminazione iterata di strategie strettamente dominate? Quali sono gli equilibri di Nash in strategie pure?

	L	*C*	*R*
T	2, 0	1, 1	4, 2
M	3, 4	1, 2	2, 3
B	1, 3	0, 2	3, 0

1.3. I giocatori 1 e 2 stanno contrattando come ripartire tra loro un dollaro. Entrambi i giocatori dichiarano simultaneamente le quote di cui desiderano appropriarsi, s_1 e s_2, con $0 \leq s_1, s_2 \leq 1$. Se $s_1 + s_2 \leq 1$ i giocatori ricevono le quote che hanno dichiarato; se $s_1 + s_2 > 1$ i giocatori non ricevono nulla. Quali sono gli equilibri di Nash in strategie pure di questo gioco?

Paragrafo 2

1.4. Si supponga che vi siano n imprese nel modello di oligopolio di Cournot. Si indichi con q_i la quantità prodotta dall'impresa i e con $Q = q_1 + ... + q_n$ la quantità aggregata offerta sul mercato. Si indichi con P il prezzo di equilibrio di mercato e si assuma che la domanda inversa sia data da $P(Q) = a - Q$ (se $Q < a$, altrimenti $P = 0$). Si assuma che il costo totale dell'impresa i per produrre la quantità q_i sia $C_i(q_i) = cq_i$, cioè non vi siano costi fissi e che il costo marginale sia costante e pari a c, con $c < a$. Seguendo Cournot si assuma che le imprese scelgano simultaneamente le loro quantità. Qual è l'equilibrio di Nash? Cosa accade quando n tende ad infinito?

1.5. Si considerino le due seguenti versioni finite del modello di duopolio di Cournot. Nella prima versione si supponga che ogni impresa debba scegliere tra produrre la metà della quantità di monopolio, $q_m/2 = (a - c)/4$ oppure la quantità di equilibrio di Cournot, $q_c = (a - c)/3$. Nessun altra quantità è ammissibile. Si mostri che questo gioco con due azioni è analogo al dilemma del prigioniero: ogni impresa ha una strategia strettamente dominata ed ogni impresa sta peggio in equilibrio rispetto a come starebbe se cooperasse. Nella seconda versione si supponga che ogni impresa possa scegliere tra le quantità $q_m/2$, q_c e una terza quantità q'. Si trovi il valore di q' in corrispondenza del quale il gioco è equivalente al modello di Cournot del paragrafo 2.1, nel senso che (q_c, q_c) è l'unico equilibrio di Nash, entrambe le imprese stanno peggio in equilibrio rispetto a come starebbero se cooperassero e nessuna delle due imprese ha una strategia strettamente dominata.

1.6. Si consideri il modello di duopolio di Cournot in cui la domanda inversa è data da $P(Q) = a - Q$ e le imprese hanno costi marginali asimmetrici: c_1 per l'impresa 1 e c_2 per l'impresa 2. Qual è l'equilibrio di Nash se $0 < c_i < a/2$ per ogni impresa? Qual è l'equilibrio di Nash se $c_1 < c_2 < a$ e $2c_2 > a + c_1$?

1.7. Nel paragrafo 2.2 si è preso in esame il modello di duopolio di Bertrand con prodotti differenziati. Nel caso di prodotti omogenei si ricava una conclusione molto forte. Si supponga che la quantità domandata dai consumatori all'impresa i sia $a - p_i$ quando $p_i < p_j$, 0 quando $p_i > p_j$ e $(a - p_i)/2$ quando $p_i = p_j$. Si supponga inoltre che non vi siano costi fissi e che i costi marginali siano costanti e pari a c, con $c < a$. Si mostri che se le imprese scelgono i prezzi simultaneamente l'unico equilibrio di Nash è quello in cui entrambe le imprese fissano lo stesso prezzo pari a c.

1.8. Si consideri una popolazione di votanti distribuita uniformemente lungo lo spettro delle ideologie che va da sinistra ($x = 0$) a destra ($x = 1$). Ognuno dei candidati che concorrono per una carica elettiva sceglie una piattaforma elettorale (cioè, un punto sul segmento di estremi 0 e 1). I votanti osservano le scelte dei candidati e successivamente ogni votante vota per il candidato la cui piattaforma è più vicina alla posizione del votante sullo spettro. Se vi sono due candidati che scelgono, per esempio, le piattaforme $x_1 = 0{,}3$ e $x_2 = 0{,}6$ allora tutti i votanti a sinistra di $x = 0{,}45$ votano per il candidato 1, tutti quelli a destra votano per il candidato 2 e il candidato 2 vince le elezioni con il 55% dei voti. Si supponga che ai candidati interessi soltanto di essere eletti – cioè, non interessa affatto la piattaforma! Se vi sono due candidati qual è l'equilibrio di Nash in strategie pure? Si trovi un equilibrio di Nash in strategie pure nel caso con tre candidati. (Si assuma che i candidati che scelgono la stessa piattaforma si dividono in parti uguali i voti ottenuti sulla base di quella piattaforma e si supponga che le situazioni di parità tra candidati col maggior numero di voti siano decise sulla base dell'esito di un evento casuale come ad esempio il lancio di una moneta). Uno dei primi modelli che ha trattato questo tipo di problemi è contenuto nel lavoro di Hotelling [1929].

Paragrafo 3

1.9. Che cos'è una strategia mista di un gioco in forma normale? Che cos'è un equilibrio di Nash in strategie miste in un gioco in forma normale?

1.10. Si mostri che non vi sono equilibri di Nash in strategie miste nei tre giochi in forma normale presi in esame nel paragrafo 1 – il dilemma del prigioniero, la figura 1.1 e la figura 1.4.

1.11. Si trovino gli equilibri di Nash in strategie miste del gioco presentato nel problema 1.2.

1.12. Si trovi l'equilibrio di Nash del seguente gioco in forma normale.

	L	*R*
T	2, 1	0, 2
B	1, 2	3, 0

1.13. Ognuna delle due imprese ha un posto di lavoro vacante. Si supponga (per ragioni che qui non verranno discusse ma che riguardano valutazioni connesse alla copertura del posto vacante) che le imprese offrano salari differenti: l'impresa i offre il salario w_i, con $(1/2)w_1 < w_2 < 2w_1$. Si immagini che vi siano due lavoratori ognuno dei quali può fare domanda soltanto a una impresa. I lavoratori decidono simultaneamente se fare domanda all'impresa 1 oppure all'impresa 2. Se soltanto un lavoratore fa domanda ad una impresa, quel lavoratore ottiene il posto di lavoro. Se entrambi i lavoratori fanno domanda alla stessa impresa, quell'impresa assume uno dei lavoratori in modo casuale e l'altro lavoratore rimane disoccupato (e ha un payoff pari a zero). Si ricavi l'equilibrio di Nash del gioco dei lavoratori in forma normale. (Per saperne di più sui salari scelti dalle imprese si veda Montgomery [1991]).

		Lavoratore 2	
		Domanda lavoro all'impresa 1	Domanda lavoro all'impresa 2
Lavoratore 1	Domanda lavoro all'impresa 1	$(1/2)w_1, (1/2)w_1$	w_1, w_2
	Domanda lavoro all'impresa 2	w_2, w_1	$(1/2)w_2, (1/2)w_2$

1.14. Si mostri che la Proposizione B nell'appendice 1.3 è valida per equilibri di Nash sia in strategie pure che miste: le strategie giocate con probabilità positiva in un equilibrio di Nash in strategie miste sopravvivono al procedimento di eliminazione iterata di strategie strettamente dominate.

5. Indicazioni bibliografiche per ulteriori approfondimenti

Sulle assunzioni sottostanti al procedimento di eliminazione iterata di strategie strettamente dominate e all'equilibrio di Nash, ed inoltre sull'interpretazione delle strategie miste in termini di credenze dei giocatori si veda Brandenburger [1992]. Sulla relazione tra modelli in cui le imprese scelgono le quantità (del tipo alla Cournot) e modelli in cui le imprese scelgono i prezzi (del tipo alla Bertrand) si consulti Kreps e Scheinkman [1983], in cui si mostra che in alcune circostanze si ottengono risultati alla Cournot in modelli del tipo alla Bertrand con imprese soggette a vincoli di capacità (vincoli che esse scelgono, sostenendo un costo, prima di scegliere i prezzi). Per quanto riguarda l'arbitrato si veda Gibbons [1988], in cui si mostra come la decisione finale preferita dall'arbitro può dipendere dal contenuto informativo delle proposte delle parti, sia nel caso di arbitrato con offerta definitiva sia in quello convenzionale. Infine, sull'esistenza dell'equilibrio di Nash, compresi gli equilibri in strategie pure in giochi con spazi di strategie continui, si veda Dasgupta e Maskin [1986].

Giochi dinamici con informazione completa

Capitolo 2

In questo capitolo introduciamo i giochi dinamici con informazione completa (cioè, i giochi in cui le funzioni dei payoff dei giocatori sono conoscenza comune); per quanto riguarda i giochi con informazione incompleta si rimanda al capitolo 3. Nel paragrafo 1 sono presi in esame i giochi con informazione completa e *perfetta*; con quest'ultimo termine intendiamo riferirci a quei giochi in cui, in corrispondenza di ogni mossa, il giocatore a cui spetta muovere è a conoscenza dell'intera storia del gioco fino a quel momento. Nei paragrafi 2, 3 e 4 consideriamo i giochi con informazione completa ma imperfetta: in corrispondenza di qualche mossa il giocatore a cui spetta muovere non è a conoscenza della storia del gioco.

Il problema centrale di tutti i giochi dinamici è la credibilità. Per dare un esempio di una minaccia non credibile si consideri il seguente gioco con due mosse. Nella prima fase il giocatore 1 sceglie se dare 1.000 dollari al giocatore 2 oppure non dare niente. Nella seconda fase, il giocatore 2 osserva la mossa del giocatore 1 e poi sceglie se fare esplodere una granata che ucciderà entrambi i giocatori oppure non farla esplodere. Si supponga che il giocatore 2 minacci di fare esplodere la granata se il giocatore 1 non gli consegna 1.000 dollari. Se il giocatore 1 ritiene la minaccia credibile la risposta ottima è quella di pagare 1.000 dollari. Tuttavia, il giocatore 1 non dovrebbe dare molta importanza a tale minaccia in quanto essa non è credibile: se il giocatore 2 fosse messo nelle condizioni di poter attuare la minaccia egli sceglierebbe di non attuarla. Perciò, al giocatore 1 conviene non pagare nulla al giocatore 2[1].

[1] Il giocatore 1 potrebbe avere il sospetto che l'avversario che minaccia di far esplodere una granata sia pazzo. Questo tipo di dubbi può essere introdotto nel

Nel paragrafo 1 analizziamo la seguente classe di giochi dinamici con informazione completa e perfetta: nella prima fase il giocatore 1 muove; nella seconda il giocatore 2 osserva la mossa del giocatore 1 e poi muove a sua volta e il gioco termina. Il gioco della granata appartiene a questa classe così come il modello di duopolio di Stackelberg [1934] e il modello di Leontief [1946] di determinazione del salario e dell'occupazione in una impresa in cui è presente il sindacato. Definiremo l'*esito di backwards-induction* di questi giochi e ne discuteremo brevemente la relazione con l'equilibrio di Nash (una discussione più approfondita di tale relazione è rinviata al paragrafo 4). Applicheremo questo tipo particolare di soluzione ai modelli di Stackelberg e di Leontief e, in modo analogo, anche al modello di contrattazione di Rubinstein [1982], sebbene questo gioco abbia una sequenza di mosse virtualmente infinita e quindi non appartenga alla classe di giochi definiti sopra.

Nel paragrafo 2 si arricchisce la classe di giochi presi in esame nel paragrafo precedente: nella prima fase i giocatori 1 e 2 muovono simultaneamente; nella seconda i giocatori 3 e 4, dopo aver osservato le mosse scelte dai giocatori 1 e 2, muovono simultaneamente e così ha termine il gioco. Come verrà spiegato nel paragrafo 4, la simultaneità delle mosse significa che in questi giochi vi è informazione imperfetta. Per questi giochi definiremo l'*esito perfetto nei sottogiochi*, il quale è la naturale estensione del criterio di *backwards induction*. Applicheremo questo tipo di soluzione al modello di Diamond e Dybvig [1983] sulla corsa agli sportelli bancari, ad un modello con tariffe e concorrenza internazionale imperfetta e al modello dei tornei (*tournaments*) di Lazear e Rosen [1981].

Nel paragrafo 3 sono esaminati i *giochi ripetuti*: un gruppo fisso di giocatori gioca ripetutamente un dato gioco; nel corso del gioco ripetuto gli esiti di tutti i turni di gioco precedenti sono osservati prima dell'inizio di ogni turno successivo. Il tema centrale di questa analisi è che minacce e promesse (credibili) sul comportamento futuro possono influenzare il comportamento presente. Definiremo l'*equilibrio di Nash perfetto nei sottogiochi* per giochi ripetuti e lo confronteremo sia con l'esito di *backwards induction* che con l'esito perfetto nei sottogiochi, definiti nei paragrafi 1 e 2. Enunceremo e dimostreremo il *Folk Theorem* per giochi ripetuti infinitamente, inoltre analizzeremo il modello di Friedman [1971] di collusione tra duopolisti alla Cournot, il modello di salari di efficienza di Shapiro e Stiglitz [1984] e il modello di politica monetaria di Barro e Gordon [1983].

modello in termini di informazione incompleta, ad esempio, il caso in cui vi è incertezza da parte del giocatore 1 sulla funzione dei payoff del giocatore 2; si veda il capitolo 3.

Nel paragrafo 4 sono introdotti gli strumenti necessari per analizzare un gioco dinamico generale con informazione completa sia perfetta che imperfetta. Definiremo la rappresentazione in *forma estesa* di un gioco e la confronteremo con la rappresentazione in forma normale introdotta nel capitolo 1; inoltre, definiremo l'equilibrio di Nash perfetto nei sottogiochi per giochi generali. Il punto fondamentale (sia del paragrafo che del capitolo nel suo complesso) è che un gioco dinamico con informazione completa può avere numerosi equilibri di Nash alcuni dei quali, tuttavia, comportano promesse o minacce non credibili. Gli equilibri perfetti nei sottogiochi sono quelli che superano il test di credibilità.

1. Giochi dinamici con informazione completa e perfetta

1.1. Teoria: «backwards induction»

Il gioco della granata appartiene alla seguente classe di giochi semplici con informazione completa e perfetta:

1) il giocatore 1 sceglie un'azione a_1 dall'insieme ammissibile A_1;

2) il giocatore 2 osserva a_1 e poi sceglie un'azione a_2 dall'insieme ammissibile A_2;

3) i payoff sono $u_1(a_1, a_2)$ e $u_2(a_1, a_2)$.

Molti problemi economici rientrano sotto questa definizione[2]. Due esempi (che saranno discussi in dettaglio più oltre) sono, rispettivamente, il modello di duopolio di Stackelberg e il modello di Leontief di determinazione del salario e dell'occupazione in un'impresa in cui è presente il sindacato. Inoltre, ammettendo la possibilità di una più lunga sequenza di azioni si possono studiare anche altri problemi economici; una più lunga sequenza di azioni si può ottenere sia aumentando il numero di giocatori sia consentendo a ogni giocatore di muovere più di una volta. (Il modello di contrattazione di Rubinstein, discusso nel paragrafo 1.4, è un esempio del secondo tipo). Le caratteristiche fondamentali dei giochi dinamici con informazione completa e perfetta sono: *i*) le mosse si verificano

[2] Si può consentire che l'insieme ammissibile del giocatore 2, A_2, dipenda dall'azione del giocatore 1, a_1. Questa dipendenza può essere indicata con $A_2(a_1)$, oppure può essere incorporata nella funzione dei payoff del giocatore 2 ponendo $u_2(a_1, a_2) = -\infty$ per valori di a_2 che non sono ammissibili in corrispondenza di un dato a_1. È anche possibile che alcune mosse da parte del giocatore 1 facciano terminare il gioco senza che il giocatore 2 abbia l'opportunità di muovere; per tali valori di a_1 l'insieme delle azioni ammissibili, $A_2(a_1)$, contiene soltanto un elemento così che il giocatore 2 non ha praticamente alcuna scelta da compiere.

in successione, *ii*) tutte le mosse precedenti sono osservate prima che venga scelta la mossa successiva ed infine *iii*) i payoff dei giocatori in corrispondenza di ogni combinazione ammissibile di mosse sono conoscenza comune.

La soluzione di un gioco appartenente a questa classe si può ottenere applicando un procedimento di *backwards induction* (induzione a ritroso) del tipo seguente. Nel secondo stadio del gioco, data l'azione a_1 precedentemente scelta dal giocatore 1, quando il giocatore 2 ottiene la mossa si trova di fronte al seguente problema:

$$\max_{a_2 \in A_2} u_2(a_1, a_2).$$

Si assuma che per ogni a_1 in A_1 il problema di ottimizzazione del giocatore 2 abbia una soluzione unica, indicata da $R_2(a_1)$. Questa è la *reazione* (o risposta ottima) del giocatore 2 all'azione del giocatore 1. Poiché sia il giocatore 1 che il giocatore 2 sono in grado di risolvere il problema del giocatore 2, è plausibile che il giocatore 1 anticipi la reazione del giocatore 2 ad ogni azione a_1 che egli può scegliere; in tal caso il problema del giocatore 1 nel primo stadio del gioco equivale a

$$\max_{a_1 \in A_1} u_1(a_1, R_2(a_1)).$$

Si assuma che anche questo problema di ottimizzazione del giocatore 1 abbia una unica soluzione indicata con a_1^*. Chiameremo $(a_1^*, R_2(a_1^*))$ l'*esito di backwards induction* di questo gioco. L'esito di *backwards induction* non comporta minacce non credibili: il giocatore 1 anticipa che il giocatore 2 risponderà ottimamente ad *ogni* azione a_1 che 1 può scegliere, giocando $R_2(a_1)$; cioè, il giocatore 1 non dà alcun credito alle minacce del giocatore 2 di rispondere in modi non conformi all'interesse di 2 qualora si giunga al secondo stadio del gioco.

Nel capitolo 1 si è utilizzata la rappresentazione in forma normale per studiare i giochi statici con informazione completa e si è concentrata l'attenzione sull'equilibrio di Nash come concetto di soluzione per tali giochi. Nella discussione sui giochi dinamici svolta in questo paragrafo, invece, non si è fatto riferimento né alla rappresentazione in forma normale né all'equilibrio di Nash . Si è proceduto in modo diverso, fornendo la descrizione verbale (1)-(3) di un gioco e definendo l'esito di *backwards induction* come la soluzione di quel gioco. Nel paragrafo 4.1 vedremo che la descrizione verbale (1)-(3) è la rappresentazione in forma estesa del gioco; stabiliremo una relazione tra le rappresentazioni in forma estesa ed in forma normale e troveremo che per i giochi dinamici la rappresentazione in forma estesa è spesso più conveniente. Nel paragrafo 4.2 definiremo l'equilibrio di Nash perfetto nei sottogiochi: un equilibrio di Nash è perfetto nei sottogiochi se non comporta minacce non credibili, nel senso che verrà precisato più oltre. Troveremo che per un gioco appartenente alla classe di giochi definiti da (1)-(3) vi possono essere molteplici equilibri, tuttavia, l'unico equilibrio di Nash perfetto nei sottogiochi è l'equilibrio di Nash associato all'esito di *backwards induction*. Questo è un esempio dell'affermazione riportata nel paragrafo 1.3 secondo la quale alcuni giochi, pur avendo molteplici equilibri di Nash, possiedono un equilibrio che si distingue come la soluzione «obbligata» del gioco.

Concludiamo questo paragrafo andando ad analizzare più da vicino quali sono le ipotesi di razionalità implicite nel procedimento di *backwards induction*. Si consideri il seguente gioco con tre mosse in cui il giocatore 1 muove due volte.

1) Il giocatore 1 sceglie L o R; la scelta di L termina il gioco e assegna un payoff pari a 2 al giocatore 1 e un payoff pari a zero al giocatore 2.

2) Il giocatore 2 osserva la scelta del giocatore 1; se il giocatore 1 sceglie R allora il giocatore 2 può scegliere tra L′ e R′; la scelta di L′ termina il gioco e assegna un payoff pari a 1 ad entrambi i giocatori.

3) Il giocatore 1 osserva la scelta del giocatore 2 (e si ricorda la propria mossa nel primo stadio del gioco). Se le scelte precedenti sono state R e R′ allora il giocatore 1 può scegliere tra L″ e R″; entrambe le mosse pongono fine al gioco; L″ assegna un payoff pari a 3 al giocatore 1 e zero al giocatore 2, mentre R″ assegna payoff pari rispettivamente a zero e a 2.

Questa lunga descrizione può essere tradotta in maniera più succinta nel seguente albero del gioco. (Questa è la rappresentazione in forma estesa del gioco che sarà definita più in generale nel paragrafo 4). Il primo di ogni coppia di payoff alla fine di ogni ramo dell'albero del gioco è il payoff del giocatore 1, mentre il secondo è del giocatore 2.

Per ricavare l'esito di *backwards induction* di questo gioco si cominci dal terzo stadio (cioè, la seconda mossa del giocatore 1). In questo punto, il giocatore 1 ha di fronte la scelta tra un payoff pari a 3, giocando L″, e un payoff pari a zero, giocando R″, così che giocare L″ risulta la scelta ottima. Nel secondo stadio del gioco, il giocatore 2 anticipa che se il gioco raggiunge il terzo stadio allora 1 giocherà L″ e ciò comporta un payoff pari a zero per il giocatore 2. Perciò la scelta del giocatore 2 in corrispondenza del secondo stadio del gioco è tra un payoff pari a 1, giocando L′, e un payoff pari a

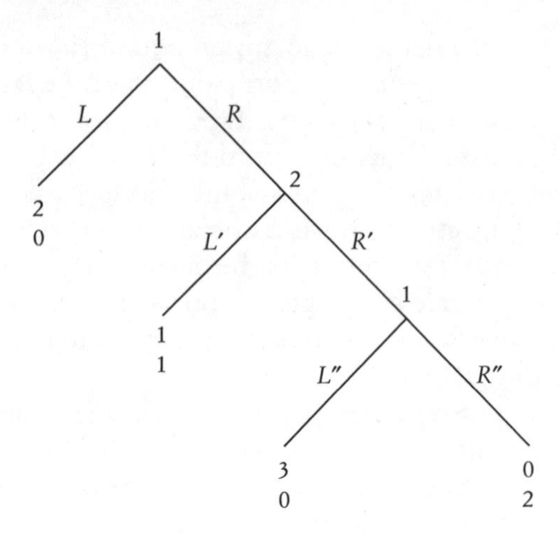

zero, giocando R′, così che la scelta ottima risulta essere L′. Infine, nel primo stadio del gioco il giocatore 1 anticipa che se il gioco raggiunge il secondo stadio allora 2 giocherà L′, che significa un payoff pari a 1 per il giocatore 1. Perciò, nel primo stadio, la scelta per il giocatore 1 è tra un payoff pari a 2, giocando L e un payoff pari a 1, giocando R, così che la scelta di L risulta essere quella ottima.

Questo ragionamento ci consente di stabilire che l'esito di *backwards induction* è quello che prescrive al giocatore 1 di scegliere L nel primo stadio e terminare così il gioco. Sebbene la predizione che si ricava dall'applicazione del criterio di *backwards induction* è che il gioco terminerà nel primo stadio, una parte importante del ragionamento riguarda ciò che accadrebbe se il gioco continuasse. Nel secondo stadio, per esempio, quando il giocatore 2 anticipa che se il gioco raggiunge il terzo stadio il giocatore 1 giocherà L″, 2 sta assumendo che 1 sia razionale. Questa assunzione può sembrare incoerente con il fatto che 2 può ricevere la mossa nel secondo stadio soltanto se 1 devia dall'esito di *backwards induction* del gioco. In altri termini, può sembrare che se 1 gioca R nel primo stadio allora, nel secondo, 2 non può assumere che 1 sia razionale; tuttavia, questa conclusione non è corretta: se 1 gioca R nel primo stadio certamente non può essere conoscenza comune che entrambi i giocatori sono razionali; tuttavia, da parte del giocatore 1 vi sono altre ragioni per scegliere R, le quali non contraddicono l'assunzione formulata dal giocatore 2 che 1 sia razionale[3]. Una possibilità è che la razionalità

[3] Dalla discussione sulla eliminazione iterata di strategie strettamente dominate (nel paragrafo 1.2 del capitolo 1) si rammenti che la razionalità dei giocatori è conoscenza comune se tutti i giocatori sono razionali, tutti i giocatori sanno che

del giocatore 1 sia conoscenza comune, mentre la razionalità del giocatore 2 non sia conoscenza comune: se 1 pensa che 2 può non essere razionale allora 1 può scegliere R nel primo stadio del gioco sperando che 2 giochi R′ nel secondo dando così a 1 la possibilità di giocare L″ nel terzo stadio. Un'altra possibilità è che sia conoscenza comune che il giocatore 2 sia razionale, ma che non sia conoscenza comune la razionalità di 1: se 1 è razionale ma pensa che 2 pensi che 1 può non essere razionale, allora 1 può scegliere R nel primo stadio confidando nel fatto che se 2 pensa che 1 non è razionale giocherà R′ nella speranza che 1 giochi R″ nel terzo stadio. Il criterio di *backwards induction* presuppone che la scelta R da parte del giocatore 1 possa essere spiegata seguendo queste linee di ragionamento. Tuttavia, per alcuni giochi sembra più ragionevole assumere che 1 giochi R perché in effetti 1 è irrazionale. In tali casi, il criterio della *backwards induction* perde gran parte della sua attrattiva come predizione di come effettivamente si svolgerà il gioco, proprio come accade per l'equilibrio di Nash nei casi in cui la teoria dei giochi non è in grado di offrire una soluzione unica e in cui non si afferma nessuna convenzione su come giocare.

1.2. Il modello di duopolio di Stackelberg

Stackelberg [1934] ha proposto un modello di duopolio dinamico in cui una impresa dominante (o *leader*) muove per prima e una impresa subordinata (o *follower*) muove per seconda. In alcuni periodi della storia dell'industria automobilistica degli Stati Uniti, per esempio, la General Motors sembra aver svolto un ruolo di leadership. (È immediato estendere ciò che segue al caso in cui vi sia più di una impresa subordinata, come ad esempio la Ford, la Chrysler e così via). Seguendo Stackelberg svilupperemo il modello sotto l'ipotesi che le imprese scelgano le quantità, come avviene nel modello di Cournot (in cui le scelte delle imprese sono simultanee e non sequenziali come nel caso qui in esame). Lo sviluppo di un modello analogo con mosse sequenziali in cui le imprese scelgono i prezzi, come accade nel modello di Bertrand (con mosse simultanee), viene lasciato come esercizio.

La progressione temporale del gioco è la seguente: 1) l'impresa 1 sceglie una quantità $q_1 \geq 0$; 2) l'impresa 2 osserva q_1 e poi sceglie una quantità $q_2 \geq 0$; 3) il payoff dell'impresa i è dato dalla funzione del profitto

tutti i giocatori sono razionali, tutti i giocatori sanno che tutti i giocatori sanno che tutti i giocatori sono razionali e così via ad infinitum.

$$\pi_i(q_i, q_j) = q_i[P(Q) - c],$$

dove $P(Q) = a - Q$ è il prezzo che si determina sul mercato quando la quantità aggregata offerta è $Q = q_1 + q_2$ e c è il costo marginale di produzione costante (si assume che i costi fissi siano pari a zero).

Per ricavare l'esito di *backwards induction* di questo gioco si calcoli, in primo luogo, la reazione dell'impresa 2 a una quantità arbitraria offerta dall'impresa 1. $R_2(q_1)$ è la soluzione del seguente problema:

$$\max_{q_2 \geq 0} \pi_2(q_1, q_2) = \max_{q_2 \geq 0} q_2[a - q_1 - q_2 - c],$$

da cui si ricava

$$R_2(q_1) = \frac{a - q_1 - c}{2},$$

a condizione che $q_1 < a - c$. La stessa espressione per $R_2(q_1)$ è stata ottenuta nell'analisi del gioco di Cournot con mosse simultanee nel paragrafo 2.1 del capitolo 1. La differenza è che in questo caso $R_2(q_1)$ è effettivamente la reazione dell'impresa 2 alla quantità osservata offerta dall'impresa 1, mentre nell'analisi di Cournot $R_2(q_1)$ è la risposta ottima dell'impresa 2 ad una quantità ipotizzata scelta simultaneamente dall'impresa 1.

Poiché il problema dell'impresa 2 può essere risolto anche dall'impresa 1, è plausibile che l'impresa 1 anticipi che la scelta della quantità q_1 sarà seguita dalla reazione $R_2(q_1)$. Perciò, il problema della impresa 1 nel primo stadio del gioco equivale a

$$\max_{q_1 \geq 0} \pi_1(q_1, R_2(q_1)) = \max_{q_1 \geq 0} q_1[a - q_1 - R_2(q_1) - c]$$
$$= \max_{q_1 \geq 0} q_1 \frac{a - q_1 - c}{2},$$

da cui si ricava

$$q_1^* = \frac{a - c}{2} \quad \text{e} \quad R_2(q_1^*) = \frac{a - c}{4}$$

come esito di *backwards induction* del gioco del duopolio di Stackelberg[4].

[4] Con i termini «equilibrio di Cournot» ed «equilibrio di Bertrand» ci si riferisce solitamente all'equilibrio di Nash dei giochi di Cournot e di Bertrand; col

Nel capitolo 1 si è visto che nell'equilibrio di Nash del gioco di Cournot ogni impresa produce la quantità $(a - c)/3$. Quindi, la quantità aggregata corrispondente all'esito di *backwards induction* del gioco di Stackelberg, $3(a - c)/4$, è maggiore della quantità aggregata corrispondente all'equilibrio di Nash del gioco di Cournot, $2(a - c)/3$, e di conseguenza il prezzo di mercato sarà più basso nel gioco di Stackelberg. Tuttavia, nel gioco di Stackelberg l'impresa 1 avrebbe potuto scegliere la quantità di Cournot, $(a - c)/3$, nel qual caso l'impresa 2 avrebbe dovuto rispondere anch'essa con la quantità di Cournot. Perciò, poiché nel gioco di Stackelberg l'impresa 1 avrebbe potuto ottenere il livello di profitto di Cournot ma ha scelto di agire diversamente, si deduce che il profitto dell'impresa 1 nel gioco di Stackelberg deve essere superiore al profitto nel gioco di Cournot. Tuttavia, il prezzo di mercato è più basso nel gioco di Stackelberg e così anche i profitti aggregati; di conseguenza, il fatto che l'impresa 1 stia meglio implica che l'impresa 2 stia peggio nel gioco di Stackelberg rispetto a quello di Cournot.

La conclusione che l'impresa 2 ha risultati peggiori nel gioco di Stackelberg rispetto a quello di Cournot illustra una differenza importante tra problemi decisionali che riguardano un soggetto e problemi decisionali che coinvolgono più soggetti. Nella teoria della decisione relativa ad un soggetto singolarmente preso il fatto di avere maggior informazione non può mai peggiorare lo stato del soggetto che prende la decisione. Tuttavia, nella teoria dei giochi il fatto di aver maggior informazione (o, più precisamente, il fatto che gli altri giocatori sanno che un soggetto ha maggior informazione) *può* peggiorare lo stato di un giocatore.

Nel gioco di Stackelberg, l'informazione riguarda la quantità dell'impresa 1: l'impresa 2 conosce q_1 e (di pari importanza) l'impresa 1 sa che l'impresa 2 conosce q_1. Per comprendere qual è l'effetto di questa informazione, si consideri il gioco con mosse sequenziali modificato in cui l'impresa 1 sceglie q_1, dopo di che l'impresa 2 sceglie q_2, ma senza aver osservato q_1. Se l'impresa 2 crede che l'impresa 1 ha scelto la quantità di Stackelberg, $q_1^* = (a - c)/2$, allora la risposta ottima dell'impresa 2 è ancora $R_2(q_1^*) = (q - c)/4$. Tuttavia, se l'impresa 1 anticipa che l'impresa 2 avrà questa credenza e che

termine «equilibrio di Stackelberg» spesso si intende che il gioco è a mosse sequenziali e non a mosse simultanee. Tuttavia, come si è notato nel paragrafo precedente, i giochi con mosse simultanee a volte hanno molteplici equilibri di Nash di cui soltanto uno è associato all'esito di *backwards induction* del gioco. Perciò, col termine «equilibrio di Stackelberg» ci si riferisce sia alla natura di gioco con mosse sequenziali sia all'impiego di un concetto di soluzione più forte del concetto di equilibrio di Nash.

sceglierà quella quantità, allora l'impresa 1 preferisce giocare la propria risposta ottima a $(a-c)/4$ – cioè $3(a-c)/8$ – piuttosto che la quantità di Stackelberg $(a-c)/2$. Perciò, non è plausibile che l'impresa 2 creda che l'impresa 1 abbia scelto la quantità di Stackelberg. L'unico equilibrio di Nash di questo gioco con mosse sequenziali modificato è che entrambe le imprese scelgano la quantità $(a-c)/3$ – precisamente l'equilibrio di Nash del gioco di Cournot in cui le imprese muovono simultaneamente[5]. Perciò, il fatto che l'impresa 1 sappia che l'impresa 2 conosce q_1 danneggia l'impresa 2.

1.3. Salari e occupazione in un'impresa in presenza del sindacato

Nel modello di Leontief [1946] riguardante il rapporto tra un'impresa e un sindacato monopolista (cioè, un sindacato che è l'unico venditore di forza lavoro all'impresa), il sindacato ha il controllo esclusivo dei salari, mentre l'impresa ha il controllo esclusivo dell'occupazione. (Conclusioni analoghe da un punto di vista qualitativo emergono in un modello più realistico in cui l'impresa e il sindacato contrattano i salari e l'impresa mantiene il controllo esclusivo dell'occupazione). La funzione di utilità del sindacato è $U(w, L)$ dove w è il salario domandato dal sindacato all'impresa ed L è l'occupazione. Si assume che $U(w, L)$ sia crescente sia rispetto a w che a L. La funzione del profitto dell'impresa è $\pi(w, L) = R(L) - wL$, dove $R(L)$ sono i ricavi dell'impresa se impiega L lavoratori (e prende in modo ottimale le decisioni riguardanti la produzione e il mercato del prodotto). Si assume che $R(L)$ sia una funzione crescente e concava.

Si supponga che la progressione temporale del gioco sia la seguente: 1) il sindacato avanza la richiesta salariale w; 2) l'impresa osserva (e accetta) w e poi sceglie l'occupazione L; 3) i payoff sono $U(w, L)$ e $\pi(w, L)$. Sebbene non abbiamo assunto alcuna specifica forma funzionale per $U(w, L)$ e $R(L)$ e quindi non siamo in grado di ricavare una soluzione esplicita, possiamo già dire molte cose sull'esito di *backwards induction* di questo gioco.

In primo luogo, partendo dallo stadio 2), possiamo caratterizzare la risposta ottima dell'impresa ad una richiesta salariale arbitraria, w, avanzata dal sindacato nel primo stadio. Dato w, l'impresa determi-

[5] Questo è un esempio di una osservazione riportata nel paragrafo 1.1 del capitolo 1: in un gioco in forma normale i giocatori scelgono le loro strategie simultaneamente, ma ciò non implica necessariamente che le parti *agiscano* simultaneamente; è sufficiente che ognuna scelga la propria azione senza conoscere la scelta degli altri. Per una discussione ulteriore su questo punto si veda il paragrafo 4.1.

na $L^*(w)$ risolvendo il seguente problema

$$\max_{L \geq 0} \pi(w, L) = \max_{L \geq 0} R(L) - wL,$$

la cui condizione del primo ordine è

$$R'(L) - w = 0.$$

Per garantire che la condizione del primo ordine $R'(L) - w = 0$ abbia una soluzione si assume che $R'(0) = \infty$ e che $R'(\infty) = 0$, come è suggerito dalla figura 2.1.

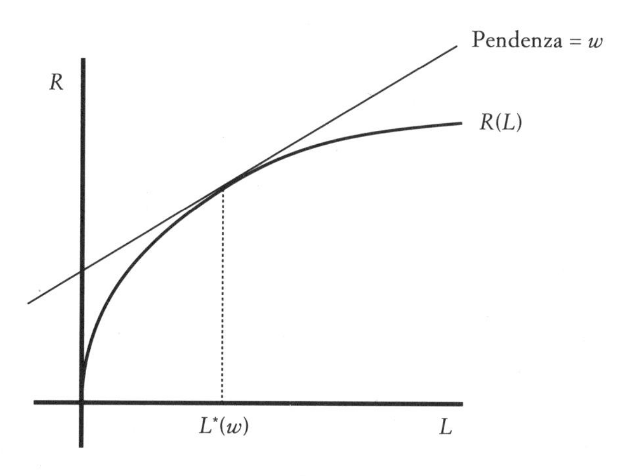

Fig. 2.1.

La figura 2.2 rappresenta $L^*(w)$ in funzione di w (usando gli assi in modo da facilitare il confronto con le figure successive) e mostra che $L^*(w)$ taglia ogni curva di isoprofitto dell'impresa nel suo punto di massimo[6]. Tenendo fisso L, l'impresa ottiene maggiori profitti quando w è più basso così che curve di isoprofitto più basse rappresentano livelli di profitto più alti. La figura 2.3 mostra le curve di indifferenza del sindacato. Tenendo fisso L, il sindacato migliora il proprio benessere quando w è più alto e quindi curve di indifferenza più alte corrispondono a livelli di utilità più alti per il sindacato.

[6] Quest'ultima proprietà è semplicemente una riformulazione del fatto che $L^*(w)$ massimizza $\pi(L, w)$ dato w. Se il sindacato chiede w', per esempio, la scelta dell'impresa di L equivale alla scelta di un punto sulla retta verticale $w = w'$. Il più alto livello possibile di profitto si raggiunge scegliendo L in modo che la curva di isoprofitto passante per il punto (L, w') sia tangente al vincolo $w = w'$.

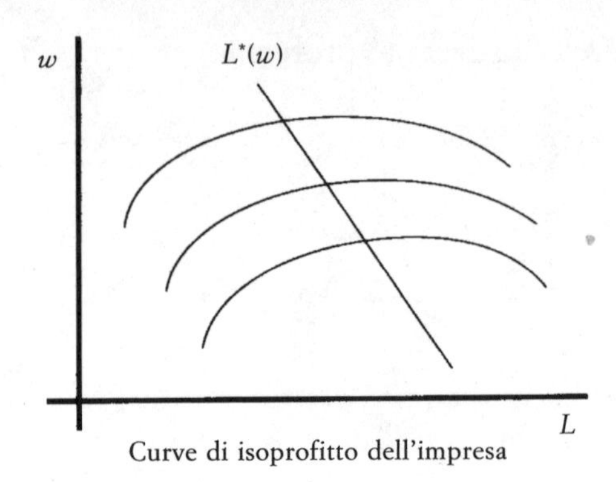

FIG. 2.2.

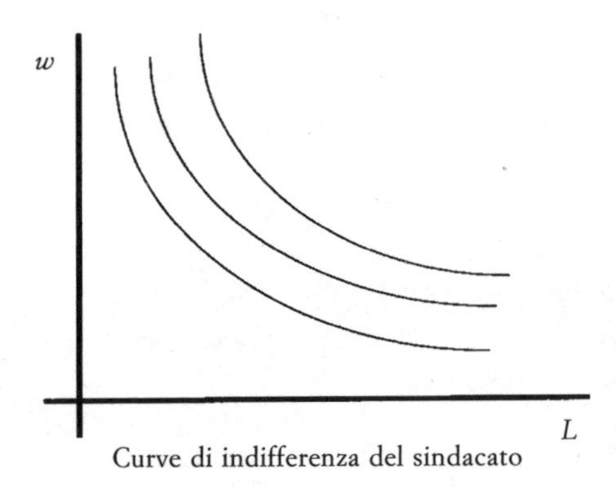

FIG. 2.3.

Passiamo ora a esaminare il problema del sindacato nello stadio (1). Poiché non solo l'impresa ma anche il sindacato è in grado di risolvere il problema dell'impresa nel secondo stadio, il sindacato è in grado di anticipare che la reazione dell'impresa al salario richiesto w sarà di scegliere il livello di occupazione $L^*(w)$. Perciò, nel primo stadio, il problema del sindacato equivale a

$$\max_{w \geq 0} U(w, L^*(w)).$$

In termini delle curve di indifferenza rappresentate nella figura 2.3, il sindacato desidera scegliere la richiesta salariale, w, che assicura l'esito $(w, L^*(w))$ che giace sulla curva di indifferenza più alta possibile. La soluzione al problema del sindacato è w^*, la richiesta salariale in corrispondenza della quale la curva di indifferenza del sindacato passante per il punto $(w^*, L^*(w^*))$ è tangente a $L^*(w)$ in quel punto; si veda la figura 2.4. Perciò, $(w^*, L^*(w^*))$ è l'esito di *backwards induction* del gioco salario-occupazione.

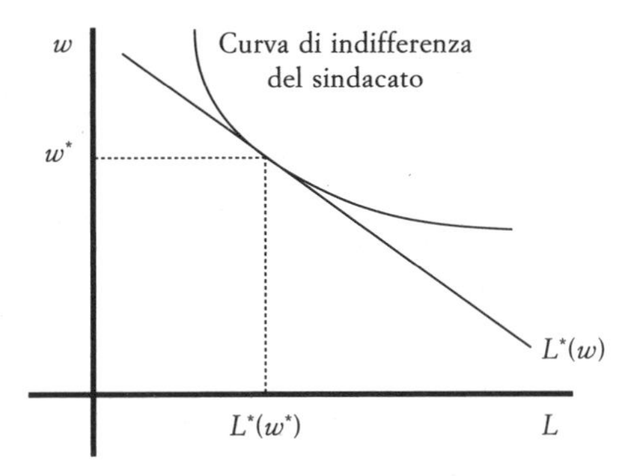

FIG. 2.4.

Si nota immediatamente che la soluzione $(w^*, L^*(w^*))$ è inefficiente: sia l'utilità del sindacato che il profitto dell'impresa sarebbero maggiori se w ed L si trovassero nella regione ombreggiata della figura 2.5. È problematico conciliare la presenza di questa inefficienza con il fatto che in pratica le imprese sembrano mantenere il controllo esclusivo dell'occupazione. (Ammettendo che il sindacato e l'impresa possano contrattare il salario, pur lasciando all'impresa il controllo esclusivo dell'occupazione, si ottiene ancora un simile risultato di inefficienza). Espinosa e Rhee [1989] propongono una soluzione a questo rompicapo basata sul fatto che l'impresa e il sindacato negoziano ripetutamente nel tempo (solitamente ogni tre anni, negli Stati Uniti). Per un tale gioco ripetuto può esistere un equilibrio in corrispondenza del quale la scelta di w da parte del sindacato e quella di L da parte dell'impresa si trovano nella regione ombreggiata della figura 2.5, sebbene tali valori non possono emergere come esito di *backwards induction* di una singola negoziazione. Per quanto riguarda il modello di Espinosa e Rhee si veda il paragrafo 3 sui giochi ripetuti e il problema 2.16.

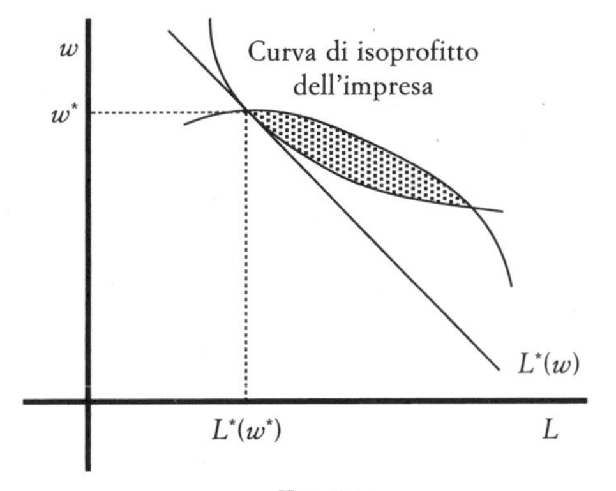

FIG. 2.5.

1.4. Contrattazione sequenziale

Cominciamo con un modello di contrattazione a tre periodi appartenente alla classe di giochi analizzata nel paragrafo 1.1. Successivamente discuteremo il modello di Rubinstein [1982] in cui il numero di periodi è (virtualmente) infinito. In entrambi i modelli si perviene immediatamente a un accordo – negoziazioni protratte (come ad esempio scioperi) non si verificano. Al contrario, nel modello di contrattazione sequenziale in condizioni di informazione asimmetrica di Sobel e Takahashi [1983] vi è un unico equilibrio (bayesiano perfetto) in cui si verificano scioperi con probabilità positiva; si veda il paragrafo 3.2 del capitolo 4.

I giocatori 1 e 2 contrattano su come ripartire tra loro un dollaro. Le loro proposte avvengono in modo alternato: il giocatore 1 avanza una proposta che il giocatore 2 può accettare o rifiutare; se il giocatore 2 rifiuta egli, a sua volta, avanza una proposta che 1 può accettare o rifiutare e così via. Qualora una proposta sia stata rifiutata cessa di essere operativa ed è irrilevante ai fini dello svolgimento successivo del gioco. In ogni periodo di tempo può essere formulata soltanto una proposta e i giocatori sono impazienti, cioè scontano i payoff ricevuti nei periodi successivi al fattore δ per periodo, con $0 < \delta < 1$[7].

Una descrizione più dettagliata della progressione temporale del gioco di contrattazione a tre periodi è la seguente.

1a) All'inizio del primo periodo il giocatore 1 propone di appropriarsi della quota s_1 del dollaro e lasciare $1 - s_1$ al giocatore 2.

1b) Il giocatore 2 ha due possibilità: accettare la proposta (nel qual caso il gioco termina e i due giocatori ricevono immediatamente i rispettivi payoff s_1 e $1 - s_1$) oppure rifiutare la proposta (nel qual caso il gioco continua e si passa al secondo periodo).

2a) All'inizio del secondo periodo il giocatore 2 propone che il giocatore 1 si appropri di una quota s_2 del dollaro, lasciando $1 - s_2$ al giocatore 2. (Si faccia attenzione al fatto che, per convenzione, s_t è sempre la quota che spetta al giocatore 1 indipendentemente da chi ha avanzato la proposta).

[7] Il *fattore di sconto* δ riflette il valore della moneta rispetto al tempo. Un dollaro ricevuto all'inizio di un periodo può essere depositato in banca e fruttare un interesse, ad esempio a un tasso r per periodo, e quindi valere $1 + r$ all'inizio del periodo successivo. In modo equivalente, un dollaro che sarà ricevuto all'inizio del periodo successivo oggi vale soltanto $1/(1 + r)$ di un dollaro. Si ponga $\delta = 1/(1 + r)$; un payoff π, che sarà ricevuto nel periodo successivo, oggi vale soltanto $\delta\pi$; un payoff π, che sarà ricevuto fra due periodi, oggi vale soltanto $\delta^2\pi$ e così via. Il valore odierno di un payoff futuro è detto il *valore attuale* del payoff.

2b) Il giocatore 1 ha due possibilità: accettare la proposta (nel qual caso il gioco termina e i giocatori ricevono immediatamente i rispettivi payoff, s_2 e $1 - s_2$) oppure rifiutare la proposta (nel qual caso il gioco continua e si passa al terzo periodo).

3) All'inizio del terzo periodo il giocatore 1 riceve una quota s del dollaro e lascia $1 - s$ al giocatore 2, con $0 < s < 1$.

In questo modello a tre periodi la ripartizione del dollaro nel terzo periodo, $(s, 1 - s)$, è data esogenamente. Nel modello con orizzonte infinito, che verrà considerato più oltre, il payoff s del terzo periodo rappresenta il payoff del giocatore 1 nel gioco rimanente qualora venga raggiunto il terzo periodo (cioè, se le prime due proposte vengono rifiutate).

Per ricavare l'esito di *backwards induction* di questo gioco a tre periodi, calcoliamo in primo luogo la proposta ottima del giocatore 2 nel caso in cui venga raggiunto il secondo periodo. Il giocatore 1 può ricevere s nel terzo periodo rifiutando nel periodo presente la proposta s_2 del giocatore 2; tuttavia il valore corrente di ricevere s nel periodo successivo è soltanto δs. Perciò, il giocatore 1 accetterà s_2 se e solo se $s_2 \geq \delta s$. (Assumeremo che un giocatore accetterà la proposta se è indifferente tra accettare e rifiutare.) Di conseguenza, il problema decisionale del giocatore 2 nel secondo periodo equivale a scegliere tra due alternative: ricevere $1 - \delta s$ nel periodo corrente (avanzando la proposta $s_2 = \delta s$) oppure ricevere $1 - s$ nel periodo successivo (offrendo al giocatore 1 un qualsiasi $s_2 < \delta s$). Il valore scontato di quest'ultima opzione è $\delta(1 - s)$ che è inferiore a $1 - \delta s$ disponibile con la prima opzione così che la proposta ottima del giocatore 2 nel secondo periodo è $s_2^* = \delta s$. Perciò, se il gioco raggiunge il secondo periodo il giocatore 2 avanzerà la proposta s_2^* e il giocatore 1 accetterà.

Poiché anche il giocatore 1 è in grado di risolvere il problema del giocatore 2 del secondo periodo, il giocatore 1 sa che il giocatore 2 può ricevere $1 - s_2^*$ nel secondo periodo rifiutando la sua proposta di s_1 in questo periodo; tuttavia, il valore attuale di ricevere $1 - s_2^*$ il prossimo periodo è soltanto $\delta(1 - s_2^*)$. Perciò, il giocatore 2 accetterà $1 - s_1$ se e solo se $1 - s_1 \geq \delta(1 - s_2^*)$, o $s_1 \leq 1 - \delta(1 - s_2^*)$. Di conseguenza il problema decisionale del giocatore 1 nel primo periodo equivale a scegliere tra ricevere $1 - \delta(1 - s_2^*)$ questo periodo (offrendo $1 - s_1 = \delta(1 - s_2^*)$ al giocatore 2), oppure ricevere s_2^* il prossimo periodo (offrendo una cifra qualsiasi $1 - s_1 < \delta(1 - s_2^*)$ al giocatore 2). Il valore scontato di quest'ultima opzione è $\delta s_2^* = \delta^2 s$, che è inferiore a $1 - \delta(1 - s_2^*) = 1 - \delta(1 - \delta s)$ disponibile con la prima opzione, così che la proposta ottima del giocatore 1 nel primo periodo è $s_1^* = 1 - \delta (1 - s_2^*) = 1 - \delta(1 - \delta s)$. Perciò, l'esito di *backwards induction* di questo gioco a tre periodi è che il giocatore 1 proponga la ripartizione $(s_1^*, 1 - s_1^*)$ e il giocatore 2 accetti.

Si consideri ora il caso con orizzonte infinito. La progressione temporale del gioco è sempre la stessa, fatta eccezione per il fatto che ora la ripartizione esogena in corrispondenza del periodo (3) è sostituita da una successione infinita di periodi (3a), (3b), (4a), (4b) e così via. Il giocatore 1 formula la propria proposta nei periodi dispari mentre il giocatore 2 nei periodi pari; la contrattazione continua fino a quando uno dei due giocatori accetta una proposta. In questo gioco con orizzonte infinito non è possibile ricavare l'esito di *backwards induction* utilizzando lo stesso procedimento a ritroso impiegato nelle applicazioni esaminate in precedenza; infatti, poiché il gioco potrebbe andare avanti indefinitamente non vi è un'ultima mossa da cui partire per sviluppare il ragionamento a ritroso. Per fortuna, l'intuizione seguente [applicata inizialmente da Shaked e Sutton 1984] ci consente di troncare il gioco con orizzonte infinito e applicare la logica utilizzata nel caso di orizzonte finito: il gioco che comincia nel terzo periodo (qualora venga raggiunto) è identico al gioco complessivo (quello che inizia nel primo periodo) – in entrambi i casi il giocatore 1 formula la prima proposta, i giocatori si alternano nelle proposte successive e la contrattazione continua fino a quando un giocatore accetta un'offerta.

Poiché non abbiamo introdotto la definizione formale di «esito di *backwards induction*» per questo gioco di contrattazione con orizzonte infinito, le nostre argomentazioni saranno di tipo informale (anche se possono essere presentate in modo rigoroso). Si supponga che vi sia un esito di *backwards induction* del gioco complessivo in cui i giocatori 1 e 2 ricevono, rispettivamente, i payoff s e $1 - s$. Possiamo utilizzare questi payoff nel gioco che comincia nel terzo periodo, qualora esso venga raggiunto, e poi procedere a ritroso fino al primo periodo (come nel modello a tre periodi) per calcolare un nuovo esito di *backwards induction* per il gioco complessivo. In corrispondenza di questo nuovo esito di *backwards induction*, il giocatore 1 proporrà la ripartizione $(f(s), 1 - f(s))$ nel primo periodo e il giocatore 2 accetterà; $f(s) = 1 - \delta(1 - \delta s)$ è la quota richiesta dal giocatore 1 nel primo periodo del modello a tre periodi visto in precedenza, quando la ripartizione $(s, 1 - s)$ nel terzo periodo è imposta esogenamente.

Sia s_H il payoff più alto che il giocatore 1 può raggiungere in ogni esito di *backwards induction* del gioco complessivo. Si immagini di utilizzare s_H come payoff del terzo periodo del giocatore 1 nel procedimento visto precedentemente: ciò darà luogo ad un nuovo esito di *backwards induction* in cui il payoff del primo periodo del giocatore 1 è $f(s_H)$. Poiché $f(s) = 1 - \delta + \delta^2 s$ è crescente in s, $f(s_H)$ è il più alto possibile payoff del primo periodo, poiché s_H è il più alto possibile payoff del terzo periodo. Tuttavia, s_H è anche il più alto possibile payoff del primo periodo, così che $f(s_H) = s_H$. Con argomentazioni del tutto simmetriche si può mostrare che $f(s_L) = s_L$, dove s_L è il più basso payoff che il giocatore 1 può raggiungere in ogni esito di *backwards induction* del gioco complessivo. L'unico valore di s che soddisfa $f(s) = s$ è $1/(1 + \delta)$, che indicheremo con s^*. Perciò, $s_H = s_L = s^*$ e quindi vi è un unico esito di *backwards induction* del gioco complessivo: nel primo periodo il giocatore 1 propone la ripartizione $(s^* = 1/(1 + \delta), 1 - s^* = \delta/(1 + \delta))$ e il giocatore 2 accetta.

2. Giochi a due stadi con informazione completa e imperfetta

2.1. Teoria: perfezione nei sottogiochi

Arricchiamo la classe di giochi analizzata nel paragrafo precedente. Come nel caso di giochi dinamici con informazione completa e perfetta, si assume che il gioco consista in una successione di stadi (o turni) in cui le mosse intraprese negli stadi precedenti sono osservate prima che cominci lo stadio successivo. La differenza rispetto ai giochi analizzati nel paragrafo precedente è che, nel caso qui in esame, si ammette la possibilità di mosse simultanee nell'ambito di ogni stadio del gioco. Come sarà spiegato nel paragrafo 4, la simultaneità delle mosse negli stadi del gioco significa che i giochi esaminati in questo paragrafo sono a informazione imperfetta; ciò nonostante, questi giochi hanno molte caratteristiche in comune con quelli ad informazione perfetta considerati precedentemente.

Prenderemo in esame il seguente semplice esempio che chiameremo un gioco a due stadi con informazione completa e imperfetta.

1) I giocatori 1 e 2 scelgono simultaneamente le loro azioni a_1 e a_2 dai loro rispettivi insiemi ammissibili A_1 e A_2.

2) I giocatori 3 e 4 osservano l'esito della prima fase, (a_1, a_2), e poi scelgono simultaneamente le azioni a_3 e a_4 dai rispettivi insiemi ammissibili A_3 e A_4.

3) I payoff sono $u_i(a_1, a_2, a_3, a_4)$ per $i = 1, 2, 3, 4$.

Numerosi problemi economici si adattano a questa descrizione[8]; i tre esempi che verranno discussi in dettaglio più oltre sono: la corsa agli sportelli, tariffe e concorrenza internazionale imperfetta ed infine i tornei (ad esempio, la competizione tra diversi vice presidenti di una impresa per aggiudicarsi la carica di presidente). Altri tipi di

[8] Come nel paragrafo precedente, si può ammettere che gli insiemi delle azioni ammissibili dei giocatori 3 e 4 nel secondo stadio, A_3 e A_4, dipendano dall'esito del primo stadio (a_1, a_2). In particolare vi possono essere valori di (a_1, a_2) che pongono termine al gioco.

problemi economici possono essere studiati introducendo una successione più lunga di stadi; ciò può essere fatto sia aggiungendo altri giocatori sia consentendo che i giocatori possano muovere in più di uno stadio. È anche possibile che vi sia un numero minore di giocatori: in alcune applicazioni i giocatori 3 e 4 sono i giocatori 1 e 2; in altre, mancano sia il giocatore 2 che il giocatore 4.

Troveremo una soluzione per i giochi appartenenti a questa classe impiegando un approccio che si ricollega al procedimento di *backwards induction*; tuttavia, in questo caso il primo passo del procedimento a ritroso a partire dalla fine del gioco comporta la soluzione di un vero e proprio gioco (il gioco con mosse simultanee tra i giocatori 3 e 4 nello stadio due, dato l'esito dello stadio uno), piuttosto che la soluzione di un problema di ottimizzazione riguardante un singolo giocatore come invece si è visto nel paragrafo precedente. Per semplicità, in questo paragrafo assumeremo che per ogni esito ammissibile del primo turno del gioco, (a_1, a_2), il gioco del secondo stadio tra i giocatori 3 e 4 abbia un unico equilibrio di Nash, indicato con $(a_3^*(a_1, a_2), a_4^*(a_1, a_2))$. Nel paragrafo 3.1 (sui giochi ripetuti) verranno prese in esame le conseguenze dell'abbandono di questa ipotesi.

Se i giocatori 1 e 2 anticipano che il comportamento dei giocatori 3 e 4 nel secondo turno di gioco è dato da $(a_3^*(a_1, a_2), a_4^*(a_1, a_2))$, l'interazione che ha luogo nel primo stadio tra i giocatori 1 e 2 equivale al seguente gioco con mosse simultanee.

1) I giocatori 1 e 2 scelgono simultaneamente le loro azioni a_1 e a_2 dai loro rispettivi insiemi ammissibili, A_1 e A_2.

2) I payoff sono $u_i(a_1, a_2, a_3^*(a_1, a_2), a_4^*(a_1, a_2))$ per $i = 1, 2$.

Supponiamo che (a_1^*, a_2^*) sia l'unico equilibrio di Nash di questo gioco con mosse simultanee; chiameremo la combinazione di azioni $(a_1^*, a_2^*, a_3^*(a_1^*, a_2^*), a_4^*(a_1^*, a_2^*))$ l'*esito perfetto nei sottogiochi* del gioco a due stadi. Questo esito è il diretto analogo dell'esito di *backwards induction* per giochi con informazione completa e perfetta; tale analogia si applica sia alle caratteristiche che rendono attraente quest'ultimo concetto sia a quelle che lo rendono discutibile. Non è ragionevole che i giocatori 1 e 2 credano ad una minaccia da parte dei giocatori 3 e 4 di rispondere con azioni che non sono equilibri di Nash nel gioco del secondo stadio, poiché qualora il gioco raggiunga effettivamente il secondo stadio, almeno uno dei giocatori 3 e 4 non sarà disposto a mettere in atto tale minaccia (semplicemente perché non è un equilibrio di Nash del gioco rimanente). Dall'altro lato, si supponga che il giocatore 1 sia anche il giocatore 3 e che non giochi a_1^* nel primo turno: è plausibile che il giocatore 4 desideri riconsiderare l'ipotesi che il giocatore 3 (cioè il giocatore 1) giocherà $a_3^*(a_1, a_2)$ nel secondo stadio.

2.2. La corsa agli sportelli

Si considerino due investitori, ognuno dei quali ha un deposito D presso una banca. La banca ha investito i loro depositi in un progetto a lungo termine. Se la banca è costretta a liquidare il proprio investimento prima che il progetto giunga a maturazione potrà recuperare un ammontare complessivo pari a $2r$, con $D > r > D/2$; se invece la banca lascia maturare l'investimento, il progetto frutterà un ammontare complessivo pari a $2R$, con $R > D$.

Vi sono due date alle quali gli investitori possono effettuare i prelievi dalla banca: la data 1 è precedente alla maturazione dell'investimento della banca; la data 2 è posteriore. Per semplicità si assuma che i payoff non vengano scontati. Se entrambi gli investitori effettuano i prelievi alla data 1, ognuno di loro riceverà r e il gioco termina; se soltanto uno degli investitori effettua il prelievo alla data 1, egli riceverà D, l'altro investitore riceverà $2r - D$ e il gioco termina. Infine, se nessuno dei due investitori effettua un prelievo alla data 1, il progetto matura ed essi prenderanno le loro decisioni di prelievo alla data 2; se entrambi effettuano i prelievi alla data 2 ognuno riceve R e il gioco finisce; se soltanto uno effettua un prelievo alla data 2, egli riceverà $2R - D$, mentre l'altro riceverà D e il gioco avrà termine. Infine, se nessuno dei due investitori effettua il prelievo alla data 2 la banca consegna R ad entrambi i giocatori e il gioco termina.

Nel paragrafo 4 discuteremo come rappresentare formalmente questo gioco; qui, invece, procederemo in modo non formale. I payoff dei due investitori alle date 1 e 2 sono rappresentati (in funzione delle loro decisioni di prelievo a quelle date) dalla seguente coppia di giochi in forma normale. Si noti bene che il gioco in forma normale alla data 1 è di tipo particolare: se entrambi gli investitori decidono di non effettuare prelievi alla data 1 il gioco non specifica nessun payoff e si procede al gioco in forma normale della data 2.

	Prelevare	Non prelevare
Prelevare	r, r	$D, 2r - D$
Non prelevare	$2r - D, D$	Stadio successivo

Data 1

	Prelevare	Non prelevare
Prelevare	R, R	$2R - D, D$
Non prelevare	$D, 2R - D$	R, R

Data 2

Per analizzare questo gioco si proceda a ritroso partendo dal gioco in forma normale alla data 2. Poiché $R > D$ (e quindi $2R - D > R$), «prelevare» domina strettamente «non prelevare» e quindi questo gioco ammette un unico equilibrio di Nash: entrambi gli investitori effettueranno il prelievo e otterranno i payoff (R, R). Poiché i payoff non vengono scontati possiamo semplicemente sostituirli nel gioco in forma normale alla data 1, come si è fatto nella figura 2.6. Poiché $r < D$ (e quindi $2r - D < r$), questa versione uniperiodale del gioco a due periodi ha due equilibri di Nash in strategie pure: 1) entrambi gli investitori effettuano il prelievo e ottengono i payoff (r, r); 2) entrambi gli investitori non effettuano alcun prelievo e ottengono i payoff (R, R). Perciò il gioco originario a due periodi della corsa agli sportelli ammette due esiti perfetti nei sottogiochi (e quindi non è conforme alla classe di giochi definiti nel paragrafo 2.1): 1) entrambi gli investitori effettuano un prelievo alla data 1 e ottengono i payoff (r, r); 2) entrambi gli investitori effettuano i prelievi alla data 2, e non alla data 1, e ricevono i payoff (R, R) alla data 2.

	Prelevare	Non prelevare
Prelevare	r, r	$D, 2r - D$
Non prelevare	$2r - D, D$	R, R

FIG. 2.6.

Il primo di questi esiti può essere interpretato come un esempio di corsa agli sportelli. Se l'investitore 1 è convinto che l'investitore 2 effettuerà il prelievo alla data 1, allora anche la risposta ottima dell'investitore 1 è di effettuare il prelievo, sebbene sarebbe più conveniente per entrambi gli investitori aspettare fino alla data 2 per effettuare il prelievo. Il gioco della corsa agli sportelli differisce dal dilemma del prigioniero, discusso nel capitolo 1, in relazione ad un importante aspetto: entrambi i giochi ammettono un equilibrio di Nash a cui corrispondono payoff socialmente inefficienti; nel dilemma del prigioniero questo equilibrio è unico (e corrisponde a strategie dominanti), mentre nel caso in esame esiste anche un secondo equilibrio che è socialmente efficiente. Sebbene questo modello mostri che la corsa agli sportelli può verificarsi come fenomeno di equilibrio, esso non offre alcuna predizione sulle condizioni alle quali tale fenomeno può presentarsi. Il lettore interessato a un modello più articolato consulti Diamond e Dybvig [1983].

2.3. Tariffe e concorrenza internazionale imperfetta

Passiamo ora a una applicazione di economia internazionale. Si considerino due paesi identici indicati con $i = 1, 2$. Ogni paese è composto da un governo che decide l'aliquota della tariffa, un'impresa che produce un bene sia per il consumo interno che per l'esportazione e da consumatori che possono acquistare sul mercato interno dall'impresa nazionale oppure dall'impresa straniera. Se la quantità totale offerta sul mercato del paese i è Q_i, il prezzo che si determina sul mercato è $P_i(Q_i) = a - Q_i$. L'impresa del paese i (che da ora in poi chiameremo l'impresa i) produce h_i per il consumo interno ed e_i per l'esportazione; perciò $Q_i = h_i + e_j$. Le imprese hanno costi marginali costanti e non sostengono alcun costo fisso, quindi il costo totale di produzione per l'impresa i è $C_i(h_i, e_i) = c(h_i + e_i)$. Le imprese devono sostenere anche i costi tariffari sulle esportazioni: se l'impresa i esporta e_i nel paese j e il governo di questo paese fissa una aliquota tariffaria t_j, l'impresa i deve pagare $t_j e_i$ al governo j.

La struttura temporale del gioco è la seguente. Nel primo stadio i governi scelgono simultaneamente le aliquote, t_1 e t_2. Nel secondo, le imprese osservano le aliquote e scelgono simultaneamente le quantità per il consumo interno e per l'esportazione, (h_1, e_1) e (h_2, e_2). I payoff sono dati dal profitto dell'impresa i e da un indicatore del benessere complessivo del governo i che, a sua volta, è dato dalla somma del *surplus* dei consumatori[9] del paese i, dai profitti ottenuti dall'impresa i e dalle entrate tariffarie provenienti dall'impresa j:

$$\pi_i(t_i, t_j, h_i, e_i, h_j, e_j) = [a - (h_i + e_j)]h_i + [a - (e_i + h_j)]e_i - c(h_i + e_i) - t_j e_i,$$

$$W_i(t_i, t_j, h_i, e_i, h_j, e_j) = \frac{1}{2}Q_i^2 + \pi_i(t_i, t_j, h_i, e_i, h_j, e_j) + t_i e_j.$$

Si supponga che il governo abbia scelto le tariffe t_1 e t_2. Se $(h_1^*, e_1^*, h_2^*, e_2^*)$ è un equilibrio di Nash del gioco rimanente (su i due mercati) tra le imprese 1 e 2 allora, per ogni i, (h_i^*, e_i^*) deve soddisfare

$$\max_{h_i, e_i \geq 0} \pi_i(t_i, t_j, h_i, e_i, h_j^*, e_j^*).$$

Poiché $\pi_i(t_i, t_j, h_i, e_i, h_j^*, e_j^*)$ può essere scritto come la somma dei profitti dell'impresa i sul mercato i (che sono funzione soltanto di h_i e e_j^*)

[9] Un consumatore, che acquista un bene al prezzo p e che sarebbe stato disposto a pagare un valore v, gode di un surplus pari a $v - p$. Data la curva di domanda inversa, $P_i(Q_i) = a - Q_i$, se la quantità venduta sul mercato i è Q_i si può mostrare che il *surplus* aggregato del consumatore è $(1/2)Q_i^2$.

e sul mercato j (che sono funzione soltanto di e_i, h_j^* e t_j), il problema di ottimizzazione dell'impresa i sui due mercati si semplifica e può essere scomposto in due problemi separati, uno per ogni mercato: h_i^* deve risolvere

$$\max_{h_i \geq 0} h_i [a - (h_i + e_j^*) - c],$$

mentre e_i^* deve risolvere

$$\max_{e_i \geq 0} e_i [a - (e_i + h_j^*) - c] - t_j e_i.$$

Assumendo $e_j^* \leq a - c$, si ha

$$h_i^* = \frac{1}{2}(a - e_j^* - c); \tag{2.1}$$

inoltre, assumendo $h_j^* \leq a - c - t_j$, si ha

$$e_i^* = \frac{1}{2}(a - h_j^* - c - t_j). \tag{2.2}$$

(I risultati che deriviamo sono coerenti con entrambe queste assunzioni). Entrambe le funzioni di risposta ottima, [2.1] e [2.2], devono essere soddisfatte per ogni $i = 1, 2$; perciò si ottengono quattro equazioni nelle quattro incognite (h_i^*, e_i^*, h_j^*, e_j^*). Per fortuna, queste equazioni si riducono a due sistemi di due equazioni ciascuno in due incognite. Le soluzioni sono

$$h_i^* = \frac{a - c + t_i}{3} \quad \text{e} \quad e_i^* = \frac{a - c - 2t_j}{3}. \tag{2.3}$$

Si ricordi (dal paragrafo 2.1 del capitolo 1) che la quantità di equilibrio scelta da entrambe le imprese nel gioco di Cournot è $(a - c)/3$ e che questo risultato era stato ottenuto sotto l'ipotesi di costi marginali simmetrici. Al contrario, nell'equilibrio descritto dalla [2.3] le scelte tariffarie dei governi rendono asimmetrici i costi marginali (come nel problema 1.6). Per esempio, sul mercato i il costo marginale dell'impresa i è c, mentre quello dell'impresa j è $c + t_i$; poiché il costo dell'impresa j è maggiore, essa intenderà produrre meno; tuttavia se l'impresa j produce di meno il prezzo di mercato sarà più alto così che l'impresa i desidererà produrre di più; nel qual caso l'impresa j intenderà produrre ancora meno. Perciò, in equilibrio h_i^* è crescente in t_i, mentre e_j^* decresce (con maggior velocità) al crescere di t_i, come si osserva dalla [2.3].

Una volta risolto il gioco del secondo stadio che rimane dopo che i governi hanno scelto le aliquote tariffarie, si può rappresentare l'interazione del primo stadio tra i due governi per mezzo del seguente gioco a mosse simultanee. In primo luogo i governi scelgono simultaneamente le aliquote tariffarie, t_1 e t_2; successivamente vengono ricevuti i payoff $W_i(t_i, t_j, h_1^*, e_1^*, h_2^*, e_2^*)$ dal governo $i = 1, 2$, dove h_i^* e e_i^* sono funzioni di t_i e t_j come descritto dalla [2.3]. Ora siamo in grado di ricavare l'equilibrio di Nash di questo gioco tra i governi.

Per semplificare la notazione, eviteremo di indicare la dipendenza di h_i^* da t_i e di e_i^* da t_j: con $W_i^*(t_i, t_j)$ indichiamo $W_i(t_i, t_j, h_1^*, e_1^*, h_2^*, e_2^*)$, il payoff del governo i quando esso sceglie l'aliquota tariffaria t_i, il governo j sceglie t_j e le imprese i e j giocano l'equilibrio di Nash dato dalla [2.3]. Se (t_1^*, t_2^*) è un equilibrio di Nash di questo gioco tra i governi, allora, per ogni i, t_i^* deve risolvere

$$\max_{t_i \geq 0} W_i^*(t_i, t_j^*).$$

Poiché $W_i^*(t_i, t_j^*)$ è uguale a

$$\frac{(2(a-c)-t_i)^2}{18} + \frac{(a-c+t_i)^2}{9} + \frac{(a-c-2t_j^*)^2}{9} + \frac{t_i(a-c-2t_i)}{3}$$

si ha che

$$t_i^* = \frac{a-c}{3}$$

per ogni i ed è indipendente da t_j^*. Perciò, in questo modello, scegliere un'aliquota tariffaria $(a-c)/3$ è, per ogni governo, una strategia dominante. (In altri modelli in cui, per esempio, i costi marginali sono crescenti, le strategie di equilibrio dei governi non sono dominanti). Sostituendo $t_i^* = t_j^* = (a-c)/3$ nella [2.3] si ricava

$$h_i^* = \frac{4(a-c)}{9} \quad \text{e} \quad e_i^* = \frac{a-c}{9},$$

cioè, le quantità scelte dalle imprese nel secondo stadio del gioco. Perciò, l'esito perfetto nei sottogiochi di questo gioco delle tariffe è $(t_1^* = t_2^* = (a-c)/3,\ h_1^* = h_2^* = 4(a-c)/9,\ e_1^* = e_2^* = (a-c)/9)$.

In corrispondenza dell'esito perfetto nei sottogiochi la quantità aggregata offerta su ogni mercato è $5(a-c)/9$. Tuttavia, se i governi avessero scelto delle aliquote tariffarie pari a zero la quantità aggregata offerta su ogni mercato sarebbe stata $2(a-c)/3$, esattamente come nel modello di Cournot. Quindi, il surplus dei consumatori sul mercato i (che, come si è osservato precedentemente, è semplicemente la metà del quadrato della quantità aggregata offerta sul mercato i) è più basso quando i governi scelgono le tariffe in base alle strategie dominanti rispetto al caso in cui le tariffe scelte sono pari a zero. Infatti, tariffe pari a zero sono socialmente ottime, nel senso che $t_1 = t_2 = 0$ è la soluzione del problema

$$\max_{t_1, t_2 \geq 0} W_1^*(t_1, t_2) + W_2^*(t_1 + t_2)$$

e dunque vi è un incentivo affinché i governi sottoscrivano un trattato in cui si impegnano a non imporre alcuna tariffa (cioè, si impegnano a mantenere le condizioni del libero scambio). (Se sono ammesse tariffe negative – cioè sussidi – l'ottimo sociale richiede che i governi scelgano $t_1 = t_2 = -(a - c)$; in tal caso l'impresa nazionale non produrrà nulla per il mercato interno ed esporterà la quantità di concorrenza perfetta nell'altro paese). In conclusione, dato che nel secondo stadio le imprese giocano l'equilibrio di Nash indicato dalla [2.3], l'interazione tra i governi nel primo stadio è del tipo descritto dal dilemma del prigioniero: l'unico equilibrio di Nash è in strategie dominanti ed è socialmente inefficiente.

2.4. Tornei

Si considerino due lavoratori alle dipendenze di un imprenditore. Il lavoratore i (con $i = 1$ o 2) produce la quantità $y_i = e_i + \varepsilon_i$, dove e_i è lo sforzo applicato dal lavoratore e ε_i è un disturbo stocastico. La produzione avviene nel modo seguente. Inizialmente i lavoratori scelgono simultaneamente livelli di sforzo non negativi: $e_i \geq 0$; successivamente, i due disturbi stocasticamente indipendenti, ε_1 ed ε_2, sono estratti da una funzione di densità $f(\varepsilon)$ con media nulla; infine, sono osservate le quantità prodotte dai lavoratori ma non i relativi livelli di sforzo da essi applicati. Il salario dei lavoratori, quindi, può dipendere dalle quantità che essi producono ma non (direttamente) dal loro sforzo.

Si supponga che l'imprenditore decida di stimolare i lavoratori a prestare uno sforzo maggiore facendoli competere tra loro in un torneo, come avviene nel modello presentato originariamente da Lazear e Rosen [1981][10]. Il salario ottenuto dal vincitore del torneo

[10] Per semplificare l'esposizione di questa applicazione ignoriamo alcuni dettagli tecnici come, ad esempio, le circostanze nelle quali la condizione del primo ordine per il lavoratore è anche condizione sufficiente. Ciò nonostante l'analisi

(cioè il lavoratore che ha conseguito la produzione maggiore) è w_H; il salario del perdente è invece w_L. Il payoff che riceve un lavoratore dal salario w e applicando il livello di sforzo e è $u(w, e) = w - g(e)$, dove la disutilità dello sforzo, $g(e)$, è una funzione crescente e convessa (cioè, $g'(e) > 0$ e $g''(e) > 0$). Il payoff dell'imprenditore è $y_1 + y_2 - w_H - w_L$.

Traduciamo questa applicazione nei termini utilizzati per la descrizione della classe di giochi discussi nel paragrafo 2.1. L'imprenditore è il giocatore 1 e l'azione a_1 a sua disposizione riguarda la scelta dei salari pagati nel torneo, w_H e w_L. Non vi è nessun giocatore 2; i lavoratori sono il giocatore 3 e il giocatore 4, i quali osservano i salari scelti nel primo stadio e poi scelgono simultaneamente le azioni a_3 e a_4, cioè i livelli di sforzo e_1 ed e_2. (Più oltre consideriamo la possibilità che, dati i salari scelti dall'imprenditore, i lavoratori preferiscano non partecipare al torneo e accettare invece una occupazione alternativa.) Infine, i payoff dei giocatori sono quelli indicati precedentemente. Poiché la produzione (e quindi anche i salari) sono funzioni non solo delle azioni dei giocatori ma anche dei termini di disturbo, ε_1 ed ε_2, faremo riferimento al payoff atteso dei giocatori.

Si supponga che il datore abbia scelto i salari w_H e w_L. Affinché la coppia dei livelli di sforzo (e_1^*, e_2^*) sia un equilibrio di Nash, per ogni i, e_i^* deve massimizzare il salario atteso del lavoratore i al netto della disutilità dello sforzo: e_i^* è la soluzione del problema[11]

$$[2.4] \qquad \begin{aligned} &\max_{e_i \geq 0} w_H \text{Prob}\{y_i(e_i) > y_j(e_j^*)\} \\ &\quad + w_L \text{Prob}\{y_i(e_i) \leq y_j(e_j^*)\} - g(e_i) \\ &= (w_H - w_L)\text{Prob}\{y_i(e_i) > y_j(e_j^*)\} + w_L - g(e_i), \end{aligned}$$

con $y_i(e_i) = e_i + \varepsilon_i$. La condizione del primo ordine del problema [2.4] è

richiede conoscenze di teoria della probabilità superiori a quelle impiegate fino a questo punto del testo; il lettore può procedere oltre questa applicazione senza pregiudicare la compresione degli argomenti che seguono.

[11] Nella equazione [2.4] si assume che la funzione di densità del disturbo, $f(\varepsilon)$, sia tale che l'evento in cui le quantità prodotte dai due lavoratori sono uguali si verifica con probabilità nulla e che quindi sia lecito tralasciarlo nel calcolo dell'utilità attesa del lavoratore i. (In termini più rigorosi, stiamo assumento che la densità $f(\varepsilon)$ sia priva di atomi (*atomless*)). In una descrizione completa del torneo sarebbe naturale (ma non rilevante per le conclusioni) supporre che la designazione del vincitore sia determinata in base al lancio di una moneta oppure (in modo equivalente, per il presente modello) che entrambi i lavoratori ricevano $(w_H + w_L)/2$.

$$[2.5] \qquad (w_H - w_L)\frac{\partial \operatorname{Prob}\{y_i(e_i) > y_j(e_j^*)\}}{\partial e_i} = g'(e_i).$$

In altri termini, la scelta di e_i da parte del lavoratore deve soddisfare la condizione di eguaglianza tra la disutilità marginale dello sforzo, $g'(e_i)$, e il guadagno marginale derivante da una unità aggiuntiva di sforzo, il quale è dato dal prodotto tra il guadagno salariale derivante dalla vincita del torneo, $w_H - w_L$, e l'incremento marginale della probabilità di vincita.

Dalla regola di Bayes[12] si ricava

$$\begin{aligned}\operatorname{Prob}\{y_i(e_i) > y_j(e_j^*)\} &= \operatorname{Prob}\{\varepsilon_i > e_j^* + \varepsilon_j - e_i\}\\ &= \int_{\varepsilon_j} \operatorname{Prob}\{\varepsilon_i > e_j^* + \varepsilon_j - e_i | \varepsilon_j\} f(\varepsilon_j) d\varepsilon_j\\ &= \int_{\varepsilon_j} [1 - F(e_j^* + \varepsilon_j - e_i)] f(\varepsilon_j) d\varepsilon_j,\end{aligned}$$

di conseguenza, la condizione del primo ordine [2.5] diventa

$$(w_H - w_L)\int_{\varepsilon_j} f(e_j^* + \varepsilon_j - e_i) f(\varepsilon_j) d\varepsilon_j = g'(e_i).$$

In un equilibrio di Nash simmetrico (cioè, $e_1^* = e_2^* = e^*$), si ha

$$[2.6] \qquad (w_H - w_L)\int_{\varepsilon_j} f(\varepsilon_j)^2 d\varepsilon_j = g'(e^*).$$

Poiché $g(e)$ è convessa, un premio per il vincitore più elevato (cioè, un valore più elevato di $w_H - w_L$) induce un maggiore sforzo, come è intuitivo. Dall'altro lato, a parità di premio non vale la pena lavorare molto quando la produzione è notevolmente soggetta a disturbi casuali, poiché è probabile che l'esito del torneo sia determinato più dalla buona sorte che dal livello di sforzo applicato dal lavoratore. Per esempio, se ε è normalmente distribuito con varianza pari a σ^2, allora

[12] La regola di Bayes fornisce la formula di $P(A \mid B)$, la probabilità (condizionale) che si verifichi un evento A dato che un evento B si è già verificato. Con $P(A)$, $P(B)$ e $P(A, B)$ si indica, rispettivamente, la probabilità (a priori, cioè la probabilità valutata prima che o A o B abbiano avuto la possibilità di manifestarsi) che si verifichi A, B e congiuntamente A e B. La regola di Bayes stabilisce che $P(A \mid B) = P(A, B)/P(B)$. In altri termini, la probabilità condizionale di A dato B è uguale alla probabilità che sia A che B si verifichino divisa per la probabilità a priori che si verifichi B.

$$\int_{\varepsilon_j} f(\varepsilon_j)^2 d\varepsilon_j = \frac{1}{2\sigma\sqrt{\pi}},$$

è decrescente in σ ed in effetti e^* diminuisce all'aumentare di σ.

A questo punto procediamo a ritroso fino al primo stadio del gioco. Si supponga che se i lavoratori sono d'accordo a partecipare al torneo (piuttosto che accettare una occupazione alternativa) risponderanno ai salari w_H, w_L giocando l'equilibrio di Nash simmetrico caratterizzato dalla [2.6]. (Ignoriamo, cioè, sia la possibilità di equilibri asimmetrici sia la possibilità di un equilibrio in cui i livelli di sforzo scelti dai lavoratori siano dati da una soluzione ad angolo, $e_1 = e_2 = 0$, invece che dalla condizione del primo ordine [2.5]). Si supponga, inoltre, che l'opportunità di impiego alternativa a disposizione dei lavoratori garantisca un livello di utilità pari a U_a. Poiché nell'equilibrio di Nash simmetrico ogni lavoratore ha una probabilità pari a un mezzo di vincere il torneo (cioè $\text{Prob}\{y_i(e^*) > y_j(e^*)\} = 1/2$), se l'imprenditore desidera indurre i lavoratori a partecipare al torneo dovrà scegliere dei salari che soddisfano il vincolo

$$\frac{1}{2} w_H + \frac{1}{2} w_L - g(e^*) \geq U_a. \tag{2.7}$$

Assumendo che U_a sia sufficientemente basso da rendere conveniente per l'imprenditore indurre i lavoratori a partecipare al torneo, egli sceglierà i salari che massimizzano il profitto atteso, $2e^* - w_H - w_L$, sotto il vincolo imposto dalla [2.7]. Nel punto di ottimo la [2.7] è soddisfatta con eguaglianza

$$w_L = 2U_a + 2g(e^*) - w_H. \tag{2.8}$$

Il profitto atteso è $2e^* - 2U_a - 2g(e^*)$ e l'imprenditore sceglierà i salari in corrispondenza dei quali lo sforzo indotto e^* massimizza $e^* - g(e^*)$; quindi, lo sforzo indotto ottimale soddisferà la condizione del primo ordine $g'(e^*) = 1$. Sostituendo questa condizione nella [2.6] si ricava che il premio ottimo, $w_H - w_L$, sarà dato dalla soluzione della equazione

$$(w_H - w_L) \int_{\varepsilon_j} f(\varepsilon_j)^2 d\varepsilon_j = 1;$$

dalla [2.8] si determinano poi w_H e w_L.

3. Giochi ripetuti

In questo paragrafo cercheremo di stabilire se, qualora si verifichino interrelazioni ripetute tra i soggetti, minacce e promesse riguardanti il comportamento futuro siano in grado di influenzare il comportamento corrente. La maggior parte delle intuizioni sarà presentata con riferimento al caso con due periodi, mentre alcune idee richiederanno di essere analizzate con riferimento ad un orizzonte infinito. Inoltre, introdurremo la definizione di equilibrio di Nash perfetto nei sottogiochi nel caso di giochi ripetuti; questa definizione è più semplice da presentare nel caso speciale di giochi ripetuti rispetto al caso di giochi dinamici generali con informazione completa, i quali saranno esaminati nel paragrafo 4.2. La ragione per cui tale definizione è stata introdotta in questo paragrafo è per facilitare l'esposizione successiva.

3.1. Teoria: giochi ripetuti a due stadi

Si consideri il dilemma del prigioniero in forma normale riportato nella figura 2.7. Si supponga che i giocatori giochino due volte questo gioco a mosse simultanee e osservino l'esito del primo stadio prima di iniziare il secondo; si supponga, inoltre, che i payoff dell'intero gioco siano dati semplicemente dalla somma dei payoff ottenuti nei due stadi (cioè, i payoff non vengono scontati). Questo gioco ripetuto, indicato col nome di dilemma del prigioniero a due stadi, appartiene alla classe di giochi analizzata nel paragrafo 2.1. In questo caso i giocatori 3 e 4 sono identici ai giocatori 1 e 2, gli spazi delle azioni A_3 e A_4 sono identici a A_1 e A_2, infine i payoff $u_i(a_1, a_2, a_3, a_4)$ sono semplicemente la somma dei payoff derivanti dall'esito del primo stadio, (a_1, a_2) e i payoff derivanti dall'esito del secondo stadio (a_3, a_4). Inoltre, il dilemma del prigioniero a due stadi soddisfa la condizione richiesta nel paragrafo 2.1: per ogni esito ammissibile del primo stadio, (a_1, a_2), il gioco rimanente del secondo stadio tra i giocatori 3 e 4 ammette un unico equilibrio di Nash, indicato con $(a_3^*(a_1, a_2), a_4^*(a_3, a_4))$. In realtà, il dilemma del prigioniero a due stadi soddisfa una condizione ancora più severa di quella richiesta. Nel paragrafo 2.1 si è ammessa la possibilità che l'equilibrio di Nash del gioco rimanente del secondo stadio dipenda dall'esito del gioco del primo stadio – da cui deriva l'utilizzo della notazione $(a_3^*(a_1, a_2), a_4^*(a_1, a_2))$ al posto di quella più semplice (a_3^*, a_4^*). (Nel gioco delle tariffe, per esempio, le scelte delle quantità di equilibrio delle imprese nel secondo stadio dipendono dalle scelte delle tariffe dei governi nel primo stadio). Tuttavia, nel dilemma del prigioniero a due stadi, l'unico equilibrio di Nash del secondo stadio è (L_1, L_2) indipendentemente dall'esito del primo stadio.

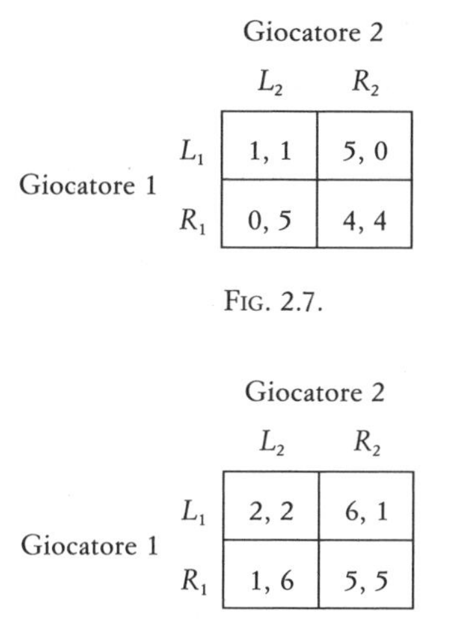

		Giocatore 2	
		L_2	R_2
Giocatore 1	L_1	1, 1	5, 0
	R_1	0, 5	4, 4

FIG. 2.7.

		Giocatore 2	
		L_2	R_2
Giocatore 1	L_1	2, 2	6, 1
	R_1	1, 6	5, 5

FIG. 2.8.

Seguendo il procedimento descritto nel paragrafo 2.1 per calcolare l'esito perfetto nei sottogiochi per questo tipo di gioco, analizziamo il primo stadio del dilemma del prigioniero a due stadi tenendo conto del fatto che l'esito del gioco rimanente al secondo stadio sarà l'equilibrio di Nash di tale gioco rimanente – cioè, (L_1, L_2) con payoff (1, 1); quindi, l'interazione dei giocatori al primo stadio del dilemma del prigioniero a due stadi corrisponde al gioco non ripetuto rappresentato nella figura 2.8, che è stato ottenuto aggiungendo la coppia di payoff (1, 1) del secondo stadio ad ogni coppia di payoff del primo stadio. Poiché anche il gioco della figura 2.8 ha un unico equilibrio di Nash, cioè (L_1, L_2), l'unico esito perfetto nei sottogiochi del dilemma del prigioniero a due stadi è (L_1, L_2), nel primo stadio, seguito da (L_1, L_2) nel secondo. La cooperazione – cioè, (R_1, R_2) – non può essere raggiunta in nessuno dei due stadi dell'esito perfetto nei sottogiochi.

Questa argomentazione ha validità più generale. (Abbandoniamo momentaneamente il caso a due periodi e ammettiamo invece un qualsiasi numero finito di ripetizioni T). Si indichi con $G = \{A_1, ..., A_n; u_1, ..., u_n\}$ un gioco statico con informazione completa in cui i giocatori da 1 a n scelgono le azioni $a_1, ..., a_n$ dai rispettivi spazi delle azioni, $A_1, ..., A_n$ e ricevono i payoff $u_1(a_1, ..., a_n), ..., u_n(a_1, ..., a_n)$. Il gioco G è detto *gioco costituente* (*stage game*) del gioco ripetuto.

DEFINIZIONE. Dato un gioco costituente G, si indichi con $G(T)$ il *gioco ripetuto un numero finito di volte* in cui G è giocato T volte e gli esiti di tutti gli stadi precedenti del gioco sono noti prima che lo stadio successivo abbia inizio. I payoff di $G(T)$ sono dati semplicemente dalla somma dei payoff ottenuti nei T giochi costituenti.

PROPOSIZIONE. Se il gioco costituente ha un unico equilibrio di Nash allora, per ogni T finito, il gioco ripetuto $G(T)$ ha un unico esito perfetto nei sottogiochi: l'equilibrio di Nash di G è giocato in ogni stadio[13].

Ritorniamo al caso con due periodi consideriamo l'eventualità che il gioco costituente G abbia molteplici equilibri di Nash, come nel gioco della figura 2.9. Le strategie indicate con L_i e M_i riproducono quelle del dilemma del prigioniero della 2.7; le strategie R_i sono state aggiunte al gioco in modo da ottenere due equilibri di Nash in strategie pure: (L_1, L_2) come nel dilemma del prigioniero e ora anche (R_1, R_2). Naturalmente, è artificioso aggiungere in questo modo un equilibrio al dilemma del prigioniero, tuttavia questa licenza è giustificata dal fatto che il nostro interesse per tale gioco è puramente espositivo e non economico. Nel prossimo paragrafo vedremo che i giochi ripetuti un numero infinito di volte condividono questa caratteristica di molteplicità degli equilibri anche nel caso in cui il gioco costituente ripetuto infinitamente abbia un unico equilibrio di Nash come nel caso del dilemma del prigioniero. Pertanto, in questo paragrafo prenderemo in esame un gioco costituente artificioso nell'ambito semplificato con due periodi per preparare l'analisi successiva di un gioco costituente economicamente rilevante in un quadro di riferimento con orizzonte infinito.

	L_2	M_2	R_2
L_1	1, 1	5, 0	0, 0
M_1	0, 5	4, 4	0, 0
R_1	0, 0	0, 0	3, 3

FIG. 2.9.

[13] Risultati analoghi valgono se il gioco costituente G è un gioco dinamico con informazione completa. Si supponga che G sia un gioco dinamico con informazione completa e perfetta appartenente alla classe definita nel paragrafo 1.1. Se G ha un unico esito di *backwards induction*, allora $G(T)$ ha un unico esito perfetto nei sottogiochi: l'esito di *backwards induction* di G è giocato in ogni stadio. Analogamente si supponga che G sia un gioco a due stadi appartenente alla classe definita nel paragrafo 2.1. Se G ha un unico esito perfetto nei sottogiochi, allora $G(T)$ ha un unico esito perfetto nei sottogiochi: l'esito perfetto nei sottogiochi di G è giocato in ogni stadio.

Si supponga che il gioco costituente riportato nella figura 2.9 sia giocato due volte e che l'esito del primo stadio sia osservato prima dell'inizio del secondo. Mostreremo che vi è un esito perfetto nei sottogiochi del gioco ripetuto in corrispondenza del quale nel primo stadio è giocata la coppia di strategie (M_1, M_2)[14]. Come nel paragrafo 2.1, si assuma che nel primo stadio i giocatori anticipino che l'esito del secondo stadio sia un equilibrio di Nash del gioco costituente. Poiché questo gioco costituente ammette più di un equilibrio di Nash è ora possibile che i giocatori anticipino che esiti differenti nel primo stadio siano seguiti da differenti equilibri del gioco costituente nel secondo stadio. Si supponga, per esempio, che i giocatori anticipino che (R_1, R_2) sia l'esito del secondo stadio se l'esito del primo stadio è (M_1, M_2), mentre (L_1, L_2) sarà l'esito del secondo stadio se si verifica uno qualsiasi degli altri otto esiti nel primo stadio. L'interazione dei giocatori nel primo stadio equivale al gioco non ripetuto rappresentato nella figura 2.10, ottenuto dalla figura 2.9 aggiungendo (3, 3) nella casella corrispondente a (M_1, M_2) e (1, 1) nelle altre otto caselle.

Vi sono tre equilibri di Nash in strategie pure nel gioco della figura 2.10: (L_1, L_2), (M_1, M_2) e (R_1, R_2). Come nella figura 2.7 gli equilibri di Nash di questo gioco con una singola mossa corrispondono agli esiti perfetti nei sottogiochi dell'originario gioco ripetuto. Si indichi con $((w, x), (y, z))$ un esito del gioco ripetuto – (w, x) nel primo stadio e (y, z) nel secondo. L'equilibrio di Nash (L_1, L_2) nella figura 2.10 corrisponde all'esito perfetto nei sottogiochi $((L_1, L_2),$

	L_2	M_2	R_2
L_1	2, 2	6, 1	1, 1
M_1	1, 6	7, 7	1, 1
R_1	1, 1	1, 1	4, 4

FIG. 2.10.

[14] A rigore, abbiamo definito la nozione di esito perfetto nei sottogiochi soltanto per la classe di giochi definita nel paragrafo 2.1. Il dilemma del prigioniero a due stadi appartiene a questa classe poiché per ogni esito ammissibile del gioco del primo stadio esiste un unico equilibrio di Nash del gioco rimanente al secondo stadio. Tuttavia, il gioco ripetuto a due stadi basato sul gioco costituente della figura 2.9 non appartiene a questa classe poiché il gioco costituente ha una molteplicità di equilibri. Non estenderemo in modo formale la definizione di esito perfetto nei sottogiochi a tutti i giochi ripetuti a due stadi, sia perché la modifica della definizione è minima e sia perché definizioni ancor più generali verranno presentate nei paragrafi 3.1 e 4.1.

(L_1, L_2)) del gioco ripetuto, poiché l'esito del secondo stadio anticipato è (L_1, L_2) se nel primo stadio si verifica un qualsiasi esito diverso da (M_1, M_2). Allo stesso modo, l'equilibrio di Nash (R_1, R_2) nella figura 2.10 corrisponde all'esito perfetto nei sottogiochi ((R_1, R_2), (L_1, L_2)) del gioco ripetuto. Questi due esiti perfetti nei sottogiochi del gioco ripetuto sono semplicemente una concatenazione degli esiti di equilibrio di Nash del gioco costituente; il terzo equilibrio di Nash della figura 2.10, invece, costituisce un risultato qualitativamente diverso: (M_1, M_2) nella figura 2.10 corrisponde all'esito perfetto nei sottogiochi ((M_1, M_2), (R_1, R_2)) del gioco ripetuto, poiché a seguito di (M_1, M_2) l'esito anticipato del secondo stadio è (R_1, R_2). Perciò, come affermato in precedenza, la cooperazione può essere raggiunta nel primo stadio di un esito perfetto dei sottogiochi del gioco ripetuto. Questo è un esempio di un risultato più generale: se $G = \{A_1, ..., A_n; u_1, ..., u_n\}$ è un gioco statico con informazione completa e con molteplici equilibri di Nash allora possono esistere esiti perfetti nei sottogiochi del gioco ripetuto $G(T)$ in cui, per ogni $t < T$, l'esito dello stadio t non è un equilibrio di Nash di G. Torneremo su questo punto nel prossimo paragrafo quando prenderemo in esame il caso con orizzonte infinito.

L'insegnamento principale da trarre da questo esempio è che minacce o promesse credibili riguardanti il comportamento futuro sono in grado di influenzare il comportamento corrente. Un secondo aspetto importante è che la perfezione nei sottogiochi può non incorporare una definizione sufficientemente forte di credibilità; per esempio, nel derivare l'esito perfetto nei sottogiochi, ((M_1, M_2), (R_1, R_2)), si è assunto che i giocatori anticipino che (R_1, R_2) sia l'esito del secondo stadio nel caso in cui l'esito del primo sia (M_1, M_2) e che (L_1, L_2) sia l'esito del secondo stadio se invece si verifica uno qualsiasi degli altri otto esiti del primo stadio. Tuttavia, giocare (L_1, L_2) nel secondo stadio ottenendo i payoff (1, 1) può sembrare sciocco quando è disponibile anche l'equilibrio di Nash del gioco costituente rimanente, (R_1, R_2), che assegna i payoff (3, 3); in altre parole, sembrerebbe naturale che i giocatori siano indotti a rinegoziare[15]. Se l'esito del primo stadio non è (M_1, M_2) e quindi si suppone che nel secondo stadio sarà giocato (L_1, L_2), allora ogni giocatore potrebbe pensare che il passato ormai non conta più e che invece conviene

[15] Questo è un uso licenzioso del termine perché «rinegoziare» suggerisce l'idea che tra il primo e il secondo stadio vi sia comunicazione (o anche contrattazione) tra i giocatori. Se tali azioni sono possibili allora devono essere incluse nella descrizione e nell'analisi del gioco. Qui assumiamo che nessuna di tali azioni sia possibile e col termine «rinegoziare» intendiamo riferirci ad una analisi di tipo introspettivo.

giocare l'equilibrio del gioco costituente, (R_1, R_2), il quale è unanimemente preferito. Ma se (R_1, R_2) è l'esito del secondo stadio qualunque sia l'esito del primo, allora l'incentivo a giocare (M_1, M_2) nel primo stadio viene meno: l'interazione nel primo stadio tra i due giocatori equivale semplicemente al gioco con una singola mossa in cui il payoff (3, 3) è stato aggiunto ad ogni singola casella del gioco costituente della figura 2.9, così che L_i risulta essere la risposta ottima del giocatore i a M_j.

	L_2	M_2	R_2	P_2	Q_2
L_1	1, 1	5, 0	0, 0	0, 0	0, 0
M_1	0, 5	4, 4	0, 0	0, 0	0, 0
R_1	0, 0	0, 0	3, 3	0, 0	0, 0
P_1	0, 0	0, 0	0, 0	4, 1/2	0, 0
Q_1	0, 0	0, 0	0, 0	0, 0	1/2, 4

FIG. 2.11.

Per introdurre la soluzione a questo problema di rinegoziazione, consideriamo il gioco della figura 2.11, che è ancora più artificioso del gioco della figura 2.9; anche in questo caso il nostro interesse per tale gioco è di natura espositiva piuttosto che economica. Tuttavia, le idee relative alla rinegoziazione che verranno sviluppate in questo gioco fittizio possono essere applicate anche alla rinegoziazione in giochi ripetuti infinitamente; si veda, per esempio, Farrell e Maskin [1989].

Questo gioco costituente è stato ottenuto aggiungendo le strategie P_i e Q_i al gioco costituente della figura 2.9 ed ammette quattro equilibri di Nash in strategie pure: (L_1, L_2) e (R_1, R_2) ed ora anche (P_1, P_2) e (Q_1, Q_2). Come in precedenza, i giocatori preferiscono unanimemente (R_1, R_2) a (L_1, L_2). Un altro aspetto importante da sottolineare è che, nel caso in esame, nessun equilibrio di Nash (x, y) nella figura 2.11 è unanimemente preferito da tutti i giocatori a (P_1, P_2), a (Q_1, Q_2) o a (R_1, R_2). Diremo che (R_1, R_2) *Pareto-domina* (L_1, L_2) e che (P_1, P_2), (Q_1, Q_2) e (R_1, R_2) sono sulla *frontiera paretiana* dei payoff associati agli equilibri di Nash del gioco costituente della figura 2.11.

Si supponga che il gioco costituente della figura 2.11 sia giocato due volte e che l'esito del primo stadio sia osservato prima che il secondo abbia inizio. Si supponga inoltre che i giocatori anticipino che l'esito del secondo stadio sia il seguente: (R_1, R_2) se l'esito del primo stadio è (M_1, M_2); (P_1, P_2) se l'esito del primo stadio è (M_1, v), dove v è una qualsiasi strategia diversa da M_2; (Q_1, Q_2) se l'esito del primo stadio è (x, M_2), dove x è una qualsiasi strategia diversa da M_1; infine, (R_1, R_2) se l'esito del primo stadio è (y, z) dove y e z sono diverse rispettivamente da M_1 e M_2. In questo caso, $((M_1, M_2), (R_1, R_2))$ è un esito perfetto nei sottogiochi del gioco ripetuto, poiché ogni giocatore scegliendo M_i e in seguito R_i ottiene $4 + 3$, mentre deviando nel primo stadio con la strategia L_i ottiene soltanto $5 + 1/2$ (e anche meno deviando con altre strategie). Un importante aspetto da sottolineare è che le difficoltà incontrate nell'esempio precedente non si presentano in questo caso; nel gioco ripetuto a due stadi basato sulla figura 2.9 l'unico modo di punire un giocatore che ha deviato nel primo stadio è quello di giocare un equilibrio Pareto-dominato nel secondo stadio, danneggiando in tal modo anche chi infligge la punizione. In questo caso, invece, vi sono tre equilibri sulla frontiera paretiana – uno per ricompensare il comportamento corretto da parte di entrambi i giocatori nel primo stadio, e altri due equilibri da utilizzare non solo per punire un giocatore che devia nel primo stadio, ma anche per premiare chi infligge la punizione. Quindi, se si rende necessaria una punizione nel secondo stadio vi è soltanto un equilibrio del gioco costituente preferito da colui che infligge la punizione il quale, dunque, non potrebbe essere persuaso a rinegoziare la punizione stessa.

3.2. Teoria: giochi ripetuti infinitamente

Rivolgiamo ora l'attenzione ai giochi ripetuti un numero infinito di volte. Come nel caso con orizzonte finito, il tema principale è che minacce e promesse credibili riguardanti il comportamento futuro possono influenzare il comportamento corrente degli agenti. Nel caso con orizzonte finito si è visto che se esiste una molteplicità di equilibri di Nash del gioco costituente G allora possono esservi esiti perfetti nei sottogiochi del gioco ripetuto $G(T)$ nei quali per ogni $t < T$, l'esito dello stadio t non è un equilibrio di Nash di G. Nei giochi ripetuti infinitamente vale un risultato più forte: anche se il gioco costituente ha un unico equilibrio di Nash, vi possono essere esiti perfetti nei sottogiochi del gioco ripetuto infinitamente caratterizzati dal fatto che in nessuno stadio del gioco l'esito è l'equilibrio di Nash di G.

Partiremo dall'analisi del dilemma del prigioniero ripetuto infinitamente, per poi considerare una classe di giochi ripetuti infinitamente simile alla classe di giochi ripetuti un numero finito di volte introdotti nel paragrafo precedente: un gioco statico con informazione completa, G, è ripetuto infinitamente e gli esiti di tutti gli stadi precedenti sono osservati prima che lo stadio corrente abbia inizio. Definiremo le nozioni di strategia di un giocatore, di sottogioco e di equilibrio di Nash perfetto nei sottogiochi, sia per la classe di giochi ripetuti un numero finito di volte sia per quella di giochi ripetuti infinitamente. (Nel paragrafo 4.2 definiremo questi concetti non soltanto per queste classi di giochi ripetuti ma anche per giochi dinamici generali con informazione completa). Impiegheremo queste definizioni per presentare e dimostrare il teorema di Friedman [1971] (chiamato anche il *Folk Theorem*)[16].

Si supponga che il dilemma del prigioniero della figura 2.12 sia ripetuto infinitamente e che, per ogni t, gli esiti dei precedenti $t - 1$ turni del gioco costituente siano osservati prima che abbia inizio lo stadio t-esimo. La semplice somma dei payoff derivanti da questa successione infinita di giochi costituenti non costituisce una adeguata misura del payoff di un giocatore nel gioco ripetuto inifinitamente. Per esempio, ricevere un payoff di 4 in ogni periodo è meglio che ricevere un payoff di 1 in ogni periodo, ma la somma dei payoff è infinito in entrambi i casi. Si ricordi (dal modello di contrattazione di Rubinstein del paragrafo 1.4) che il fattore di sconto $\delta = 1/(1 + r)$ è il valore odierno di un dollaro che sarà ricevuto nello stadio successivo ed r è il tasso di interesse relativo ad ogni stadio del gioco. Dato il fattore di sconto e i payoff di un giocatore relativi ad una successione infinita di giochi costituenti siamo in grado di calcolare il *valore attuale* dei payoff, cioè quella somma che se depositata in banca ora garantirebbe lo stesso saldo che si avrebbe alla fine della sequenza di gioco.

		Giocatore 2	
		L_2	R_2
Giocatore 1	L_1	1, 1	5, 0
	R_1	0, 5	4, 4

FIG. 2.12.

[16] L'originario *Folk Theorem* faceva riferimento ai payoff di tutti gli equilibri di Nash di un gioco ripetuto infinitamente. Questo risultato fu chiamato il *Folk Theorem* perché era ampiamente noto negli anni cinquanta agli specialisti di teoria dei giochi, anche se nessuno lo aveva mai pubblicato. Il teorema di Friedman [1971] si riferisce ai payoff di certi equilibri di Nash perfetti nei sottogiochi di un gioco ripetuto infinitamente e quindi rafforza l'originario *Folk Theorem* in quanto utilizza un concetto di equilibrio più forte – l'equilibrio di Nash perfetto nei sottogiochi invece dell'equilibrio di Nash. Tuttavia, il primo nome si è imposto: il teorema di Friedman (e i risultati successivi) sono a volte chiamati *Folk Theorems* anche se non erano ampiamente noti fra gli specialisti di teoria dei giochi prima della loro pubblicazione.

DEFINIZIONE. Dato il fattore di sconto δ, il *valore attuale* della successione infinita dei payoff $\pi_1, \pi_2, \pi_3, \ldots$ è

$$\pi_1 + \delta\pi_2 + \delta^2\pi_3 + \ldots = \sum_{t=1}^{\infty} \delta^{t-1}\pi_t .$$

Servendoci del fattore di sconto δ possiamo reinterpretare un gioco ripetuto infinitamente come un gioco ripetuto che termina dopo un numero casuale di ripetizioni. Si supponga che alla fine di ogni turno venga lanciata una moneta (opportunamente tarata) per determinare se terminare oppure continuare il gioco. Se la probabilità che il gioco finisca immediatamente è p, e quindi $1 - p$ è la probabilità che il gioco continui per almeno un altro turno, un payoff π da ricevere nel prossimo stadio (qualora esso sia giocato) vale soltanto $(1 - p)\pi/(1 + r)$ prima che la moneta venga lanciata in questo turno di gioco. Analogamente, un payoff da ricevere fra due turni a partire da quello corrente (qualora entrambi questi turni vengano giocati), vale soltanto $(1 - p)^2\pi/(1 + r)^2$ prima che la moneta venga lanciata. Si ponga $\delta = (1 - p)/(1 + r)$; allora il valore attuale $\pi_1 + \delta\pi_2 + \delta^2\pi_3 + \ldots$ riflette sia il valore del denaro in relazione al momento del tempo in cui è percepito che l'eventualità che il gioco abbia termine.

Si consideri il dilemma del prigioniero ripetuto infinitamente in cui il fattore di sconto di ogni giocatore è δ e il payoff di ogni giocatore nel gioco ripetuto è dato dal valore attuale dei payoff ottenuti nei giochi costituenti. Mostreremo che la cooperazione – cioè (R_1, R_2) – si può realizzare in ogni stadio di un esito perfetto nei sottogiochi del gioco ripetuto infinite volte, anche se l'unico equilibrio di Nash del gioco costituente prescrive di non cooperare – cioè, (L_1, L_2). Il ragionamento è simile a quello svolto per l'analisi del gioco ripetuto a due stadi basato sulla figura 2.9 (il gioco costituente ottenuto dal dilemma del prigioniero aggiungendo un secondo equilibrio di Nash): se oggi i giocatori cooperano, allora domani giocheranno l'equilibrio a cui corrisponde un alto payoff; in caso contrario, domani giocheranno l'equilibrio a cui corrisponde un basso payoff. La differenza tra il gioco ripetuto a due stadi e il gioco ripetuto infinitamente è che in quest'ultimo caso l'equilibrio con alto payoff da giocare nel periodo successivo non è stato aggiunto in modo fittizio al gioco costituente, ma rappresenta l'effettiva possibilità di continuare a cooperare in futuro.

Si supponga che il giocatore i cominci il gioco ripetuto infinitamente cooperando e che poi cooperi in ogni gioco costituente successivo a condizione che (e soltanto se) entrambi i giocatori abbiano cooperato in ogni stadio precedente. Formalmente la strategia del giocatore i è:

Gioca R_i nel primo stadio. Gioca R_i nel t-esimo stadio se l'esito dei $t-1$ stadi precedenti è stato (R_1, R_2), altrimenti gioca L_i.

Questa strategia è un esempio di *trigger strategy*, così chiamata poiché prescrive che il giocatore i cooperi fino a quando uno dei giocatori non devii dalla soluzione cooperativa; nel qual caso la *trigger strategy* prescrive di non ripristinare la cooperazione in futuro e quindi di seguitare il gioco in modo non cooperativo. Se entrambi i giocatori adottano questa *trigger strategy* l'esito del gioco ripetuto infinitamente sarà (R_1, R_2) in ogni stadio. In quanto segue, sosterremo innanzitutto che se δ è sufficientemente prossimo a uno allora adottare tale strategia da parte di entrambi i giocatori è un equilibrio di Nash del gioco ripetuto infinitamente. In secondo luogo, sosterremo che tale equilibrio di Nash è perfetto nei sottogiochi in un senso che verrà precisato.

Per mostrare che l'adozione della *trigger strategy* da parte di entrambi i giocatori è un equilibrio di Nash del gioco ripetuto infinitamente procederemo nel modo seguente: assumeremo che il giocatore i abbia adottato la *trigger strategy* e mostreremo che anche per il giocatore j adottare tale strategia è una risposta ottima, a condizione che δ sia sufficientemente prossimo all'unità. Poiché il giocatore i giocherà L_i per sempre se un qualsiasi esito del gioco costituente risulta diverso da (R_1, R_2), la risposta ottima del giocatore j è in effetti giocare L_j se l'esito di uno stadio è diverso da (R_1, R_2). Non resta che determinare la risposta ottima del giocatore j sia nel primo stadio che in ogni altro stadio in corrispondenza del quale tutti gli esiti precedenti siano stati (R_1, R_2); giocando L_j egli otterrà un payoff di 5 in questo stadio ma darà l'avvio alla fase di non cooperazione da parte del giocatore i (e perciò anche da parte del giocatore j), così che i payoff in ogni stadio futuro saranno pari a 1. Poiché $1 + \delta + \delta^2 + \ldots = 1/(1-\delta)$, il valore attuale della successione di payoff è

$$5 + \delta \cdot 1 + \delta^2 \cdot 1 + \ldots = 5 + \frac{\delta}{1-\delta}.$$

Alternativamente, scegliendo R_j il giocatore j otterrà un payoff di 4 in questo stadio e si ritroverà di fronte esattamente la stessa scelta tra L_j e R_j nello stadio successivo. Si indichi con V il valore attuale della successione infinita dei payoff che riceve il giocatore j operando tale scelta in modo ottimo (ora ed in ogni momento successivo in cui si presenterà). Se giocare R_j è una scelta ottima, allora

$$V = 4 + \delta V,$$

cioè $V = 4/(1-\delta)$, poiché giocare R_j conduce allo stesso tipo di scelta nello stadio successivo. Se, invece, la scelta ottima è giocare L_j, allora, come si è già visto in precedenza

$$V = 5 + \frac{\delta}{1-\delta}.$$

Quindi, giocare R_j è la scelta ottima se e solo se

$$\frac{4}{1-\delta} \geq 5 + \frac{\delta}{1-\delta}, \tag{2.9}$$

cioè $\delta \geq 1/4$. Perciò, nel primo stadio ed in ogni altro stadio in corrispondenza del quale tutti gli esiti precedenti sono stati (R_1, R_2), l'azione ottima da parte del giocatore j (dato che il giocatore i ha adottato la *trigger strategy*) è R_j se e solo se $\delta \geq 1/4$. Combinando questa osservazione con il fatto che la risposta ottima di j è di giocare L_j per sempre qualora l'esito di uno stadio sia diverso da (R_1, R_2), giocare la *trigger strategy* da parte di entrambi i giocatori è un equilibrio di Nash se e solo se $\delta \geq 1/4$.

A questo punto, per mostrare che tale equilibrio di Nash è perfetto nei sottogiochi introdurremo, con riferimento ai giochi ripetuti, le nozioni di strategia, di sottogioco ed infine la nozione di equilibrio di Nash perfetto nei sottogiochi. Per illustrare questi concetti con semplici esempi presi dal paragrafo precedente forniremo tali definizioni con riferimento sia ai giochi ripetuti un numero finito di volte che ai giochi ripetuti infinitamente. Nel paragrafo precedente abbiamo introdotto la definizione di un gioco ripetuto un numero finito di volte, $G(T)$, basato su un gioco costituente $G = \{A_1, ..., A_n; u_1, ..., u_n\}$ – un gioco statico con informazione completa in cui i giocatori da 1 a n scelgono simultaneamente le azioni $a_1, ..., a_n$ dai rispettivi spazi delle azioni, $A_1, ..., A_n$, e ottengono rispettivamente i payoff $u_1(a_1, ..., a_n), ..., u_n(a_1, ..., a_n)$. In maniera analoga, definiremo ora un gioco ripetuto infinitamente[17].

DEFINIZIONE. Dato un gioco costituente G, si indichi con $G(\infty, \delta)$ il *gioco ripetuto infinitamente* in cui G è ripetuto per sempre e i giocatori hanno lo stesso fattore di sconto δ. Per ogni t, gli esiti dei precedenti $t-1$ turni del gioco costituente sono noti prima che il

[17] Naturalmente, è possibile definire anche un gioco ripetuto basato su un gioco costituente dinamico; tuttavia, in questo paragrafo limiteremo l'analisi ai giochi costituenti statici per presentare le principali idee in modo più semplice. Per l'analisi dei giochi ripetuti basati su giochi costituenti dinamici si vedano le applicazioni dei paragrafi 3.4 e 3.5.

t-esimo turno abbia inizio. Il payoff di ogni giocatore in $G(\infty, \delta)$ è il valore attuale dei payoff che il giocatore ottiene dalla sequenza infinita di giochi costituenti.

In ogni gioco (ripetuto e non) la strategia di un giocatore è un piano completo di azione – una strategia specifica una azione ammissibile del giocatore per in ogni circostanza in cui egli potrebbe essere chiamato ad agire. In altre parole, se un giocatore comunicasse una strategia al proprio rappresentante legale prima che il gioco cominci, il legale potrebbe partecipare al gioco al posto del giocatore senza bisogno di alcuna istruzione ulteriore su come giocare. In un gioco statico con informazione completa, per esempio, una strategia è semplicemente una azione. (Questa è la ragione per cui questo gioco può essere descritto da $G = \{S_1, ..., S_n; u_1, ..., u_n\}$, come nel capitolo 1, oppure da $G = \{A_1, ..., A_n; u_1, ..., u_n\}$; in un gioco statico con informazione completa lo spazio delle strategie del giocatore i, S_i, è semplicemente lo spazio delle azioni A_i). In un gioco dinamico, invece, la nozione di strategia è più complessa.

Si consideri il dilemma del prigioniero a due stadi analizzato nel paragrafo precedente. Poiché ogni giocatore muove due volte, si potrebbe pensare che una strategia sia semplicemente una coppia di istruzioni (b, c), dove b è l'azione del primo stadio e c l'azione del secondo. Tuttavia, non è così; infatti vi sono quattro possibili esiti del primo stadio – (L_1, L_2), (L_1, R_2), (R_1, L_2) e (R_1, R_2) – e questi rappresentano quattro diverse circostanze nelle quali ogni giocatore può essere chiamato ad agire. Perciò, la strategia di ogni giocatore è costituita da cinque istruzioni, indicate con (v, w, x, y, z) dove v è l'azione del primo stadio e w, x, y e z sono le rispettive azioni da adottare nel secondo stadio in base all'esito del primo, che può essere (L_1, L_2), (L_1, R_2), (R_1, L_2) oppure (R_1, R_2). Impiegando questa notazione, le istruzioni «gioca b nel primo stadio e gioca b nel secondo indipendentemente da ciò che si è verificato nel primo» sono scritte nel modo seguente: (b, c, c, c, c); questa notazione può essere utilizzata anche per esprimere strategie in cui l'azione del secondo stadio è condizionata all'esito del primo stadio, ad esempio (b, c, c, c, b) significa «gioca b nel primo stadio e gioca c nel secondo a meno che l'esito del primo stadio sia (R_1, R_2) nel qual caso gioca b». Analogamente, nel gioco ripetuto a due stadi basato sulla figura 2.9 la strategia di ogni giocatore è composta da dieci istruzioni – un'azione per il primo stadio e nove azioni del secondo stadio condizionate a ciascuno dei possibili esiti del primo stadio. Si ricordi che nell'analisi di questo gioco ripetuto a due stadi abbiamo considerato una strategia in cui l'azione del secondo stadio del giocatore era condizionata all'esito del primo stadio: gioca M_i nel primo stadio e gioca L_i nel secondo a meno che l'esito del primo stadio sia (M_1, M_2) nel qual caso gioca R_i nel secondo stadio.

In un gioco ripetuto un numero finito di volte, $G(T)$, o in un gioco ripetuto infinitamente, $G(\infty, \delta)$, la *storia del gioco fino allo stadio t* è l'elenco delle scelte dei giocatori negli stadi che vanno dal numero 1 fino al numero t. Per esempio, i giocatori possono aver scelto $(a_{11}, ..., a_{n1})$ nello stadio 1, $(a_{12}, ..., a_{n2})$ nello stadio 2, ..., e $(a_{1t}, ..., a_{nt})$ nello stadio t, dove per ogni giocatore i e stadio s l'azione a_{is} appartiene allo spazio delle azioni A_i.

DEFINIZIONE. Sia in un gioco ripetuto un numero finito di volte, $G(T)$, che in un gioco ripetuto infinitamente, $G(\infty, \delta)$, la *strategia* di un giocatore specifica l'azione che il giocatore adotterà in ogni stadio per ogni possibile storia del gioco fino allo stadio precedente.

Rivolgiamo ora l'attenzione ai sottogiochi. Un sottogioco è una parte di un gioco – la parte che rimane da giocare cominciando da un punto qualsiasi in corrispondenza del quale la storia completa del gioco fino a quel punto è conoscenza comune dei giocatori. (Più avanti in questo paragrafo verrà introdotta una definizione precisa di sottogioco per i giochi ripetuti $G(T)$ e $G(\infty, \delta)$; nel paragrafo 4.2 daremo una definizione precisa per giochi dinamici generali con informazione completa). Per esempio, nel dilemma del prigioniero a due stadi vi sono quattro sottogiochi corrispondenti ai giochi costituenti del secondo stadio che discendono dai quattro possibili esiti del primo stadio. Analogamente, nel gioco ripetuto a due stadi basato sulla figura 2.9 ci sono nove sottogiochi corrispondenti ai nove possibili esiti del primo stadio di quel gioco costituente. Sia in un gioco ripetuto un numero finito di volte, $G(T)$, che in un gioco ripetuto infinitamente, $G(\infty, \delta)$, la definizione di strategia è strettamente legata alla definizione di sottogioco: la strategia di un giocatore specifica le azioni che il giocatore adotterà nel primo stadio del gioco ripetuto e nel primo stadio di ognuno dei suoi sottogiochi.

DEFINIZIONE. In un gioco ripetuto un numero finito di volte, $G(T)$, un *sottogioco* che comincia allo stadio $t + 1$ è il gioco ripetuto in cui G viene giocato $T - t$ volte ed è indicato con $G(T - t)$. Ci sono vari sottogiochi che cominciano allo stadio $t + 1$, uno per ciascuna delle storie del gioco fino allo stadio t. Nel gioco ripetuto infinitamente $G(\infty, \delta)$, ogni *sottogioco* che comincia allo stadio $t + 1$ è identico al gioco originario $G(\infty, \delta)$. Come nel caso con orizzonte finito, vi sono tanti sottogiochi che cominciano allo stadio $t + 1$ di $G(\infty, \delta)$ quante sono le possibili storie del gioco fino allo stadio t.

Si noti attentamente che il t-esimo stadio del gioco ripetuto, singolarmente preso, *non* è un sottogioco del gioco ripetuto (assumendo $t < T$ nel caso finito). Un sottogioco è una parte del gioco originario che non solo comincia in un punto in cui la storia del gioco fino a quel momento è conoscenza comune dei giocatori ma include anche tutte le mosse successive a quel punto del gioco originario. Analizzare il t-esimo stadio come caso isolato equivale a trattare lo stadio t-esimo come lo stadio finale del gioco ripetuto; questa analisi può essere svolta ma non è rilevante per il gioco ripetuto originario.

A questo punto possiamo introdurre la definizione di equilibrio di Nash perfetto nei sottogiochi la quale, a sua volta, dipende dalla definizione di equilibrio di Nash. Quest'ultima è invariata rispetto alla versione data nel capitolo 1, tuttavia ora siamo in grado di apprezzare la potenziale complessità della strategia di un giocatore in un gioco dinamico: in ogni gioco, un equilibrio di Nash è un insieme di strategie, una per ciascun giocatore, ognuna delle quali è una risposta ottima alle strategie degli altri giocatori.

DEFINIZIONE [Selten 1965]. Un equilibrio di Nash è *perfetto nei sottogiochi* se le strategie dei giocatori costituiscono un equilibrio di Nash in ogni sottogioco.

La nozione di equilibrio di Nash perfetto nei sottogiochi è un *raffinamento* (*refinement*) dell'equilibrio di Nash. In altre parole, affinché vi sia perfezione nei sottogiochi, le strategie dei giocatori devono in primo luogo essere un equilibrio di Nash e in secondo luogo passare un test aggiuntivo.

Per mostrare che l'equilibrio di Nash in *trigger strategies* del dilemma del prigioniero ripetuto infinitamente è perfetto nei sottogiochi, dobbiamo mostrare che le *trigger strategies* costituiscono un equilibrio di Nash per ogni sottogioco di quel gioco ripetuto infinitamente. Si rammenti che ogni sottogioco di un gioco ripetuto infinitamente è identico al gioco nel suo complesso. Nell'equilibrio di Nash in *trigger strategies* del dilemma del prigioniero ripetuto infinitamente, questi sottogiochi possono essere raggruppati in due classi: *i*) sottogiochi in cui tutti gli esiti degli stadi precedenti sono stati (R_1, R_2) e *ii*) sottogiochi in cui l'esito di almeno uno degli stadi precedenti è diverso da (R_1, R_2). Se i giocatori adottano la *trigger strategy* per il gioco nel suo complesso, allora *i*) le strategie dei giocatori in un sottogioco della prima classe sono nuovamente la *trigger strategy*, che abbiamo mostrato essere un equilibrio di Nash per l'intero gioco e *ii*) le strategie dei giocatori in un sottogioco della seconda classe consistono semplicemente nel ripetere l'equilibrio del gioco costituente (L_1, L_2) per sempre, e anch'esso è un equilibrio di Nash per il gioco nel suo complesso. Perciò l'equilibrio di Nash in *trigger strategy* del dilemma del prigioniero ripetuto infinitamente è perfetto nei sottogiochi.

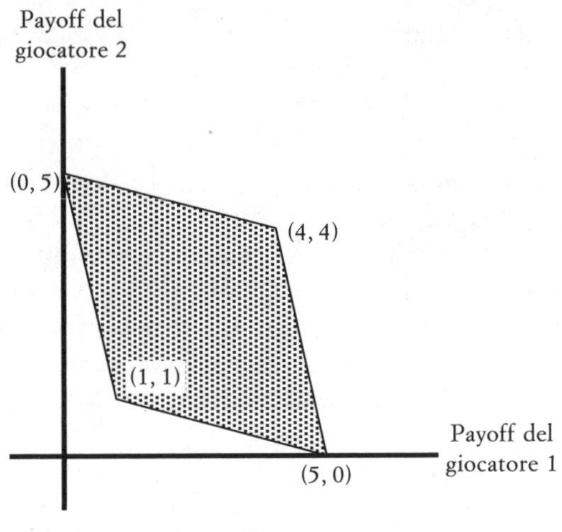

FIG. 2.13.

Applichiamo lo stesso tipo di ragionamento al gioco ripetuto infinitamente $G(\infty, \delta)$. Queste argomentazioni conducono al teorema di Friedman [1971] per giochi ripetuti infinitamente; tuttavia, l'enunciazione del teorema richiede l'introduzione di due ulteriori definizioni preliminari. In primo luogo, diremo che i payoff $(x_1, ..., x_n)$ del gioco costituente G sono *ammissibili* se essi sono ottenuti come combinazione convessa (cioè, una media ponderata in cui i pesi sono tutti non negativi e la loro somma è pari a uno) dei payoff in strategie pure di G. L'insieme dei payoff ammissibili per il dilemma del prigioniero della figura 2.12 è rappresentato dalla regione ombreggiata della figura 2.13. I payoff in strategie pure (1, 1), (0, 5), (4, 4) e (5, 0) sono ammissibili. Altri payoff ammissibili includono le coppie (x, x) per $1 < x < 4$, che si ottengono come medie ponderate di (1, 1) e (4, 4) e le coppie (x, y) con $x + y = 5$ e $0 < y < 5$ che si ottengono come medie ponderate di (0, 5) e (5, 0). Le altre coppie (all'interno) della regione ombreggiata nella figura 2.13 sono medie ponderate di più di due payoff in strategie pure. Per ottenere una media ponderata dei payoff in strategie pure, i giocatori potrebbero affidarsi all'esito di un esperimento casuale osservabile da tutti i giocatori: per esempio, giocando (L_1, R_2) oppure (R_1, L_2) sulla base degli esiti equiprobabili del lancio di una moneta, i giocatori sono in grado di assicurarsi dei payoff attesi pari a (2,5, 2,5).

La seconda definizione necessaria per presentare il teorema di Friedman riguarda il cambiamento dell'unità di misura dei payoff dei giocatori. Pur continuando a definire il payoff di ogni giocatore nel gioco ripetuto infinitamente, $G(\infty, \delta)$, come il valore attuale della sequenza infinita dei payoff del giocatore nei giochi costituenti, esprimeremo questo valore attuale in termini del *payoff medio* relativo alla medesima sequenza infinita di payoff del gioco costituente, cioè il payoff che dovrebbe essere ricevuto in ogni stadio per avere lo stesso valore atteso. Sia δ il fattore di sconto e si supponga che il valore atteso della sequenza infinita di payoff $\pi_1, \pi_2, \pi_3, ...$ sia V. Se il payoff π fosse ricevuto in ogni stadio il valore attuale sarebbe $\pi/(1 - \delta)$. Affinché π sia il payoff medio della sequenza infinita $\pi_1, \pi_2, \pi_3, ...$ con fattore di sconto δ questi due valori attuali devono essere uguali, cioè $\pi = V(1 - \delta)$, da cui si ha che il payoff medio è $(1 - \delta)$ volte il valore attuale.

DEFINIZIONE. Dato il fattore di sconto δ, il *payoff medio* della sequenza infinita di payoff $\pi_1, \pi_2, \pi_3, ...$ è

$$(1 - \delta)\sum_{t=1}^{\infty} \delta^{t-1}\pi_t.$$

Il vantaggio di considerare il payoff medio piuttosto che il valore attuale deriva dal fatto che la prima grandezza è direttamente confrontabile con i payoff ottenuti dal gioco costituente. Per esempio, nel dilemma del prigioniero della figura 2.12 entrambi i giocatori potrebbero ricevere un payoff pari a 4 in ogni periodo. Questa sequenza infinita di payoff ha un payoff medio pari a 4 ma un valore attuale pari a $4/(1 - \delta)$. Tuttavia, poiché il payoff medio è semplicemente un multiplo del valore attuale, massimizzare il payoff medio è equivalente a massimizzare il valore attuale.

Siamo finalmente pronti per presentare il principale risultato della nostra discussione sui giochi ripetuti infinitamente:

TEOREMA [Friedman 1971]. Sia G un gioco finito, statico e con informazione completa. Si indichi con $(e_1, ..., e_n)$ il vettore dei payoff corrispondenti a un equilibrio di Nash di G e con $(x_1, ..., x_n)$ qualsiasi altro vettore di payoff ammissibili di G. Se $x_i > e_i$ per ogni giocatore i e se δ è sufficientemente prossimo a uno, allora esiste un equilibrio di Nash perfetto nei sottogiochi del gioco ripetuto infinitamente $G(\infty, \delta)$ che consente di ottenere il vettore $(x_1, ..., x_n)$ come payoff medio.

La dimostrazione di questo teorema ricalca le argomentazioni precedentemente esposte a proposito del dilemma del prigioniero ripetuto infinitamente e per questa ragione viene riportata nell'appendice 3.2. Da un punto di vista concettuale è immediato, ma un po' complesso dal punto di vista notazionale, estendere il teorema al caso di giochi costituenti *well-behaved* che non siano né finiti né statici; alcuni esempi sono presentati nelle applicazioni dei prossimi tre paragrafi. Nell'ambito del dilemma del prigioniero della figura 2.12, il teorema di Friedman garantisce che qualsiasi punto nella regione ombreggiata più scura della figura 2.14 può essere ottenuto come payoff medio di un equilibrio di Nash perfetto nei sottogiochi del gioco ripetuto, a condizione che il fattore di sconto sia sufficientemente vicino a uno.

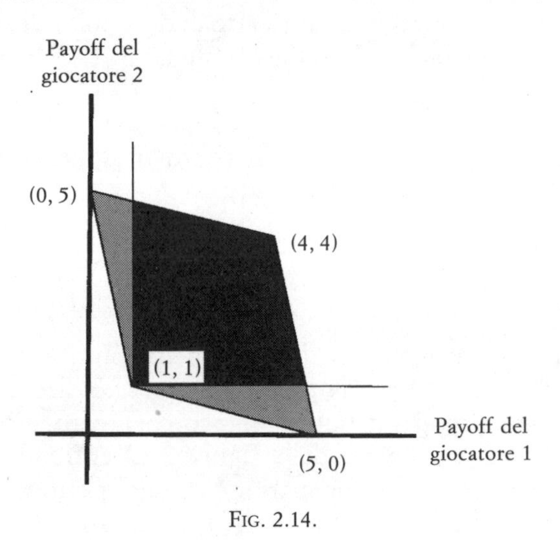

FIG. 2.14.

Concludiamo questo paragrafo accennando a due ulteriori sviluppi riguardanti la teoria dei giochi ripetuti infinitamente che sono rimasti in secondo piano a causa di una speciale caratteristica propria del dilemma del prigioniero. Nel dilemma del prigioniero (giocato una sola volta) della figura 2.12 il giocatore i può garantirsi il payoff dell'equilibrio di Nash, che è pari a 1, giocando L_i. Diversamente, nel gioco del duopolio di Cournot giocato una sola volta (come quello descritto nel paragrafo 2.1 del capitolo 1) una impresa non può garantirsi il payoff corrispondente all'equilibrio di Nash producendo la quantità di equilibrio di Nash; l'unico profitto che una impresa può garantirsi è zero producendo una quantità pari a zero. Dato un gioco costituente arbitrario G, si indichi con r_i il *payoff di riserva* del giocatore i, cioè il maggior payoff che il giocatore i può garantirsi indipendentemente da ciò che fa l'altro giocatore. Deve valere la relazione $r_i \leq e_i$ (dove e_i è il payoff del giocatore i in corrispondenza dell'equilibrio di Nash introdotto precedentemente nel teorema di Friedman) poiché, se r_i fosse maggiore di e_i, per il giocatore i giocare la propria strategia di equilibrio di Nash non sarebbe una risposta ottima. Nel dilemma del prigioniero $r_i = e_i$ mentre nel gioco del duopolio di Cournot (e solitamente), $r_i < e_i$.

Fudenberg e Maskin [1986] hanno mostrato che per giochi con due giocatori, i payoff di riserva (r_1, r_2) possono sostituire i payoff di equilibrio (e_1, e_2) nella formulazione del teorema di Friedman. In altri termini, se (x_1, x_2) è una coppia di payoff ammissibili di G, con $x_i > r_i$ per ogni i, allora per δ sufficientemente vicino a uno esiste un equilibrio di Nash perfetto nei sottogiochi di $G(\infty, \delta)$ che consente di ottenere (x_1, x_2) come payoff medio anche se $x_i < e_i$ per uno o per entrambi i giocatori. Per giochi con più di due giocatori, Fudenberg e Maskin indicano una condizione non molto restrittiva alla quale i payoff di riserva $(r_1, ..., r_n)$ possono sostituire i payoff di equilibrio $(e_1, ..., e_n)$ nella formulazione del teorema.

Vi è un altro problema complementare a quello appena visto e degno di attenzione: qual è il payoff medio che può essere raggiunto da equilibri di Nash perfetti nei sottogiochi quando il fattore di sconto non è «sufficientemente prossimo a uno»? Un modo per affrontare questo problema è quello di considerare un valore prefissato di δ e determinare il payoff medio che può essere raggiunto se i giocatori utilizzano *trigger strategies* che, nel caso di deviazione da parte di uno dei giocatori prescrivano di giocare, da quel momento in poi e per sempre, l'equilibrio di Nash del gioco costituente. Per valori di δ più bassi, una punizione che comincerà il prossimo periodo risulterà meno efficace come deterrente alla deviazione in questo periodo. In genere, tuttavia, i giocatori possono ottenere risultati migliori rispetto a quelli associati alla semplice ripetizione di un equilibrio di Nash del gioco costituente. Un secondo approccio, esplorato da Abreu [1988], è basato sull'idea che il modo più efficace per dissuadere un giocatore dal deviare da una strategia proposta è di minacciare di infliggere la più severa punizione credibile qualora l'avversario devii (cioè, minacciare di rispondere a una deviazione giocando l'equilibrio di Nash perfetto nei sottogiochi del gioco ripetuto infinitamente che assegna al giocatore che devia il suo più basso payoff). Poiché nella maggior parte dei giochi adottare per sempre l'equilibrio di Nash del gioco costituente non è la più severa punizione credibile, seguendo l'approccio di Abreu è possibile raggiungere dei payoff medi che non sono ottenibili impiegando l'approccio della *trigger strategy*. Tuttavia, per quanto riguarda il dilemma del prigioniero, poiché l'equilibrio di Nash del gioco costituente consente di ottenere il payoff di riserva (cioè, $e_i = r_i$) i due approcci sono equivalenti. Nel prossimo paragrafo forniremo esempi di entrambi questi approcci.

Appendice. In questa appendice presentiamo la dimostrazione del teorema di Friedman. Sia $(a_{e1}, ..., a_{en})$ l'equilibrio di Nash di G a cui corrispondono i payoff di equilibrio $(e_1, ..., e_n)$. Analogamente, sia $(a_{x1}, ..., a_{xn})$ il vettore di azioni a cui corrispondono i payoff ammissibili $\{x_1, ..., x_n)$. (Questa seconda notazione è soltanto allusiva in quanto ignora il meccanismo di selezione casuale delle strategie che è solitamente necessario per ottenere un arbitrario payoff ammissibile). Si consideri la seguente *trigger strategy* per il giocatore i:

Gioca a_{xi} nel primo stadio. Gioca a_{xi} nel t-esimo stadio se l'esito di tutti i precedenti $t-1$ stadi è stato $(a_{x1}, ..., a_{xn})$, altrimenti gioca a_{ei}.

Se entrambi i giocatori adottano questa *trigger strategy* l'esito di ogni stadio del gioco ripetuto infinitamente sarà $(a_{x1}, ..., a_{xn})$ e i payoff (attesi) $(x_1, ..., x_n)$. In primo luogo mostreremo che se δ è sufficientemente prossimo a uno, allora adottare questa strategia da parte dei giocatori è un equilibrio di Nash del gioco ripetuto. In secondo luogo, mostreremo che tale equilibrio di Nash è anche perfetto nei sottogiochi.

Si supponga che tutti i giocatori tranne i abbiano adottato questa *trigger strategy*. Poiché gli altri giocheranno $(a_{e1}, ..., a_{ei-1}, a_{ei+1}, ..., a_{en})$ per sempre qualora l'esito di uno stadio sia diverso da $(a_{x1}, ..., a_{xn})$, la miglior risposta del giocatore i è di giocare a_{ei} per sempre qualora l'esito di uno stadio sia diverso da $(a_{x1}, ..., a_{xn})$. Non resta che determinare la risposta ottima del giocatore i nel primo stadio e in qualsiasi altro stadio in corrispondenza del quale tutti gli esiti precedenti sono stati $(a_{x1}, ..., a_{xn})$. Sia a_{di} la migliore strategia di deviazione del giocatore i da $(a_{x1}, ..., a_{xn})$. Cioè a_{di} è la soluzione del seguente problema:

$$\max_{a_i \in A_i} u_i(a_{x1}, \ldots, a_{xi-1}, a_{xi}, a_{xi+1}, \ldots, a_{xn})$$

Sia d_i il payoff di i ottenuto a seguito di tale deviazione: $d_i = u_i(a_{x1}, ..., a_{xi-1}, a_{di}, a_{xi+1}, ..., a_{xn})$. (Nuovamente, ignoriamo il ruolo del meccanismo di selezione casuale delle strategie: la migliore deviazione e il conseguente payoff possono dipendere da quali strategie pure vengono prescritte da tale meccanismo). Valgono dunque le seguenti relazioni $d_i \geq x_i = u_i(a_{x1}, ..., a_{xi-1}, a_{xi}, a_{xi+1}, ..., a_{xn}) > e_i = u_i(a_{e1}, ..., a_{en})$.

Giocare a_{di} consente di ottenere il payoff d_i in questo stadio ma spingerà gli altri giocatori ad adottare $(a_{e1}, ..., a_{ei-1}, a_{ei+1}, ..., a_{en})$ da quel momento in poi e per sempre; la miglior risposta del giocatore i a queste strategie è a_{ei} e i payoff in ogni stadio futuro saranno e_i. Il valore attuale di questa sequenza di payoff è

$$d_i + \delta \cdot e_i + \delta^2 \cdot e_i + \ldots = d_i + \frac{\delta}{1-\delta} e_i .$$

(Poiché qualunque deviazione induce la stessa risposta da parte degli altri giocatori, è sufficiente considerare soltanto la deviazione più profittevole). Alternativamente, giocare a_{xi} consentirà di ottenere il payoff x_i in questo stadio e porterà esattamente alla stessa scelta tra a_{di} e a_{xi} nel prossimo stadio. Si indichi con V_i il valore attuale dei payoff del gioco costituente per il giocatore i qualora operi questa scelta in modo ottimale (ora e in ogni periodo successivo in cui essa si presenta). Se giocare a_{xi} è una scelta ottimale allora

$$V_i = x_i + \delta V_i$$

e quindi $V_i = x_i/(1 - \delta)$. Se giocare a_{di} è ottimale, allora

$$V_i = d_i + \frac{\delta}{1-\delta} e_i,$$

formula che è stata derivata anche precedentemente. (Se si assume che il meccanismo casuale di selezione delle strategie non sia serialmente correlato, allora è sufficiente che d_i sia il più alto payoff che il giocatore i ottiene deviando ottimamente rispetto alle varie combinazioni di strategie pure prescritte dal meccanismo casuale). Pertanto, giocare a_{xi} è ottimale se e solo se

$$\frac{x_i}{1-\delta} \geq d_i + \frac{\delta}{1-\delta} e_i,$$

cioè

$$\delta \geq \frac{d_i - x_i}{d_i - e_i}.$$

Quindi, nel primo stadio e in qualsiasi altro stadio in corrispondenza del quale tutti gli esiti precedenti sono stati $(a_{x1}, ..., a_{xn})$, l'azione ottima del giocatore i (posto che gli altri giocatori adottino la *trigger strategy*) è a_{xi} se e solo se $\delta \geq (d_i - x_i)/(d_i - e_i)$.

Combinando questa osservazione con il fatto che la miglior risposta di i è di giocare a_{ei} per sempre qualora l'esito di uno stadio sia stato diverso da $(a_{x1}, ..., a_{xn})$, si deduce che giocare la *trigger strategy* da parte di tutti i giocatori è un equilibrio di Nash se e solo se

$$\delta \geq \max_i \frac{d_i - x_i}{d_i - e_i}.$$

Poiché $d_i \geq x_i > e_i$ deve valere $(d_i - x_i)/(d_i - e_i) < 1$ per ogni i; quindi, anche il massimo valore che questa frazione può assumere fra tutti i giocatori è strettamente inferiore a uno.

Infine, rimane da mostrare che questo equilibrio di Nash è perfetto nei sottogiochi, cioè che le *trigger strategy* costituiscono un equilibrio di Nash in ogni sottogioco di $G(\infty, \delta)$; si rammenti che ogni sottogioco di $G(\infty, \delta)$ è identico allo stesso $G(\infty, \delta)$. Nell'equilibrio di Nash in *trigger strategy* questi sottogiochi possono essere raggruppati in due classi: *i*) sottogiochi in cui tutti gli esiti degli stadi precedenti sono stati $(a_{x1}, ..., a_{xn})$ e, *ii*) sottogiochi in cui l'esito di almeno uno degli stadi precedenti è diverso da $(a_{x1}, ..., a_{xn})$. Se i giocatori adottano la *trigger strategy* per il gioco nel suo complesso allora: *i*) le strategie dei giocatori in un sottogioco della prima classe sono ancora le *trigger strategy*, le quali, come si è già visto, sono un equilibrio di Nash per l'intero gioco; *ii*) le strategie dei giocatori in un sottogioco della seconda classe consistono semplicemente nel ripetere per sempre l'equilibrio $(a_{e1}, ..., a_{en})$ del gioco costituente, il quale è anch'esso un equilibrio di Nash dell'intero gioco. Abbiamo così dimostrato che l'equilibrio di Nash in *trigger strategy* del gioco ripetuto infinitamente è perfetto nei sottogiochi.

3.3. Collusione tra duopolisti alla Cournot

Friedman [1971] fu il primo a mostrare che in un gioco ripetuto infinitamente è possibile raggiungere la cooperazione impiegando *trigger strategy* che a seguito di una qualsiasi deviazione si posizionano per sempre sull'equilibrio di Nash del gioco costituente. L'applicazione originaria riguardava la collusione nell'oligopolio di Cournot, come l'esempio riportato qui di seguito.

Si rammenti il gioco statico di Cournot del paragrafo 2.1 del capitolo 1: se la quantità aggregata offerta sul mercato è $Q = q_1 + q_2$ il prezzo di mercato è $P(Q) = a - Q$, assumendo $Q < a$. Ogni impresa ha un costo marginale pari a c e non ha costi fissi; le imprese scelgono le quantità simultaneamente. Nell'unico equilibrio di Nash, ogni impresa produce la quantità $(a - c)/3$, che chiameremo la quantità di Cournot e sarà indicata con q_C. Poiché la quantità aggregata di equilibrio $2(a - c)/3$ è superiore alla quantità di monopolio, $q_m = (a - c)/2$, entrambe le imprese migliorerebbero la loro situazione se ognuna di esse producesse la metà della quantità di monopolio, cioè $q_i = q_m/2$.

Si consideri il gioco ripetuto infinitamente basato su questo gioco costituente di Cournot quando il fattore di sconto di entrambe le imprese è pari a δ. Calcoliamo i valori di δ in corrispondenza dei quali la seguente *trigger strategy* adottata da entrambe le imprese costituisce un equilibrio di Nash perfetto nei sottogiochi per questo gioco ripetuto infinitamente:

Si produca la metà della quantità di monopolio, $q_m/2$, nel primo periodo. Nel t-esimo periodo si produca $q_m/2$ se entrambe le imprese hanno prodotto $q_m/2$ in ognuno dei $t-1$ periodi precedenti; altrimenti si produca la quantità di Cournot q_C.

Poiché il ragionamento ricalca quello esposto nel paragrafo precedente in riferimento al dilemma del prigioniero la discussione seguente sarà breve.

Quando entrambe le imprese producono $q_m/2$ il profitto di ognuna è pari a $(a-c)^2/8$, che indicheremo con $\pi_m/2$. Il profitto di ogni impresa quando entrambe producono q_C è pari a $(a-c)^2/9$ e sarà indicato con π_C. Infine se l'impresa i produce $q_m/2$ nel periodo corrente, la quantità che massimizza i profitti dell'impresa j in questo periodo si ottiene dalla soluzione del problema

$$\max_{q_j} \left(a - q_j - \frac{1}{2} q_m - c \right) q_j .$$

La soluzione è $q_j = 3(a-c)/8$ ed assicura un profitto pari a $9(a-c)^2/64$ indicato con π_d («d» sta per deviazione). Quindi, la situazione in cui entrambe le imprese adottano la *trigger strategy* descritta precedentemente è un equilibrio di Nash a condizione che

$$\frac{1}{1-\delta} \cdot \frac{1}{2} \pi_m \geq \pi_d + \frac{\delta}{1-\delta} \cdot \pi_C , \qquad [2.10]$$

condizione analoga alla [2.9] ricavata nell'analisi del dilemma del prigioniero. Sostituendo i valori di π_m, π_d e π_C nella [2.10] si ricava $\delta \geq 9/17$. Per le stesse ragioni viste nel paragrafo precedente questo equilibrio di Nash è perfetto nei sottogiochi.

Chiediamoci ora quale posizione possono raggiungere le imprese se $\delta < 9/17$, passando in rassegna entrambi gli approcci descritti nel paragrafo precedente. In primo luogo, determiniamo, per un dato valore di δ, la quantità più profittevole che le imprese possono produrre se entrambe giocano *trigger strategy* che a seguito di una qualsiasi deviazione si posizionano per sempre sulla quantità di Cournot. Sappiamo che tali *trigger strategy* non possono sostenere una quantità così bassa come quella pari alla metà della quantità di monopolio ed inoltre sappiamo che ripetere semplicemente la quantità di Cournot per sempre è un equilibrio di Nash perfetto nei sottogiochi qualunque sia il valore di δ. Perciò, la quantità che assicura il massimo profitto e che è ottenibile impiegando *trigger strategy* è compresa tra $q_m/2$ e q_C. Per calcolare questa quantità consideriamo la seguente *trigger strategy*:

Si produca q^* nel primo periodo. Nel t-esimo periodo si produca q^* se entrambe le imprese hanno prodotto q^* in ognuno dei $t-1$ periodi precedenti; altrimenti si produca la quantità di Cournot q_C.

Se entrambe le imprese giocano q^* il profitto di ognuna è pari a $(a-2q^*-c)\,q^*$, che indicheremo con π^*. Se l'impresa i produce q^* nel periodo corrente la quantità che massimizza il profitto dell'impresa j in questo periodo si ottiene dalla soluzione del problema

$$\max_{q_j}\,(a-q_j-q^*-c)\,q_j.$$

La soluzione è $q_j=(a-q^*-c)/2$ ed assicura un profitto pari a $(a-q^*-c)^2/4$, indicato nuovamente con π_d. La situazione in cui entrambe le imprese adottano la *trigger strategy* descritta sopra è un equilibrio di Nash a condizione che

$$\frac{1}{1-\delta}\cdot\pi^*\geq\pi_d+\frac{\delta}{1-\delta}\cdot\pi_C.$$

Dalla soluzione dell'equazione quadratica in q^* si ricava che il più basso valore di q^* in corrispondenza del quale le *trigger strategies* descritte precedentemente costituiscono un equilibrio di Nash perfetto nei sottogiochi è

$$q^*=\frac{9-5\delta}{3(9-\delta)}(a-c),$$

che è monotonicamente decrescente in δ, tende a $q_m/2$ per δ prossimo a 9/17 e tende a q_C per δ tendente a zero.

Prendiamo ora in esame il secondo appproccio che comporta la minaccia di infliggere la più severa punizione credibile. Abreu [1986] applica questa idea a modelli di Cournot più generali di quello preso qui in esame introducendo un fattore di sconto arbitrario; qui mostreremo semplicemente che l'approccio di Abreu consente di raggiungere l'esito di monopolio del nostro modello quando $\delta=1/2$ (che è inferiore a 9/17). Si consideri la seguente strategia dei «due tempi» (chiamata anche «del bastone e della carota»):

Si produca la metà della quantità di monopolio, $q_m/2$, nel primo periodo. Nel t-esimo periodo si produca $q_m/2$ se entrambe le imprese hanno prodotto $q_m/2$ nel periodo $t-1$, si produca $q_m/2$ se entrambe le imprese hanno prodotto x nel periodo $t-1$; altrimenti si produca x.

Questa strategia comporta una fase di punizione (di un periodo) in cui l'impresa produce x e una fase collusiva (di durata potenzialmente infinita) in cui l'impresa produce $q_m/2$. Se una delle due imprese devia dalla fase collusiva allora ha inizio la fase punitiva. Se una delle imprese devia dalla fase punitiva allora la fase punitiva ricomincia di nuovo. Se nessuna delle due imprese devia dalla fase punitiva allora la fase collusiva comincia nuovamente.

Se entrambe le imprese producono x, il profitto di ognuna è pari a $(a - 2x - c)x$, che indicheremo con $\pi(x)$. Si indichi con $V(x)$ il valore attuale di ricevere $\pi(x)$ in questo periodo e metà del profitto di monopolio per sempre in futuro:

$$V(x) = \pi(x) + \frac{\delta}{1-\delta} \cdot \frac{1}{2} \pi_m.$$

Se l'impresa i produce x in questo periodo la quantità che massimizza il profitto dell'impresa j in questo periodo si ricava dalla soluzione del problema

$$\max_{q_j} \; (a - q_j - x - c)\, q_j.$$

La soluzione è $q_j = (a - x - c)/2$ ed assicura un profitto pari a $(a - x - c)^2/4$, indicato con $\pi_{dp}(x)$, dove «*dp*» sta per deviazione dalla punizione.

Se entrambe le imprese giocano la strategia dei «due tempi» descritta sopra, i sottogiochi del gioco ripetuto infinitamente possono essere raggruppati in due classi: *i*) sottogiochi collusivi, in cui l'esito del periodo precedente è $(q_m/2, q_m/2)$ oppure (x, x) e *ii*) sottogiochi punitivi, in cui l'esito del periodo precedente non è né $(q_m/2, q_m/2)$ né (x, x). Affinché l'adozione della strategia dei «due tempi» da parte di entrambe le imprese sia un equilibrio di Nash perfetto nei sottogiochi, attenersi a tale strategia deve essere un equilibrio di Nash in ogni classe di sottogiochi. Nei sottogiochi collusivi, per ogni impresa deve essere preferibile ricevere la metà dei profitti di monopolio per sempre piuttosto che ricevere π_d questo periodo e il valore atteso della fase punitiva, $V(x)$, il prossimo periodo:

$$\frac{1}{1-\delta} \cdot \frac{1}{2} \pi_m \geq \pi_d + \delta V(x). \qquad [2.11]$$

Nei sottogiochi punitivi ogni impresa deve preferire infliggere la punizione piuttosto che ricevere π_{dp} in questo periodo e cominciare la fase punitiva di nuovo nel periodo successivo:

$$V(x) \geq \pi_{dp}(x) + \delta V(x). \qquad [2.12]$$

Sostituendo $V(x)$ nella [2.11] si ricava

$$\delta\left(\frac{1}{2}\pi_m - \pi(x)\right) \geq \pi_d - \frac{1}{2}\pi_m .$$

In altre parole, il guadagno che si ottiene deviando in questo periodo non deve superare il valore scontato della perdita del prossimo periodo derivante dalla punizione. (Se nessuna delle due imprese devia dalla fase punitiva, non vi è perdita dopo il prossimo periodo poiché la fase punitiva termina e le imprese ritornano all'esito di monopolio come se non vi fosse stata alcuna deviazione). Analogamente, la [2.12] può essere riscritta nel modo seguente:

$$\delta\left(\frac{1}{2}\pi_m - \pi(x)\right) \geq \pi_{dp} - \pi(x),$$

con una interpretazione simile. Per $\delta = 1/2$, la [2.11] è soddisfatta a condizione che $x/(a - c)$ non sia compreso tra 1/8 e 3/8 e la [2.12] è soddisfatta se $x/(a - c)$ è compreso tra 3/10 e 1/2. Quindi, per $\delta = 1/2$ la strategia dei «due tempi» consente di ottenere l'esito di monopolio come equilibrio di Nash perfetto nei sottogiochi a condizione che $3/8 \leq x/(a - c) \leq 1/2$.

Vi sono molti altri modelli di oligopolio dinamico che arricchiscono il semplice modello sviluppato qui. Concludiamo questo paragrafo discutendo brevemente due classi di tali modelli: modelli con variabili di stato e modelli con monitoraggio imperfetto. Entrambe queste classi di modelli hanno molte applicazioni anche al di fuori della teoria dell'oligopolio; per esempio, il modello dei salari di efficienza (*efficiency wages*) del prossimo paragrafo è un caso di monitoraggio imperfetto.

Rotenberg e Saloner [1986] (si veda anche il problema 2.14) studiano la collusione nel corso del ciclo economico ipotizzando che l'intercetta della funzione di domanda fluttui casualmente nel corso dei vari periodi. In ogni periodo tutte le imprese osservano l'intercetta della domanda di quel periodo prima di intraprendere la loro azione; in altre applicazioni le imprese possono osservare la realizzazione di un'altra variabile di stato all'inizio di ogni periodo. L'incentivo a deviare da una strategia data dipende, dunque, sia dal valore della domanda di questo periodo che dalle probabili realizzazioni della domanda nei periodi futuri. (Rotemberg e Saloner assumono che la domanda sia indipendente tra un periodo e l'altro e, quindi, il valore corrente della domanda non abbia alcun effetto sul valore delle sue realizzazioni future; autori successivi hanno lasciato cadere questa assunzione).

Green e Porter [1984] studiano la collusione quando le deviazioni non possono essere perfettamente accertate: ogni impresa non osserva la quantità scelta dall'altra, ma soltanto il prezzo di mercato che in ogni periodo è soggetto a un disturbo casuale non osservabile. In questa situazione le imprese non sono in grado di stabilire se un basso prezzo di mercato si è verificato perché una o più imprese hanno deviato, oppure perché vi è stato un disturbo negativo. Green e Porter prendono in esame equilibri con strategie di prezzo del tipo *trigger strategy* in base alle quali un abbassamento del prezzo al di sotto di una certa soglia critica dà l'avvio ad un periodo punitivo durante il quale tutte le imprese giocano le loro quantità di Cournot. Anche se in equilibrio nessuna impresa devierà mai, un disturbo negativo molto accentuato può spingere il prezzo di mercato al di sotto del livello critico facendo scattare un periodo di punizione. Poiché la punizione si può verificare per cause accidentali, fasi punitive di durata infinita del tipo considerato nell'analisi di questo paragrafo delle *trigger strategy* non sono ottimali. Strategie dei «due tempi» come quelle analizzate da Abreu sembrano più promettenti; in effetti Abreu, Pearce e Stacchetti [1986] mostrano che esse possono essere ottimali.

3.4. Salari di efficienza

Nei modelli dei salari di efficienza, il prodotto della forza lavoro di una impresa dipende dal salario pagato dall'impresa stessa. Nel caso dei paesi in via di sviluppo, per esempio, salari più alti possono significare una migliore alimentazione; nei paesi sviluppati, salari più elevati possono far aumentare le richieste di assunzione da parte dei lavoratori con maggiori capacità, oppure possono stimolare la forza lavoro già occupata a lavorare più intensamente.

Shapiro e Stiglitz [1984] sviluppano un modello dinamico in cui le imprese inducono i lavoratori a lavorare più intensamente pagando alti salari e minacciando di licenziare i lavoratori che sono sorpresi a non rispettare gli obblighi contrattuali (*shirk*). A seguito degli alti salari le imprese riducono la domanda di lavoro così che si determina una situazione in cui alcuni lavoratori sono occupati e percepiscono alti salari mentre altri sono disoccupati (involontariamente). Maggiore è il numero di lavoratori disoccupati e più lungo sarà il periodo di tempo necessario a un lavoratore licenziato per trovare un nuovo posto di lavoro e dunque più efficace sarà la minaccia di licenziamento. In equilibrio concorrenziale, il salario w e il tasso di disoccupazione u sono tali da indurre i lavoratori a rispettare gli obblighi lavorativi e inoltre le domande di lavoro delle imprese in corrispondenza di w daranno luogo a un tasso di disoccupazione esattamente pari a u. Studieremo gli aspetti di questo modello riguardanti i giochi ripetuti (ma ignoreremo gli aspetti relativi all'equilibrio concorrenziale) analizzando il caso di una impresa e di un lavoratore.

Si consideri il seguente gioco costituente: l'impresa offre al lavoratore il salario w; il lavoratore può accettare oppure rifiutare l'offerta dell'impresa. Se il lavoratore rifiuta w ha la possibilità di gestire una attività in proprio che gli assicura un salario pari w_0. Se il lavoratore accetta w deve decidere se applicare una data intensità di lavoro o sforzo (che comporta un livello di disutilità pari a e) oppure non erogare alcuno sforzo o, per brevità, oziare (che non comporta alcuna disutilità). La decisione relativa allo sforzo da parte del lavoratore non è osservata dall'impresa, mentre il prodotto del lavoratore è osservato sia dall'impresa che dal lavoratore stesso. Il livello del prodotto può essere alto oppure basso; per semplicità assumiamo che il livello basso di prodotto sia pari a zero e indichiamo il livello alto di prodotto con $y > 0$. Supponiamo che se il lavoratore applica un dato sforzo il prodotto è certamente alto, mentre se il lavoratore si sottrae agli obblighi lavorativi e ozia il prodotto è alto con probabilità p e basso con probabilità $1 - p$. In questo modello, dunque, un basso livello di produzione è un indicatore incontrovertibile del fatto che il lavoratore si è sottratto ai propri obblighi.

Se l'impresa occupa il lavoratore ad un salario w, i payoff dei giocatori, nel caso in cui il lavoratore applichi lo sforzo e la produzione sia alta, sono $y - w$ per l'impresa e $w - e$ per il lavoratore. Se il lavoratore ozia, e viene sostituita da 0; se il prodotto è basso, y è pari a 0. Assumiamo che $y - e > w_0 > pw$, così che risulta efficiente per il lavoratore essere occupato dall'impresa e applicare lo sforzo e, inoltre, il lavoratore preferisce lavorare per conto proprio piuttosto che lavorare per l'impresa e oziare.

L'esito perfetto nei sottogiochi di questo gioco costituente è abbastanza desolante: poiché l'impresa paga w in anticipo, il lavoratore non ha alcun incentivo ad applicare lo sforzo, così che l'impresa offrirà $w = 0$ (o qualsiasi altro valore $w \leq w_0$) e il lavoratore sceglierà di lavorare per conto proprio. Tuttavia, nel gioco ripetuto infinitamente l'impresa può indurre l'applicazione dello sforzo da parte del lavoratore pagando un salario w maggiore di w_0 e minacciando di licenziare il lavoratore qualora il livello della produzione sia basso. Mostreremo che, per alcuni valori del parametro (il fattore di sconto), all'impresa conviene effettivamente indurre l'applicazione dello sforzo pagando un premio salariale.

Ci si potrebbe chiedere per quale motivo l'impresa e il lavoratore non firmano un contratto in cui il compenso è condizionato al livello del prodotto ed in tal modo indurre l'applicazione dello sforzo. In realtà, un tale contratto potrebbe non essere fattibile per la semplice ragione che sarebbe molto difficile per un tribunale applicarlo e farlo rispettare, in quanto una appropriata misura della produzione dovrebbe includere anche la qualità del bene prodotto, le difficoltà impreviste nelle condizioni di produzione e così via. Più in generale, contratti condizionati al livello della produzione sono probabilmente imperfetti (piuttosto che non fattibili completamente) e quindi, nei giochi ripetuti qui esaminati, gli incentivi acquistano un ruolo molto importante.

Si considerino le seguenti strategie del gioco ripetuto infinitamente in relazione al salario $w^* > w_0$ che sarà determinato più oltre. Diremo che la storia del gioco è «alto salario-produzione alta» se tutte le precedenti offerte salariali sono state w^*, se tutte le precedenti offerte sono state accettate e tutti i precedenti livelli di produzione sono stati alti. La strategia dell'impresa è quella di offrire $w = w^*$ nel primo periodo ed offrire $w = w^*$ in ogni periodo successivo se la storia del gioco è «alto salario-produzione alta», altrimenti offrire $w = 0$. La strategia del lavoratore è: accettare l'offerta dell'impresa se $w \geq w_0$ (altrimenti mettersi per conto proprio) e applicare lo sforzo se la storia del gioco, inclusa l'offerta salariale del periodo corrente, è «alto salario-produzione alta» (altrimenti oziare).

La strategia dell'impresa è analoga alle *trigger strategy* analizzate nei due precedenti paragrafi: si gioca cooperativamente se in tutti i periodi precedenti si è cooperato, qualora la cooperazione venga interrotta ci si sposta per sempre sull'esito del gioco costituente perfetto nei sottogiochi. Anche la strategia del lavoratore è analoga a queste *trigger strategy*, ma è leggermente più sofisticata poiché nel gioco costituente con mosse sequenziali il lavoratore muove per secondo. In un gioco ripetuto basato su un gioco costituente con mosse simultanee le deviazioni sono rilevate soltanto alla fine del turno di gioco; quando il gioco costituente è a mosse sequenziali, invece, una deviazione da parte del giocatore che muove per primo è rilevata (e riceve un risposta) durante lo stesso turno di gioco. La strategia del lavoratore è di giocare cooperativamente se tutti i turni precedenti sono stati giocati cooperativamente e di rispondere in modo ottimo a una deviazione da parte dell'impresa sapendo che l'esito perfetto nei sottogiochi del gioco costituente sarà giocato in tutti gli stadi futuri. In particolare, se $w \neq w^*$ e $w > w_0$ il lavoratore accetta l'offerta dell'impresa ma decide di oziare.

Ora deriveremo le condizioni alle quali queste strategie costituiscono un equilibrio di Nash perfetto nei sottogiochi . Come nei due paragrafi precedenti il ragionamento è diviso in due parti: *i*) si derivano le condizioni alle quali le strategie costituiscono un equilibrio di Nash e *ii*) si mostra che le strategie sono perfette nei sottogiochi.

Si supponga che l'impresa offra w^* nel primo periodo. Data la strategia dell'impresa, per il lavoratore è ottimale accettare. Se il lavoratore eroga lo sforzo è sicuro di produrre un alto livello di prodotto, l'impresa offrirà nuovamente il salario w^* e il lavoratore sarà posto di fronte alla stessa decisione relativa alla erogazione dello sforzo nel periodo successivo. Quindi, se è ottimale per il lavoratore erogare lo sforzo il valore attuale dei payoff del lavoratore è

$$V_e = (w^* - e) + \delta V_e,$$

cioè $V_e = (w^* - e)/(1 - \delta)$. Tuttavia, se il lavoratore ozia avrà un alto livello di produzione con probabilità p, nel qual caso la stessa decisione relativa all'erogazione dello sforzo si ripresenterebbe nel prossimo periodo, e un basso livello di prodotto con probabilità $1 - p$, nel qual caso l'impresa offrirà $w = 0$ da quel momento in avanti e per sempre ed il lavoratore lavorerà in proprio da quel momento in poi. Quindi, se per il lavoratore è ottimo oziare, il valore attuale (atteso) dei payoff del lavoratore è

$$V_s = w^* + \delta \left\{ pV_s + (1-p)\frac{w_0}{1-\delta} \right\},$$

cioè $V_s = [(1 - \delta)w^* + \delta(1 - p)w_0]/(1 - \delta p)(1 - \delta)$. Per il lavoratore è una scelta ottima erogare lo sforzo se $V_e \geq V_s$, da cui si ottiene

$$[2.13] \qquad w^* \geq w_0 + \frac{1-p\delta}{\delta(1-p)} e = w_0 + \left(1 + \frac{1-\delta}{\delta(1-p)}\right) e.$$

Quindi, per indurre lo sforzo l'impresa deve pagare non solo $w_0 + e$ per compensare il lavoratore per l'opportunità di lavorare in proprio a cui rinuncia e per la disutilità dello sforzo, ma anche il premio salariale $(1 - \delta)e/\delta(1 - p)$. Naturalmente se p è vicino a uno (cioè se chi ozia non viene quasi mai scoperto) il premio salariale deve essere estremamente alto per indurre lo sforzo. Se $p = 0$, invece, la scelta ottima del lavoratore è di erogare lo sforzo se

$$[2.14] \qquad \frac{1}{1-\delta}(w^* - e) \geq w^* + \frac{\delta}{1-\delta} w_0;$$

analogamente a quanto si è visto per le condizioni [2.9] e [2.10] relative alle analisi dei casi di monitoraggio perfetto dei due paragrafi precedenti, la [2.14] è equivalente a

$$w^* \geq w_0 + \left(1 + \frac{1-\delta}{\delta}\right) e,$$

che è infatti la [2.13] con $p = 0$.

Non è sufficiente che la [2.13] sia soddisfatta, cioè che la strategia del lavoratore sia la risposta ottima alla strategia dell'impresa, ma deve valere anche il viceversa e cioè che risulti conveniente per l'impresa pagare w^*. Data la strategia del lavoratore, il problema dell'impresa nel primo periodo consiste nella scelta tra: 1) pagare $w = w^*$ ed indurre lo sforzo minacciando di licenziare il lavoratore qualora si osservi un basso livello di produzione, e ricevere il payoff $y - w^*$ in ogni periodo; 2) pagare $w = 0$ ed in tal modo indurre il lavoratore a scegliere di lavorare per conto proprio, e ricevere un payoff pari a zero in ogni periodo. Quindi, la strategia dell'impresa è una risposta ottima a quella del lavoratore se

$$y - w^* \geq 0; \qquad [2.15]$$

si rammenti che in precedenza abbiamo assunto $y - e > w_0$ (cioè, che la situazione in cui il lavoratore è occupato dall'impresa ed eroga lo sforzo è efficiente). Affinché queste strategie siano un equilibrio di Nash perfetto nei sottogiochi sono necessarie ulteriori condizioni: la [2.13] e la [2.15] implicano

$$y - e \geq w_0 + \frac{1 - \delta}{\delta(1 - p)} e,$$

che può essere interpretata come la consueta restrizione in base alla quale soltanto un valore di δ sufficientemente elevato è in grado di sostenere la cooperazione.

Fino a questo punto abbiamo mostrato che se la [2.13] e la [2.15] sono soddisfatte allora le strategie specificate costituiscono un equilibrio di Nash. Per mostrare che queste strategie sono perfette nei sottogiochi definiamo in primo luogo i sottogiochi del gioco ripetuto. Si rammenti che quando il gioco costituente è a mosse simultanee i sottogiochi del gioco ripetuto cominciano tra uno stadio e l'altro del gioco ripetuto. Per il gioco costituente a mosse sequenziali qui considerato, invece, i sottogiochi cominciano non solo tra uno stadio e l'altro ma anche all'interno di ogni stadio, ed in particolare dopo che il lavoratore ha osservato l'offerta salariale dell'impresa. Date le strategie dei giocatori possiamo raggruppare i sottogiochi in due classi: quelli che cominciano dopo una storia «alto salario-produzione alta» e quelli che cominciano dopo qualsiasi altro tipo di storia del gioco. Abbiamo già mostrato che le strategie dei giocatori sono un equilibrio di Nash data una storia del primo tipo. Non resta altro da mostrare che ciò è vero anche per una storia del secondo tipo: poiché il lavoratore non erogherà mai lo sforzo, indurre il lavoratore a lavorare in proprio è una scelta ottima per l'impresa; poiché l'impresa offrirà $w = 0$ nel prossimo stadio e per sempre, al lavoratore conviene non erogare lo sforzo in questo stadio ed accettare l'offerta corrente soltanto se $w \geq w_0$.

In questo equilibrio la situazione in cui il lavoratore si mette in proprio è permanente: se il lavoratore viene scoperto a oziare, da quel momento in poi l'impresa offrirà w_0 per sempre; se l'impresa devia dall'offerta $w = w^*$, il lavoratore non erogherà mai più lo sforzo e l'impresa non potrà permettersi di occupare il lavoratore. Vi sono numerose ragioni per discutere se è sensato che la situazione in cui il lavoratore si mette in proprio è permanente. Nel nostro modello con una sola impresa e un solo lavoratore entrambi i giocatori preferirebbero ritornare all'equilibrio con alto salario e produzione alta del gioco ripetuto infinitamente piuttosto che giocare per sempre l'esito perfetto nei sottogiochi del gioco costituente. Questo è un problema di rinegoziazione come quello introdotto nel paragrafo 3.1. Si rammenti che se i giocatori sanno che la punizione non verrà inflitta, la cooperazione indotta dalla minaccia di tali punizioni non è più un equilibrio.

Nell'ambito del mercato del lavoro, se l'impresa occupa molti lavoratori può preferire non rinegoziare, poiché la rinegoziazione con un lavoratore può stravolgere l'equilibrio con alti salari e alta produzione che si sta già giocando (o che si intende giocare) con gli altri lavoratori. Se ci sono molte imprese, il problema che si pone è se l'impresa j intenda assumere lavoratori precedentemente occupati dall'impresa i. Può darsi che l'impresa j non intenda farlo perché ha il timore di turbare l'equilibrio con alti salari e alta produzione coi propri lavoratori, come nel caso della singola impresa. Qualcosa di simile può spiegare la mancanza di mobilità dei giovani impiegati maschi tra le grandi imprese in Giappone.

Alternativamente, se i lavoratori licenziati possono sempre trovare un nuovo posto di lavoro che essi preferiscono alla prospettiva di lavorare in proprio, allora è il salario in questi nuovi posti di lavoro (al netto di qualsiasi sforzo) che svolge il ruolo del salario che si otterrebbe mettendosi in proprio, w_0. Nel caso estremo in cui un lavoratore licenziato non subisca alcuna perdita, nel gioco ripetuto infinitamente non sono disponibili punizioni da adottare nei confronti di chi ozia e quindi non vi è nessun equilibrio di Nash perfetto nei sottogiochi in cui il lavoratore eroga lo sforzo. Si veda Bulow e Rogoff [1989] per una elegante applicazione di idee simili al problema del debito internazionale: se un paese indebitato può reiterare i prestiti a lungo termine che riceve dai paesi creditori, attraverso operazioni a breve termine sui mercati internazionali dei capitali, allora nel gioco ripetuto infinitamente tra paesi debitori e creditori non sono disponibili punizioni per il caso di fallimento.

3.5. Politica monetaria temporalmente coerente

Si consideri un gioco con mosse sequenziali in cui i datori di lavoro e i lavoratori contrattano i salari nominali, dopo di che le autorità monetarie fissano l'offerta di moneta che a sua volta determina il tasso di inflazione. Se i contratti salariali non possono essere perfettamente indicizzati, datori di lavoro e lavoratori cercheranno di anticipare l'inflazione in sede di fissazione dei salari. Tuttavia, una volta che il salario nominale non perfettamente indicizzato sia stato fissato, un livello di inflazione effettiva superiore al livello di inflazione anticipato eroderà il salario reale e spingerà i datori di lavoro ad espandere l'occupazione e la produzione. L'autorità monetaria, dunque, è posta di fronte ad un *trade-off* tra i costi dell'inflazione e i vantaggi di una minore disoccupazione ed una maggior produzione, che sono la conseguenza dell'inflazione inattesa (*surprise inflation*) (cioè, inflazione al di sopra del livello anticipato).

Come in Barro e Gordon [1983] analizziamo una versione in forma ridotta di questo modello descritta dal seguente gioco costituente. Inizialmente i datori di lavoro formulano le loro aspettative di inflazione π^e; successivamente l'autorità monetaria osserva queste aspettative e sceglie l'inflazione effettiva, π. Il payoff dei datori di lavoro è $-(\pi - \pi^e)^2$, cioè l'obiettivo dei datori è semplicemente quello di anticipare correttamente l'inflazione; essi raggiungono il loro massimo payoff (cioè zero) quando $\pi = \pi^e$. Dall'altro lato, l'autorità monetaria preferirebbe che l'inflazione fosse pari a zero e che la produzione (y) fosse al livello efficiente (y^*). Il payoff dell'autorità monetaria è scritto nel modo seguente:

$$U(\pi, y) = -c\pi^2 - (y - y^*)^2,$$

dove il parametro $c > 0$ riflette il *trade-off* per l'autorità monetaria tra i due obiettivi. Si supponga che la produzione effettiva sia data dalla seguente funzione che ha come argomenti la produzione-obiettivo e l'inflazione inattesa (*surprise inflation*):

$$y = by^* + d(\pi - \pi^e),$$

dove $b < 1$ riflette la presenza di potere monopolistico nei mercati dei prodotti (ciò significa che, in assenza di inflazione inattesa, la produzione effettiva sarebbe inferiore a quella efficiente) e $d > 0$ misura l'effetto dell'inflazione inattesa sulla produzione attraverso i salari reali, che è stato descritto nel precedente capoverso. Possiamo riscrivere il payoff dell'autorità monetaria nel modo seguente:

$$W(\pi, \pi^e) = -c\pi^2 - [(b - 1)y^* + d(\pi - \pi^e)]^2.$$

Per ricavare l'esito perfetto nei sottogiochi di questo gioco costituente calcoliamo in primo luogo la scelta ottima di π da parte dell'autorità monetaria data l'aspettativa dei datori di lavoro, π^e. Dalla massimizzazione di $W(\pi, \pi^e)$ si ottiene

$$\pi^*(\pi^e) = \frac{d}{c + d^2}[(1 - b)y^* + d\pi^e]. \tag{2.16}$$

Poiché i datori di lavoro anticipano che l'autorità monetaria sceglierà $\pi^*(\pi^e)$, i datori sceglieranno π^e in modo da massimizzare $-[\pi^*(\pi^e) - \pi^e]^2$, da cui si ricava $\pi^*(\pi^e) = \pi^e$, cioè

$$\pi^e = \frac{d(1 - b)}{c} y^* = \pi_s,$$

dove il pedice s si riferisce al gioco costituente («stage game»). In modo equivalente si potrebbe dire che l'*aspettativa razionale* dei datori è quella che sarà successivamente confermata dall'autorità monetaria, perciò $\pi^*(\pi^e) = \pi^e$ e dunque $\pi^e = \pi_s$. Quando le aspettative dei datori sono $\pi^e = \pi_s$, il costo marginale per l'autorità monetaria di fissare π leggermente al di sopra di π_s compensa esattamente il vantaggio marginale derivante dall'inflazione inattesa. In questo esito perfetto nei sottogiochi, l'autorità monetaria genera inflazione, tuttavia, se potesse vincolarsi a non generare alcuna inflazione essa migliorerebbe la propria posizione. In effetti se i datori hanno aspettative razionali (cioè $\pi = \pi^e$), un'inflazione pari a zero massimizza il payoff dell'autorità monetaria (cioè, $W(\pi, \pi^e) = -c\pi^2 - (b - 1)^2 y^*$ quando $\pi = \pi^e$, così che $\pi = 0$ è il livello ottimo di inflazione).

Si consideri ora il gioco ripetuto infinitamente in cui il fattore di sconto di entrambi i giocatori è pari a δ. Deriveremo le condizioni alle quali, in un equilibrio di Nash perfetto nei sottogiochi, vale l'eguaglianza $\pi = \pi^e = 0$ in ogni periodo; l'equilibrio di Nash perfetto nei sottogiochi comporta le seguenti strategie. Nel primo periodo l'aspettativa dei datori di lavoro è $\pi^e = 0$. Nei periodi successivi essi mantengono l'aspettativa $\pi^e = 0$ se tutte le aspettative precedenti sono state $\pi^e = 0$ e tutte le precedenti inflazioni effettive sono state $\pi = 0$; altrimenti l'aspettativa dei datori è $\pi^e = \pi_s$, cioè l'aspettativa razionale del gioco costituente. Analogamente, l'autorità monetaria fissa $\pi = 0$ se l'aspettativa corrente è $\pi^e = 0$, tutte le precedenti aspettative sono state $\pi^e = 0$ e tutte le precedenti inflazioni effettive sono state $\pi = 0$; altrimenti l'autorità monetaria fisserà $\pi = \pi^*(\pi^e)$ – la risposta ottima all'aspettativa dei datori di lavoro, data dalla [2.16].

Si supponga che le aspettative dei datori di lavoro siano π^e nel primo periodo. Data la strategia dei datori (cioè, il modo in cui i datori aggiornano le loro aspettative dopo aver osservato l'inflazione effettiva), l'autorità monetaria può restringere l'attenzione su due scelte: 1) $\pi = 0$, che porterà a $\pi^e = 0$ nel prossimo periodo e quindi alla stessa decisione per l'autorità monetaria nel prossimo periodo; e 2) $\pi = \pi^*(0)$ dalla [2.16] che porterà a $\pi^e = \pi_s$ da quel momento in poi, nel qual caso la scelta ottima dell'autorità monetaria sarà di fissare e mantenere in futuro $\pi = \pi_s$. Quindi, fissando $\pi = 0$ in questo periodo si ottiene un payoff $W(0, 0)$ in ogni periodo, mentre fissando $\pi = \pi^*(0)$ in questo periodo si ottiene il payoff $W(\pi^*(0), 0)$ in questo periodo, ed in seguito il payoff $W(\pi_s, \pi_s)$. Quindi, la strategia dell'autorità monetaria è una risposta ottima alla regola di aggiornamento delle aspettative dei datori di lavoro se

$$[2.17] \qquad \frac{1}{1-\delta} W(0, 0) \geq W(\pi^*(0), 0) + \frac{\delta}{1-\delta} W(\pi_s, \pi_s),$$

condizione analoga alla [2.14].

Semplificando la [2.17] si ottiene $\delta \geq c/(2c + d^2)$. Ciascuno dei due parametri c e d ha due effetti. Un aumento di d, per esempio, accresce l'efficacia dell'inflazione inattesa ad aumentare la produzione e accresce la tentazione dell'autorità monetaria ad essere indulgente verso l'inflazione inattesa; tuttavia, per la stessa ragione, un aumento di d fa aumentare anche l'esito del gioco costituente, π_s, il che rende la punizione per l'autorità monetaria ancor più pesante. Analogamente, un aumento di c rende l'inflazione più gravosa e quindi riduce la tentazione di sfruttare l'inflazione inattesa, ma nello stesso tempo riduce π_s. In entrambi i casi quest'ultimo effetto più che compensa il primo di modo che il valore critico del fattore di sconto necessario per sostenere questo equilibrio, $c/(2c + d^2)$, è decrescente in d e crescente in c.

Fino a questo punto abbiamo visto che la strategia dell'autorità monetaria è una risposta ottima alla strategia dei datori di lavoro se la [2.17] è soddisfatta. Per dimostrare che queste strategie sono un equilibrio di Nash basta mostrare che la seconda è una risposta ottima alla prima; ciò segue dall'osservazione che i datori di lavoro ottengono il loro miglior payoff possibile (cioè zero) in ogni periodo. Infine, argomentazioni analoghe a quelle viste nel paragrafo precedente consentono di stabilire che queste strategie sono anche perfette nei sottogiochi.

4. Giochi dinamici con informazione completa e imperfetta

4.1. Rappresentazione dei giochi in forma estesa

Nel capitolo 1 abbiamo analizzato i giochi statici attraverso la loro rappresentazione in forma normale. Ora analizzeremo i giochi dinamici utilizzando la rappresentazione in forma estesa[18]. Questo approccio espositivo può indurre a ritenere che i giochi statici debbano essere rappresentati in forma normale mentre i giochi dinamici in forma estesa; in realtà non è così. Qualunque gioco può essere rappresentato sia in forma normale che in forma estesa sebbene per alcuni giochi una delle due forme è più conveniente da analizzare. Discuteremo come i giochi statici possono essere rappresentati utilizzando la forma estesa e come possono essere rappresentati giochi dinamici utilizzando la forma normale.

Nel paragrafo 1.1 del capitolo 1 abbiamo visto che la rappresentazione in forma normale di un gioco specifica: 1) i giocatori che prendono parte al gioco, 2) le strategie disponibili di ogni giocatore e 3) i payoff ricevuti da ogni giocatore in corrispondenza di ogni combinazione di strategie che può essere scelta dai giocatori.

DEFINIZIONE. La *rappresentazione in forma estesa* di un gioco specifica: 1) i giocatori che prendono parte al gioco, 2a) quando i giocatori hanno diritto alla mossa, 2b) cosa possono fare i giocatori in ogni circostanza in cui hanno diritto a una mossa, 2c) cosa conosce ogni giocatore quando gli spetta la mossa e 3) i payoff ricevuti da ciascun giocatore in corrispondenza di ogni combinazione di mosse che può essere scelta dai giocatori.

Abbiamo analizzato numerosi giochi rappresentati in forma estesa nei paragrafi 1, 2 e 3, sebbene ciò non sia stato esplicitamente affermato in quelle occasioni. Il contributo di questo paragrafo è di descrivere questi giochi utilizzando alberi del gioco piuttosto che parole, poiché il primo tipo di descrizione è spesso più semplice sia da esprimere che da analizzare.

Come esempio di un gioco in forma estesa, si consideri il seguente membro della classe dei giochi a due stadi con informazione completa e perfetta introdotto nel paragrafo 1.1.

1) Il giocatore 1 sceglie un'azione a_1 dall'insieme ammissibile $A_1 = \{L, R\}$.

[18] In questo libro daremo una descrizione informale della forma estesa. Per una trattazione più rigorosa si veda Kreps e Wilson [1982].

2) Il giocatore 2 osserva a_1 e poi sceglie un'azione a_2 dall'insieme $A_2 = \{L', R'\}$.

3) I payoff sono $u_1(a_1, a_2)$ e $u_2(a_1, a_2)$ e sono indicati nell'albero del gioco della figura 2.15.

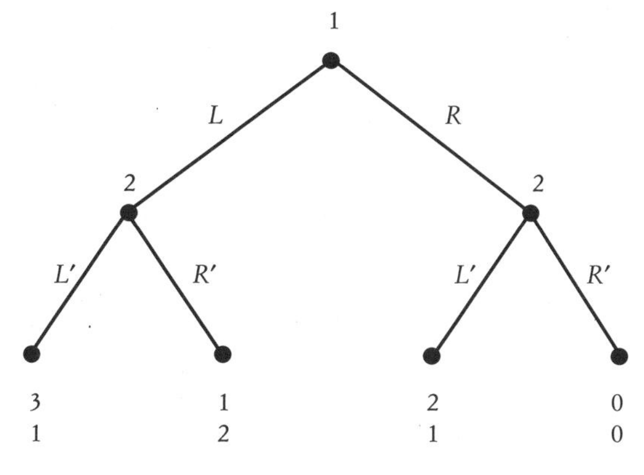

FIG. 2.15.

Questo albero del gioco comincia da un *nodo decisionale* del giocatore 1, in cui 1 sceglie tra L e R. Se il giocatore 1 sceglie L viene raggiunto un nodo decisionale del giocatore 2 il quale può scegliere tra L' e R'. Analogamente, se il giocatore 1 sceglie R verrà raggiunto un altro nodo decisionale del giocatore 2 il quale potrà scegliere tra L' e R'. A seguito di ogni scelta del giocatore 2 si giunge a un *nodo terminale* (cioè il gioco finisce) e i payoff indicati sono ricevuti dai giocatori.

È immediato estendere l'albero del gioco della figura 2.15 per rappresentare qualsiasi gioco dinamico con informazione completa e perfetta, cioè qualsiasi gioco in cui i giocatori muovono in successione, tutte le mosse precedenti sono conoscenza comune prima che la mossa successiva sia scelta, e i payoff dei giocatori, per ogni possibile combinazione ammissibile di mosse, sono conoscenza comune. (Spazi delle azioni continui, come nel modello di Stackelberg, oppure il caso con orizzonte infinito, come nel modello di Rubinstein, presentano difficoltà di ordine grafico ma non concettuale). Deriveremo la rappresentazione in forma normale del gioco dinamico riportato nella figura 2.15 e poi concluderemo questo paragrafo mostrando che i giochi statici possono essere rappresentati in forma estesa ed infine descrivendo come costruire rappresentazioni in forma estesa di giochi dinamici con informazione completa ma imperfetta. Come le convenzioni per la numerazione adottate nelle definizioni dei giochi in forma normale ed estesa suggeriscono, vi è uno stretto legame tra le strategie ammissibili di un giocatore nella forma normale (voce numero 2) e la descrizione nella forma estesa di quando un giocatore è chiamato a muovere, di cosa può fare e di cosa conosce (voci 2a, 2b e 2c). Per rappresentare un gioco dinamico in forma normale occorre tradurre l'informazione presente nella forma estesa in termini di descrizione dello spazio delle strategie di ogni giocatore nella forma normale. Per fare ciò si rammenti la definizione di strategia presentata (informalmente) nel paragrafo 3.2:

DEFINIZIONE. Una *strategia* di un giocatore è un piano completo di azione – esso specifica un'azione ammissibile del giocatore per ciascuna circostanza in cui il giocatore può essere chiamato ad agire.

Può sembrare superfluo richiedere che la strategia di un giocatore specifichi un'azione ammissibile per ciascuna circostanza in cui egli può trovarsi a dover compiere una mossa. Tuttavia, risulterà chiaro che non potremmo applicare la nozione di equilibrio di Nash ai giochi dinamici con informazione completa se ammettessimo che la strategia di un giocatore possa lasciare non specificate le azioni in corrispondenza di qualche circostanza. Per calcolare la risposta ottima del giocatore j alla strategia del giocatore i, j può aver bisogno di considerare come i agirebbe in ogni circostanza, non solo quelle circostanze che i o j ritengono che possono più verosimilmente presentarsi.

Nel gioco della figura 2.15 il giocatore 2 ha due azioni e quattro strategie a disposizione, poiché ci sono due diverse circostanze (cioè, aver osservato il giocatore 1 scegliere L oppure aver osservato il giocatore 1 scegliere R) in cui il giocatore 2 può trovarsi a dover agire:

Strategia 1. Se il giocatore 1 gioca L allora gioca L', se il giocatore 1 gioca R allora gioca L'; questa strategia è indicata con (L', L').
Strategia 2. Se il giocatore 1 gioca L allora gioca L', se il giocatore 1 gioca R allora gioca R'; questa strategia è indicata con (L', R').
Strategia 3. Se il giocatore 1 gioca L allora gioca R', se il giocatore 1 gioca R allora gioca L'; questa strategia è indicata con (R', L').
Strategia 4. Se il giocatore 1 gioca L allora gioca R', se il giocatore 1 gioca R allora gioca R'; questa strategia è indicata con (R', R').

Anche il giocatore 1 ha due azioni ma egli ha soltanto due strategie: giocare L oppure giocare R. La ragione per cui il giocatore 1 ha soltanto due strategie è che c'è soltanto una circostanza in cui egli può essere chiamato ad agire (cioè la prima mossa del gioco, quando il giocatore 1 sarà certamente chiamato ad agire), perciò per il giocatore 1 lo spazio delle strategie è dato semplicemente dallo spazio delle azioni, $A_1 = \{L, R\}$.

Dati gli spazi delle strategie dei due giocatori è immediato derivare la rappresentazione in forma normale del gioco a partire dalla sua rappresentazione in forma estesa. Alle righe della forma normale si associano le strategie ammissibili del giocatore 1 e alle colonne le strategie ammissibili del giocatore 2 e poi si calcolano i payoff dei giocatori per ogni possibile combinazione di strategie, come mostrato nella figura 2.16.

		Giocatore 2			
		(L', L')	(L', R')	(R', L')	(R', R')
Giocatore 1	L	3, 1	3, 1	1, 2	1, 2
	R	2, 1	0, 0	2, 1	0, 0

FIG. 2.16.

Dopo aver dimostrato che un gioco dinamico può essere rappresentato in forma normale, mostriamo ora come un gioco statico (cioè con mosse simultanee) può essere rappresentato in forma estesa. Nel paragrafo 1.1 del capitolo 1 si è osservato (in relazione al dilemma del prigioniero) che nella forma normale non è necessario che i giocatori agiscano simultaneamente, ma è sufficiente che ognuno scelga una strategia senza conoscere la scelta dell'altro, come avverrebbe nel dilemma del prigioniero se i prigionieri prendessero le decisioni in momenti di tempo arbitrari ma in celle separate. Pertanto, possiamo rappresentare un (cosiddetto) gioco con mosse simultanee tra i giocatori 1 e 2 nel modo seguente.

1) Il giocatore 1 sceglie un'azione a_1 dall'insieme ammissibile A_1.
2) Il giocatore 2 non osserva la mossa del giocatore 1 ma sceglie un'azione a_2 dall'insieme ammissibile A_2.
3) I payoff sono $u_1(a_1, a_2)$ e $u_2(a_1, a_2)$.

Alternativamente, il giocatore 2 può muovere prima e il giocatore 1 muovere in seguito senza osservare l'azione di 2. Si rammenti che nel paragrafo 1.2 abbiamo mostrato che un gioco in cui le variabili di scelta erano le quantità ed in cui la scansione temporale e la struttura informativa erano le stesse dell'esempio qui considerato è sostanzialmente diverso dal gioco di Stackelberg con la stessa struttura temporale, ma una struttura informativa in cui l'impresa 2 osserva la mossa dell'impresa 1; in quell'occasione abbiamo sostenuto che il gioco con mosse sequenziali e azione non osservata ha lo stesso equilibrio di Nash del gioco di Cournot con mosse simultanee.

In un gioco in forma estesa, l'informazione sulle mosse precedenti è rappresentata mediante l'introduzione della nozione di *insieme informativo* di un giocatore.

DEFINIZIONE. Un *insieme informativo* di un giocatore è un insieme di nodi decisionali che soddisfano le seguenti condizioni:

i) in corrispondenza di ogni nodo dell'insieme informativo, il giocatore ha diritto alla mossa;

ii) quando lo svolgimento del gioco raggiunge un nodo dell'insieme informativo il giocatore a cui spetta la mossa non sa quale nodo dell'insieme informativo è stato (o non è stato) raggiunto.

La parte *ii*) di questa definizione implica che, in ogni nodo decisionale appartenente ad un insieme informativo, il giocatore deve avere a disposizione lo stesso insieme di azioni ammissibili, altrimenti egli sarebbe in grado di concludere, sulla base dell'insieme di azioni disponibili, che qualche nodo è stato raggiunto oppure che qualche altro nodo non è stato raggiunto.

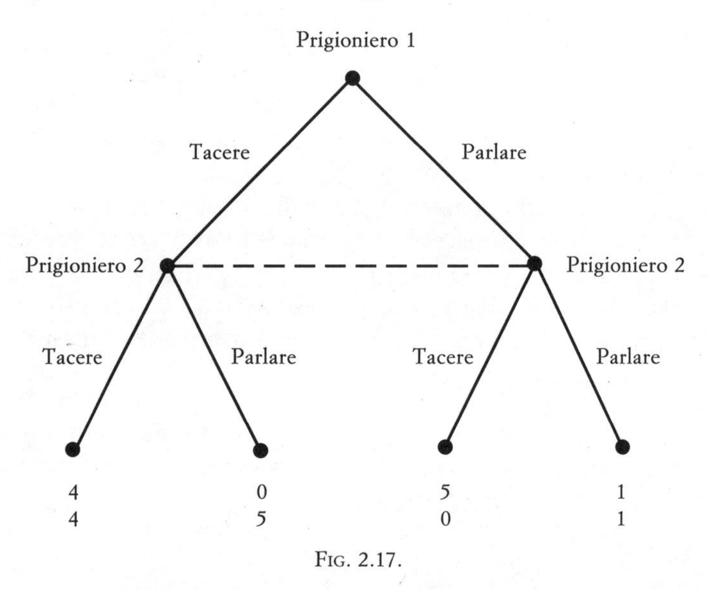

FIG. 2.17.

In un gioco in forma estesa, indicheremo un insieme di nodi decisionali che formano un insieme informativo collegando i nodi con una linea tratteggiata, come nella rappresentazione in forma estesa del dilemma del prigioniero riportata nella figura 2.17. A volte, indicheremo a quale giocatore spetta la mossa in corrispondenza dei nodi di un insieme informativo contrassegnando ogni singolo nodo dell'insieme informativo, come abbiamo fatto nella figura 2.17; alternativamente, possiamo semplicemente contrassegnare la linea tratteggiata che collega questi nodi, come si è fatto nella figura 2.18. L'interpretazione dell'insieme informativo del prigioniero 2 della figura 2.18 è che, quando la mossa spetta al prigioniero 2, egli sa soltanto che quell'insieme informativo è stato raggiunto (cioè che il prigioniero 1 ha mosso), ma non sa esattamente in quale nodo si trova (cioè, che cosa ha effettivamente scelto il giocatore 1). Nel capitolo 4 vedremo che il prigioniero 2, pur non potendo osservare la mossa dell'altro, potrebbe formulare una congettura o una credenza (*belief*) su ciò che il prigioniero 1 ha scelto; per il momento, tuttavia, ignoreremo questa possibilità.

Come secondo esempio dell'impiego degli insiemi informativi per rappresentare l'informazione sulle mosse precedenti del gioco, si consideri il seguente gioco dinamico con informazione completa ma imperfetta:

1) Il giocatore 1 sceglie una azione a_1 dall'insieme ammissibile $A_1 = \{L, R\}$.

2) Il giocatore 2 osserva a_1 e poi sceglie un'azione a_2 dall'insieme ammissibile $A_2 = \{L', R'\}$.

3) Il giocatore 3 osserva se è verificata la condizione $(a_1, a_2) = (R, R')$ e poi sceglie una azione a_3 dall'insieme ammissibile $A_3 = \{L'', R''\}$.

La rappresentazione in forma estesa di questo gioco (ignorando i payoff per semplicità) è riportata nella figura 2.18. In questa forma estesa il giocatore 3 ha due insiemi informativi: un insieme informativo costituito da un singolo nodo che è raggiunto quando il giocatore 1 gioca R e il giocatore 2 sceglie R', e un insieme informativo composto da più nodi e che comprende tutti gli altri nodi del giocatore 3. Quindi, tutto ciò che il giocatore 3 osserva è se $(a_1, a_2) = (R, R')$ oppure no.

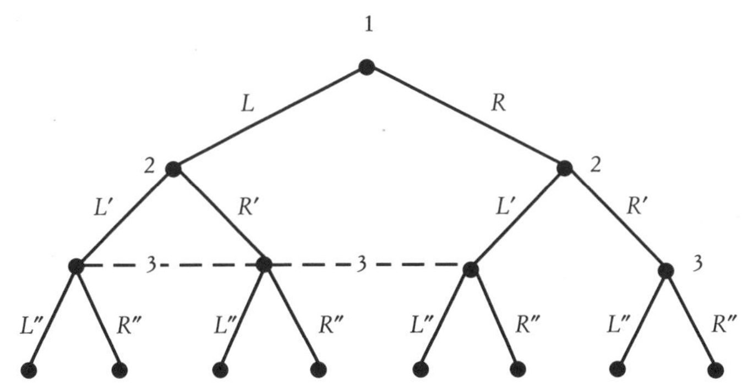

FIG. 2.18.

Ora che abbiamo definito la nozione di insieme informativo possiamo presentare una definizione alternativa della distinzione tra informazione perfetta e imperfetta. Precedentemente abbiamo affermato che vi è informazione perfetta se, a ogni mossa del gioco, il giocatore a cui spetta la mossa conosce la storia completa del gioco fino a quel momento. Una definizione equivalente di informazione perfetta è la seguente: vi è informazione perfetta se ogni insieme informativo è costituito da un singolo nodo; al contrario, informazione imperfetta significa che vi è almeno un insieme informativo composto da più di un nodo[19]. Quindi, la rappresentazione in forma estesa di un gioco con mosse simultanee (come il dilemma del prigioniero) è un gioco con informazione imperfetta. Analogamente, il gioco a due stadi esaminato nel paragrafo 2.1 è a informazione imperfetta, poiché le azioni dei giocatori 1 e 2 sono simultanee, così come lo sono le azioni dei giocatori 3 e 4. Più in generale, un gioco dinamico con informazione completa ma imperfetta può essere rappresentato in forma estesa utilizzando insiemi informativi composti da più di un nodo per indicare cosa un giocatore sa (e cosa non sa) quando ha a disposizione la mossa come, per esempio, si è fatto nella figura 2.18.

4.2. Equilibrio di Nash perfetto nei sottogiochi

Nel paragrafo 3.2 abbiamo presentato la definizione di equilibrio di Nash perfetto nei sottogiochi; tuttavia, abbiamo applicato questa definizione soltanto ai giochi ripetuti poiché abbiamo introdotto le nozioni di strategia e di sottogioco soltanto per tali giochi. Nel paragrafo 4.1 abbiamo introdotto la definizione generale di strategia e ora introdurremo la definizione generale di sottogioco, dopo di che saremo in grado di applicare la definizione di equilibrio di Nash perfetto nei sottogiochi a giochi dinamici generali con informazione completa.

Si rammenti che nel paragrafo 3.2 abbiamo definito informalmente un sottogioco come la parte di un gioco che rimane da giocare cominciando in qualsiasi punto in corrispondenza del quale la storia completa del gioco fino a quel momento è conoscenza comune dei giocatori; si è poi proceduto a introdurre la definizione formale nel caso dei giochi ripetuti considerati in quel paragrafo. Ora introdurremo la definizione formale per giochi dinamici generali con informazione completa, con riferimento alla rappresentazione del gioco in forma estesa.

[19] Questa caratterizzazione di informazione perfetta e imperfetta in termini di insiemi informativi composti da uno oppure da più nodi è circoscritta a giochi con informazione completa poiché, come vedremo nel capitolo 4, la rappresentazione in forma estesa di un gioco con informazione perfetta ma incompleta ha un insieme informativo composto da più di un nodo. La trattazione di questo paragrafo si riferisce soltanto al caso con informazione completa.

DEFINIZIONE. Un *sottogioco* di un gioco in forma estesa

a) comincia a un nodo decisionale n che è un insieme informativo composto da un singolo nodo (ma non è il primo nodo decisionale del gioco),

b) comprende tutti i nodi decisionali e terminali successivi a n nell'albero del gioco (ma nessun nodo che non sia successivo a n), e

c) non spezza alcun insieme informativo (cioè, se un nodo decisionale n' segue n nell'albero del gioco, allora anche tutti gli altri nodi dell'insieme informativo contenente n' devono seguire n e quindi devono fare parte del sottogioco).

In base all'osservazione tra parentesi della parte *a*), l'intero gioco non è considerato come un sottogioco, ma questa è semplicemente una questione di stile: eliminare dalla definizione l'osservazione in parentesi non altera in alcun modo l'analisi che segue.

Possiamo servirci del gioco della figura 2.15 e del dilemma del prigioniero della figura 2.17 per illustrare le parti *a*) e *b*) di questa definizione. Nella figura 2.15 ci sono due sottogiochi, ognuno dei quali comincia da un diverso nodo decisionale del giocatore 2. Nel dilemma del prigioniero (o qualsiasi altro gioco con mosse simultanee) non ci sono sottogiochi. Per illustrare la parte *c*) della definizione si consideri il gioco della figura 2.18. Vi è soltanto un sottogioco che comincia al nodo decisionale del giocatore 3 e che si raggiunge quando il giocatore 1 sceglie R e il giocatore 2 sceglie R'. In base alla parte *c*), in questo gioco non vi è nessun sottogioco che comincia dai due nodi decisionali del giocatore 2, anche se ciascuno di tali nodi costituisce di per sé un insieme informativo (composto da un singolo nodo).

La parte *c*) ha la funzione di garantire due aspetti importanti della nozione di sottogioco. In primo luogo, un sottogioco deve poter essere analizzato come un gioco a se stante e in secondo luogo l'analisi del sottogioco deve essere rilevante per il gioco originario. Se nella figura 2.18 tentassimo di definire un sottogioco a partire dal nodo decisionale del giocatore 2 che si raggiunge quando il giocatore 1 sceglie L, creeremmo un sottogioco in cui il giocatore 3 non conosce la mossa del giocatore 2 ma conosce la mossa del giocatore 1. Questo sottogioco non sarebbe rilevante per il gioco originario poiché, in quest'ultimo, egli non conosce la mossa del giocatore 1, ma osserva soltanto se $(a_1, a_2) = (R, R')$ oppure no. Si rammenti il ragionamento analogo del perché il t-esimo gioco costituente di un gioco ripetuto, preso a se stante, non è un sottogioco del gioco ripetuto, assumendo $t < T$ nel caso finito.

Un altro modo per giustificare la parte *c*) è di osservare che la parte *a*) garantisce che soltanto il giocatore a cui spetta la mossa nel nodo n conosce la storia completa del gioco fino a quel momento, ma non garantisce che anche l'altro giocatore la conosca. La parte *c*) garantisce che la storia completa del gioco fino a quel momento sia conoscenza comune di tutti i giocatori nel senso seguente: a ogni nodo che segue n, poniamo n', il giocatore a cui spetta la mossa in n' sa che lo svolgimento del gioco ha raggiunto il nodo n. Quindi, anche se n' appartiene a un insieme informativo che è composto da più di un nodo tutti i nodi di quell'insieme informativo seguono n, così che il giocatore a cui spetta la mossa in quell'insieme informativo sa che il gioco ha raggiunto un nodo che segue n. (Se le ultime due affermazioni sembrano un poco contorte è in parte dovuto al fatto che la rappresentazione in forma estesa di un gioco specifica cosa sa il giocatore i in ogni nodo decisionale di i, ma non specifica esplicitamente cosa i sa nei nodi decisionali di j). Come si è visto precedentemente, la figura 2.18 offre un esempio di come la parte *c*) potrebbe essere violata. Possiamo ora reinterpretare questo esempio: se caratterizzassimo (informalmente) ciò che il giocatore 3 conosce nel nodo decisionale del giocatore 2 che si raggiunge quando il giocatore 1 sceglie L, diremmo che 3 non conosce la storia del gioco fino a quel momento poiché 3 ha nodi decisionali successivi nei quali non sa se 1 ha giocato L oppure R.

Data la definizione generale di sottogioco possiamo ora applicare la definizione di equilibrio di Nash perfetto nei sottogiochi introdotta nel paragrafo 3.2.

DEFINIZIONE [Selten 1965]. Un equilibrio di Nash è *perfetto nei sottogiochi* se le strategie dei giocatori costituiscono un equilibrio di Nash in ogni sottogioco.

È immediato mostrare che qualsiasi gioco dinamico finito (cioè qualsiasi gioco dinamico in cui vi è un numero finito di giocatori ciascuno dei quali ha un insieme finito di strategie ammissibili) con informazione completa ha un equilibrio di Nash perfetto nei sottogiochi, eventualmente in strategie miste. Il ragionamento, che fa ricorso ad un procedimento simile nello spirito alla *backwards induction*, è di tipo costruttivo ed è basato su due osservazioni. In primo luogo, sebbene abbiamo presentato il teorema di Nash nel contesto dei giochi statici con informazione completa, esso si applica a tutti i giochi finiti in forma normale con informazione completa e, come si è visto, tali giochi possono essere sia statici che dinamici. In secondo luogo, un gioco dinamico finito con informazione completa ha un numero finito di sottogiochi, ognuno dei quali soddisfa le condizioni del teorema di Nash[20].

[20] Per costruire un equilibrio di Nash perfetto nei sottogiochi si proceda

Abbiamo già incontrato due idee che sono intimamente collegate all'equilibrio di Nash perfetto nei sottogiochi: l'esito di *backwards induction*, definito nel paragrafo 1.1, e l'esito perfetto nei sottogiochi, definito nel paragrafo 2.1. La differenza è che un equilibrio è un insieme di strategie (e una strategia è un piano completo di azione), mentre un esito descrive soltanto ciò che accade nelle circostanze che ci si aspetta che si verifichino e non in qualsiasi circostanza che potrebbe presentarsi. Per essere più precisi sulla differenza tra un equilibrio e un esito e per illustrare la nozione di equilibrio di Nash perfetto nei sottogiochi, riconsideriamo i giochi definiti nei paragrafi 1.1 e 2.1.

DEFINIZIONE. Nel gioco a due stadi con informazione completa e perfetta definito nel paragrafo 1.1, l'esito di *backwards induction* è $(a_1^*, R_2(a_1^*))$, mentre l'*equilibrio di Nash perfetto nei sottogiochi* è $(a_1^*, R_2(a_1))$.

In questo gioco l'azione a_1^* è una strategia per il giocatore 1 poiché vi è soltanto una circostanza nella quale il giocatore 1 è chiamato a giocare – l'inizio del gioco. Tuttavia, per il giocatore 2, $R_2(a_1^*)$ (cioè la risposta ottima di 2 ad a_1^*) è un'azione ma non è una strategia, poiché una strategia per il giocatore 2 deve specificare l'azione intrapresa da 2 in corrispondenza di ogni possibile azione del giocatore 1 nel primo stadio. Dall'altro lato, la funzione di risposta ottima, $R_2(a_1)$, è una strategia per il giocatore 2. In questo gioco, i sottogiochi cominciano con (e sono composti soltanto da) la mossa del giocatore 2 nel secondo stadio e vi è un sottogioco per ogni azione ammissibile del giocatore 1, a_1 in A_1. Per mostrare che $(a_1^*, R_2(a_1))$ è un equilibrio di Nash perfetto nei sottogiochi, dobbiamo perciò mostrare che $(a_1^*, R_2(a_1))$ è un equilibrio di Nash e che le strategie dei giocatori costituiscono un equilibrio di Nash in ognuno di questi sottogiochi. Poiché i sottogiochi sono semplicemente problemi decisionali che ri-

identificando, in primo luogo, tutti i più piccoli sottogiochi che contengono i nodi finali dell'albero del gioco originario (dove un sottogioco è uno dei più piccoli sottogiochi se non contiene nessun altro sottogioco). In secondo luogo, a ciascun sottogioco si sostituiscano i payoff di uno dei suoi equilibri di Nash. Poi, si considerino i nodi iniziali di questi sottogiochi come se fossero i nodi finali di una versione tronca del gioco originario. Si identifichino tutti i più piccoli sottogiochi di questo gioco troncato che contengono tali nodi finali e si sostituisca ciascuno di questi sottogiochi con i payoff di uno dei suoi equilibri di Nash. Procedendo a ritroso lungo l'albero in questo modo, si raggiunge un equilibrio di Nash perfetto nei sottogiochi poiché le strategie dei giocatori costituiscono un equilibrio di Nash (in effetti un equilibrio di Nash perfetto nei sottogiochi) in ogni sottogioco.

guardano un solo individuo, è sufficiente richiedere che l'azione del giocatore 2 sia ottima in ogni sottogioco, che è esattamente il problema che la funzione di risposta ottima $R_2(a_1)$ risolve. Infine, $(a_1^*, R_2(a_1))$ è un equilibrio di Nash poiché le strategie dei giocatori sono reciprocamente risposte ottime: a_1^* è una risposta ottima a $R_2(a_1)$, cioè a_1^* massimizza $u_1(a_1, R_2(a_1))$, e $R_2(a_1)$ è una risposta ottima ad a^*, cioè $R_2(a_1^*)$ massimizza $u_2(a_1^*, a_2)$.

Argomentazioni analoghe possono essere ripetute per i giochi considerati nel paragrafo 2.1 e pertanto non vengono riportate con lo stesso dettaglio.

DEFINIZIONE. Nel gioco a due stadi con informazione completa e imperfetta definito nel paragrafo 2.1, l'esito di *backwards induction* è $(a_1^*, a_2^*, a_3^*(a_1^*, a_2^*), a_4^*(a_1^*, a_2^*))$, mentre l'*equilibrio di Nash perfetto nei sottogiochi* è $(a_1^*, a_2^*, a_3^*(a_1, a_2), a_4^*(a_1, a_2))$.

In questo gioco la coppia di azioni $(a_3^*(a_1^*, a_2^*), a_4^*(a_1^*, a_2^*))$ è l'equilibrio di Nash di un singolo sottogioco tra i giocatori 3 e 4 (cioè il gioco che rimane dopo che i giocatori 1 e 2 hanno scelto (a_1^*, a_2^*)), mentre $(a_3^*(a_1, a_2), a_4^*(a_1, a_2))$ sono le strategie del giocatore 3 e del giocatore 4, cioè piani completi di azioni che descrivono una risposta per ogni coppia ammissibile di mosse da parte dei giocatori 1 e 2. In questo gioco i sottogiochi sono dati dall'interazione del secondo stadio tra i giocatori 3 e 4, date le azioni intraprese dai giocatori 1 e 2 nel primo stadio. Come si richiede ad un equilibrio di Nash perfetto nei sottogiochi, la coppia di strategie $(a_3^*(a_1, a_2), a_4^*(a_1, a_2))$ specifica un equilibrio di Nash in ognuno di questi sottogiochi.

Concludiamo questo paragrafo (e questo capitolo) con un esempio che illustra il tema principale del capitolo: la perfezione nei sottogiochi elimina gli equilibri di Nash che si basano su minacce o promesse non credibili. Si rammenti il gioco in forma estesa della figura 2.15. Se avessimo incontrato questo gioco nel paragrafo 1.1 l'avremmo risolto col procedimento di *backwards induction* nel modo seguente. Se il giocatore 2 si trova nel nodo decisionale successivo alla mossa L da parte del giocatore 1, la migliore risposta di 2 è di giocare R' (che assicura un payoff pari a 2) piuttosto che giocare L' (che assicura un payoff pari a 1). Se 2 si trova nel nodo decisionale successivo alla mossa R da parte del giocatore 1, la miglior risposta di 2 è di giocare L' (che assicura un payoff pari a 1) piuttosto che giocare R' (che assicura un payoff pari a 0). Poiché, sia il giocatore 2 che il giocatore 1 sono in grado di risolvere il problema del giocatore 2, il problema di 1 al primo stadio equivale a scegliere tra L (che porta a un payoff pari a 1 per il giocatore 1, in seguito alla scelta di R' da parte del giocatore 2) ed R (che porta ad un payoff pari a 2 per il giocatore 1, in seguito alla scelta di L' da parte del giocatore 2). Quindi, la risposta ottima del giocatore 1 al comportamento anticipato del giocatore 2 è di giocare R nel primo stadio, di conseguenza l'esito di *backwards induction* del gioco sarà (R, L'), come è indicato nella figura 2.19 dal sentiero segnato in neretto e che parte dal nodo decisionale del giocatore 1. Vi è un altro sentiero segnato in neretto e che parte dal nodo decisionale del giocatore 2 successivo alla mossa L da parte del giocatore 1. Questo sentiero parziale lungo l'albero del gioco indica che il giocatore 2 avrebbe scelto R' se questo nodo decisionale fosse stato raggiunto.

Si rammenti che la rappresentazione in forma normale di questo gioco è stata data nella figura 2.16. Se avessimo incontrato tale gioco in forma normale nel paragrafo 1.3 del capitolo 1 e lo avessimo risolto avremmo trovato i seguenti equilibri di Nash: $(R, (R', L'))$ e $(L, (R', R'))$. Ora possiamo confrontare gli equilibri di Nash del gioco in forma normale della figura 2.16 con il risultato del procedimento di *backwards induction* del gioco in forma estesa della figura 2.19: l'equilibrio di Nash $(R, (R', L'))$ ottenuto nella rappresentazione in forma normale, corrisponde a *tutti* i sentieri in neretto della figura 2.19. Nel paragrafo 1.1 abbiamo chiamato (R, L') l'*esito* di *backwards induction* del gioco. Sarebbe naturale chiamare $(R, (R', L'))$ l'*equilibrio* di Nash di *backwards induction* del gioco, ma useremo una terminologia più generale e lo chiameremo equilibrio di Nash perfetto nei sottogiochi. La differenza tra esito ed equilibrio è che l'esito specifica soltanto il sentiero in neretto che comincia al primo nodo decisionale del gioco e si conclude ad un nodo finale, mentre l'equilibrio specifica anche l'ulteriore sentiero in neretto che parte dal nodo decisionale del giocatore 2 successivo alla mossa L da parte del giocatore 1. Cioè, l'equilibrio specifica una strategia completa per il giocatore 2.

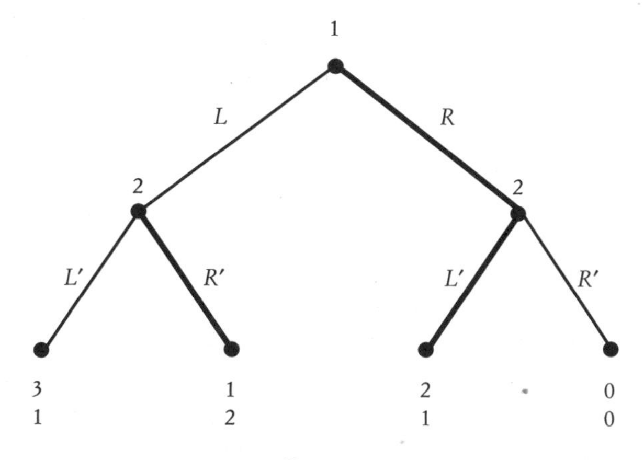

FIG. 2.19.

Cosa dire dell'altro equilibrio di Nash, $(L, (R', R'))$? In questo equilibrio la strategia del giocatore 2 è di giocare R' non solo se il giocatore 1 sceglie L (come accadeva anche nel primo equilibrio di Nash), ma anche se il giocatore 1 sceglie R. Poiché R' (a seguito di R) porta ad un payoff pari a 0 per il giocatore 1, la miglior risposta del giocatore 1 a questa strategia del giocatore 2 è di giocare L, raggiungendo in tal modo un payoff pari a 1 (dopo che il giocatore 2 ha scelto R') che è meglio di 0. Utilizzando un linguaggio impreciso ma evocativo si potrebbe dire che il giocatore 2 sta minacciando di giocare R' se il giocatore 1 gioca R. (A rigore, non vi è l'opportunità per il giocatore 2 di formulare tale minaccia prima che 1 scelga una azione; se vi fosse dovrebbe essere inclusa nella forma estesa). Se questa minaccia ha effetto (cioè, se 1 sceglie di giocare L), a 2 non è data l'opportunità di mettere in atto la minaccia. Tuttavia, la minaccia non dovrebbe avere alcun effetto in quanto essa non è credibile: se al giocatore 2 fosse data l'opportunità di metterla in atto (cioè, se il giocatore 1 giocasse R), il giocatore 2 deciderebbe di giocare L' piuttosto che R'. In termini più formali, l'equilibrio di Nash $(L, (R', R'))$ non è perfetto nei sottogiochi, poiché le strategie dei giocatori non costituiscono un equilibrio di Nash in uno dei sottogiochi. In particolare, la scelta di R' da parte del giocatore 2 non è ottima nel sottogioco che comincia (ed è formato soltanto) dal nodo decisionale del giocatore 2 successivo alla mossa R da parte del giocatore 1.

In un gioco con informazione completa e perfetta il procedimento di *backwards induction* elimina le minacce non credibili. Poiché ogni insieme informativo è costituito da un singolo nodo, ogni nodo decisionale dell'albero del gioco rappresenta una possibile circostanza in cui un giocatore può essere chiamato ad agire. Il procedimento di risalire lungo la forma estesa, nodo dopo nodo, equivale dunque a costringere ogni giocatore a valutare la convenienza di mettere in atto ogni sua minaccia. Tuttavia, in un gioco con informazione imperfetta le cose non sono così semplici, poiché tale gioco comporta la presenza di almeno un insieme informativo non costituito da un nodo singolo. Si potrebbe provare ad adottare lo stesso approccio: risalire lungo la forma estesa e alla fine raggiungere un nodo decisionale che è contenuto in un insieme informativo costituito da più di un nodo. Ma richiedere a un giocatore di considerare cosa farebbe se tale nodo fosse raggiunto *non* è equivalente a richiedere che il giocatore consideri una circostanza che potrebbe presentarsi e nella quale sarebbe chiamato ad agire poiché, se tale insieme informativo fosse raggiunto nel corso del gioco, il giocatore non saprebbe se tale nodo è stato effettivamente raggiunto, per il semplice fatto che tale nodo è contenuto in un insieme informativo composto da più nodi.

Un modo per trattare il problema degli insiemi informativi con più nodi nell'ambito del procedimento di *backwards induction* è di risalire la forma estesa fino a quando non si incontra un insieme informativo con più nodi, oltrepassare tale insieme informativo e procedere lungo l'albero del gioco fino a quando non si raggiunge un insieme informativo costituito da un singolo nodo. Poi, si considera non solo ciò che il giocatore a cui spetta la mossa in quell'insieme informativo farebbe se quel nodo decisionale fosse raggiunto, ma anche quale azione sarebbe intrapresa da parte del giocatore a cui spetta la mossa in ognuno degli insiemi informativi con più nodi che sono stati oltrepassati. Nella maggior parte dei casi questo procedimento consente di arrivare a un equilibrio di Nash perfetto nei sottogiochi. Un secondo modo per trattare il problema è di risalire lungo la forma estesa fino a quando non si incontra un insieme informativo con più nodi e poi richiedere al giocatore a cui spetta la mossa in quell'insieme informativo di considerare ciò che farebbe se tale insieme informativo fosse raggiunto. (In tal modo, si richiede che il giocatore formuli una valutazione di probabilità sui vari nodi dell'insieme informativo che è stato raggiunto. Tale valutazione dipenderà ovviamente dalle possibili mosse dei giocatori nella parte superiore dell'albero del gioco, perciò, se si adotta questo metodo, un unico, intero sentiero dal nodo finale fino a quello iniziale non può essere una soluzione). Nella generalità dei casi questo procedimento consente di ricavare un equilibrio bayesiano perfetto; si veda il capitolo 4.

5. Problemi

Paragrafo 1

2.1. Si supponga che un genitore ed un figlio giochino il seguente gioco, studiato originariamente da Becker [1974]. Inizialmente, il figlio sceglie una azione A che produce un reddito per il figlio, $I_C(A)$, ed un reddito per il genitore, $I_P(A)$. (Si pensi a $I_C(A)$ come il reddito del figlio al netto di qualsiasi costo associato all'azione A). In secondo luogo, il genitore osserva i redditi I_C e I_P e sceglie una eredità, B, da lasciare al figlio. Il payoff del figlio è $U(I_C + B)$; quello del genitore è $V(I_P - B) - kU(I_C + B)$, dove $k > 0$ riflette l'interessamento del genitore per il benessere del figlio. Si assuma che: l'azione sia un numero non negativo, $A \geq 0$; i redditi $I_C(A)$ e $I_P(A)$ siano funzioni strettamente concave e siano massimizzate, rispettivamente, in corrispondenza di $A_C > 0$ e di $A_P > 0$; l'eredità B possa essere sia positiva che negativa e le funzioni di utilità U e V siano crescenti e strettamente concave. Si dimostri il «Rotten Kid» theorem (il teorema del «figlio viziato»): nell'esito di *backwards in-*

duction, nonostante il fatto che soltanto il payoff del genitore presenti altruismo, il figlio sceglierà l'azione che massimizza il reddito aggregato della famiglia, $I_C(A) + I_P(A)$.

2.2. Ora si supponga che il genitore e il figlio giochino un gioco diverso, analizzato originariamente da Buchanan [1975]. Si supponga che i redditi I_C e I_P siano fissati esogenamente. Inizialmente, il figlio sceglie quanta parte del reddito I_C risparmiare per il futuro (S), consumando il resto, $I_C - S$, oggi. In secondo luogo, il genitore osserva la scelta del figlio, S, e sceglie l'eredità, B. Il payoff del figlio è la somma delle utilità correnti e future: $U_1(I_C - S) + U_2(S + B)$. Il payoff del genitore è $V(I_P - B) + k[U_1(I_C - S) + U_2(S + B)]$. Si assuma che le funzioni di utilità U_1, U_2 e V siano crescenti e strettamente concave. Si mostri che vi è un «Dilemma del (buon) samaritano» (*Samaritan's Dilemma*): nell'esito di *backwards induction* il figlio risparmia troppo poco in modo da indurre il genitore a lasciargli una eredità maggiore (cioè, sia il payoff del genitore che quello del figlio potrebbero essere aumentati scegliendo adeguatamente un valore di S maggiore e un valore di B inferiore).

2.3. Si supponga che i giocatori nel gioco di contrattazione di Rubinstein con orizzonte infinito abbiano fattori di sconto differenti: δ_1 per il giocatore 1 e δ_2 per il giocatore 2. Si adatti il ragionamento del testo e si mostri che nell'esito di *backwards induction* il giocatore 1 propone l'accordo

$$\left(\frac{1 - \delta_2}{1 - \delta_1\delta_2}, \frac{\delta_2(1 - \delta_1)}{1\delta_1\delta_2} \right)$$

al giocatore 2, il quale accetta.

2.4. Due soci intendono completare un progetto. Ciascuno dei due soci riceverà il payoff V quando il progetto sarà completato, ma nessuno dei due riceve nulla prima del completamento. Il costo rimanente necessario per completare il progetto è R. Nessuno dei due soci è in grado di impegnarsi ad effettuare una futura contribuzione per completare il progetto e così decidono di giocare il seguente gioco a due stadi: nel periodo 1 il socio 1 decide di contribuire nella misura c_1 al completamento. Se questo contributo è sufficiente a completare il progetto allora il gioco termina e ogni socio riceve V. Se questo contributo non è sufficiente a completare il progetto (cioè, $c_1 < R$) allora nel periodo 2 il giocatore 2 sceglie di contribuire nella misura c_2 al completamento del progetto. Se la somma (non scontata) dei due contributi è sufficiente a completare il progetto allora il gioco termina ed ognuno riceve V. Se la somma non è sufficiente a completare il progetto il gioco ha termine e i due soci ricevono una somma pari a zero.

Ogni socio deve procurarsi i fondi per la contribuzione distogliendo il denaro da altre attività remunerative. Il modo ottimale per effettuare tale operazione è di ritirare prima il denaro dalle alternative meno remunerative. Il costo (opportunità) risultante dalla contribuzione è quindi convesso nell'ammontare di contribuzione. Si supponga che per ogni socio il costo di una contribuzione c sia c^2. Si assuma, inoltre, che il socio 1 sconti i vantaggi del secondo periodo al fattore di sconto δ. Si calcoli l'unico esito di *backwards induction* di questo gioco di contribuzione a due stadi per ogni terna di parametri $\{V, R, \delta\}$; si veda Admati e Perry [1991] per il caso con orizzonte infinito.

2.5. Si supponga che una impresa chieda ad un lavoratore di investire nell'acquisizione di certe competenze, S, che sono specifiche di quell'impresa (*firm specific skill*); tuttavia, tali competenze non possono essere descritte precisamente in modo che un tribunale sia in grado di stabilire se il lavoratore le abbia effettivamente acquisite. (Per esempio, l'impresa potrebbe chiedere al lavoratore di «acquisire dimestichezza col modo in cui si fanno le cose dalle nostre parti» oppure «di diventare un esperto di questo nuovo mercato in cui potremmo entrare»). L'impresa, quindi, non è in grado di imporre un contratto in cui si impegna a ripagare i costi dell'investimento sostenuti dal lavoratore: qualora il lavoratore investa, l'impresa potrebbe sostenere che il lavoratore non ha investito, e un tribunale non sarebbe in grado di stabilire chi ha torto e chi ha ragione. Analogamente, il lavoratore non è in grado di imporre un contratto in cui si impegna ad investire soltanto se pagato in anticipo.

L'impresa potrebbe utilizzare la promessa (credibile) di una promozione come incentivo per stimolare il lavoratore a investire. Ad esempio, si supponga che vi siano due tipi di lavoro nell'impresa, uno facile (E) e uno difficile (D) e che le competenze possano essere valutate in entrambi i tipi di lavoro ma con maggior probabilità nel tipo di lavoro difficile: $y_{D0} < y_{E0} < y_{ES} < y_{DS}$, dove y_{ij} è la produzione del lavoratore nel lavoro i (= E oppure D), quando il livello di abilità è j (= 0 oppure S). Si assuma che l'impresa possa impegnarsi a pagare salari differenti nei due tipi di lavoro, w_E e w_D, e che nessuno dei due salari sia inferiore al salario di riserva del lavoratore che assumiamo pari a zero.

La struttura temporale del gioco è la seguente: alla data 0 l'impresa sceglie w_E e w_D e il lavoratore osserva questi salari. Alla data 1 il lavoratore entra nell'impresa dove può acquisire il livello di abilità

S sostenendo il costo C. (Ignoriamo la produzione e il salario durante questo primo periodo. Poiché il lavoratore non ha ancora acquisito le competenze, l'impiego più efficiente è nel tipo di lavoro E). Si assuma che $w_{DS} - w_{E0} > C$, cioè che la situazione in cui il lavoratore investe risulti efficiente. Alla data 2 l'impresa osserva se il lavoratore ha acquisito le competenze e poi decide se promuovere il lavoratore al tipo di lavoro D per il secondo (e ultimo) periodo di occupazione del lavoratore.

Il profitto dell'impresa nel secondo periodo è $y_{ij} - w_i$ se il lavoratore svolge il lavoro i e ha il livello di competenze j. Il payoff del lavoratore nel secondo periodo per il lavoro i è w_i oppure $w_i - C$ a seconda che il lavoratore abbia investito nel primo periodo oppure no. Si risolva questo problema trovando l'esito di *backwards induction*. Si veda Prendergast [1992] per un modello più sofisticato.

Paragrafo 2

2.6. Tre oligopolisti operano in un mercato la cui domanda inversa è data da $P(Q) = a - Q$, dove $Q = q_1 + q_2 + q_3$ e q_i è la quantità prodotta dall'impresa i. Ogni impresa ha un costo marginale di produzione costante, c, e non ha costi fissi. Le imprese scelgono le loro quantità nel modo seguente: 1) l'impresa 1 sceglie $q_1 \geq 0$; 2) le imprese 2 e 3 osservano q_1 e poi scelgono simultaneamente q_2 e q_3 rispettivamente. Qual è l'esito perfetto nei sottogiochi?

2.7. Si supponga che in un oligopolio il sindacato sia l'unico «fornitore» di lavoro alle imprese, come nel caso del sindacato United Auto Workers e delle imprese General Motors, Ford, Chrysler e così via. La successione delle mosse è analoga a quella del modello del paragrafo 1.3: 1) il sindacato avanza un'unica rivendicazione salariale, w che rivolge a *tutte* le imprese; 2) le imprese osservano (e accettano w) e poi simultaneamente scelgono il livello di occupazione, L_i per l'impresa i; 3) i payoff sono $(w - w_a)L$ per il sindacato, dove w_a è il salario che i membri del sindacato possono guadagnare in occupazioni alternative e $L = L_1 + ... + L_n$ è l'occupazione complessiva delle imprese in cui è presente il sindacato; e il profitto $\pi(w, L_i)$ per l'impresa i, dove le determinanti del profitto dell'impresa i sono descritte qui di seguito.

Tutte le imprese hanno la seguente funzione di produzione: il prodotto è pari al lavoro occupato, $q_i = L_i$. Il prezzo di mercato, in corrispondenza della quantità aggregata offerta sul mercato $Q = Q_1 + ... + Q_n$, è $P = a - Q$. Per semplicità si supponga che le imprese non abbiano altri costi oltre ai salari. Qual è l'esito perfetto nei sottogiochi di questo gioco? Come (e perché) il numero delle imprese influenza l'utilità del sindacato nell'esito perfetto nei sottogiochi?

2.8. Si modifichi il modello del torneo del paragrafo 2.4 in modo che il prodotto del lavoratore i sia $y_i = e_i - (1/2)s_j + \varepsilon_i$, dove $s_j \geq 0$ rappresenta il sabotaggio da parte del lavoratore j, e la disutilità dello sforzo (produttivo e distruttivo) per il lavoratore i sia $g(e_i) + g(s_i)$, come in Lazear [1989]. Si mostri che il premio ottimo $w_H - w_L$ è più basso rispetto al caso in cui non vi sia possibilità di sabotaggio (come nel caso del testo).

2.9. Si considerino due paesi. Alla data 1 entrambi i paesi hanno tariffe così alte che il loro interscambio commerciale è nullo. All'interno di ogni paese i salari e l'occupazione sono determinati come nel modello monopolio-sindacato del paragrafo 1.3. Alla data 2, tutte le tariffe vengono rimosse. Nella nuova situazione, ogni sindacato fissa il salario nel proprio paese ed ogni impresa produce per entrambi i mercati.

Si assuma che in ogni paese la domanda inversa sia $P(Q) = a - Q$, dove Q è la quantità aggregata offerta sul mercato di quel paese; la funzione di produzione di ogni impresa sia $q = L$ e quindi i salari siano l'unico costo che sostengono le imprese; la funzione di utilità del sindacato sia $U(w, L) = (w - w_0)L$, dove w_0 è il salario alternativo dei lavoratori. Si trovi l'esito di *backwards induction* alla data 1. Ora si consideri il seguente gioco alla data 2. Inizialmente i due sindacati scelgono simultaneamente i salari, w_1 e w_2. Poi le imprese osservano i salari e scelgono i livelli di produzione per il mercato interno e quello estero, indicati con h_i ed e_i per l'impresa del paese i. L'intera produzione dell'impresa i viene realizzata nel paese di origine, in tal modo il costo totale è $w_i(h_i + e_i)$. Si trovi l'esito perfetto nei sottogiochi. Si mostri che salari, occupazione e profitti (e quindi anche l'utilità del sindacato e il surplus del consumatore) crescono quando le tariffe vengono rimosse. Si veda Huizinga [1989] per altri esempi che seguono queste linee.

Paragrafo 3

2.10. Il gioco a mosse simultanee presentato qui sotto è giocato due volte e l'esito del primo stadio è osservato prima che abbia inizio il secondo stadio; i payoff non vengono scontati. La variabile x è maggiore di 4 e quindi (4, 4) non è una coppia di payoff di equilibrio per il gioco senza ripetizione. Per quali valori di x la seguente strategia (giocata da entrambi i giocatori) è un equilibrio di Nash perfetto nei sottogiochi?

Si giochi Q_i nel primo stadio. Se l'esito del primo stadio è (Q_1, Q_2) si giochi P_i nel secondo stadio. Se l'esito del primo stadio è (y, Q_2), dove $y \neq Q_1$ si giochi R_i nel secondo stadio. Se l'esito del primo stadio è (Q_1, z), dove $z \neq Q_2$, si giochi S_i nel secondo stadio. Se l'esito del primo stadio è (y, z), dove $y \neq Q_1$ e $z \neq Q_2$ si giochi P_i nel secondo stadio.

	P_2	Q_2	R_2	S_2
P_1	2, 2	x, 0	–1, 0	0, 0
Q_1	0, x	4, 4	–1, 0	0, 0
R_1	0, 0	0, 0	0, 2	0, 0
S_1	0, –1	0, –1	–1, –1	2, 0

2.11. Il gioco a mosse simultanee (qui di seguito) è giocato due volte e l'esito del primo stadio è osservato prima che abbia inizio il secondo stadio; i payoff non vengono scontati. È possibile che i payoff (4, 4) siano raggiunti nel primo stadio in un equilibrio di Nash perfetto nei sottogiochi in strategie pure? Se sì indicare le strategie. Se no, dimostrare il risultato.

	L	C	R
T	3, 1	0, 0	5, 0
M	2, 1	1, 2	3, 1
B	1, 2	0, 1	4, 4

2.12. Che cos'è una strategia in un gioco ripetuto? Che cos'è un sottogioco in un gioco ripetuto? Che cos'è un equilibrio di Nash perfetto nei sottogiochi?

2.13. Si rammenti il modello statico del duopolio di Bertrand (con prodotti omogenei) visto nel problema 1.7: le imprese fissano i prezzi simultaneamente; la domanda per la produzione dell'impresa i è, $a - p_i$ se $p_i < p_j$, 0 se $p_i > p_j$ e $(a - p_i)/2$ se $p_i = p_j$; i costi marginali sono $c < a$. Si consideri il gioco ripetuto infinitamente basato su questo gioco costituente. Si mostri che le imprese possono utilizzare *trigger strategy* (che, a seguito di una qualsiasi deviazione, posizionano per sempre i giocatori sull'equilibrio di Nash del gioco costituente) per sostenere il livello di prezzo di monopolio in un equilibrio di Nash perfetto nei sottogiochi, se e solo se $\delta \geq 1/2$.

2.14. Si supponga che, nel gioco di Bertrand ripetuto infinitamente descritto nel problema 2.13, la domanda fluttui in modo casuale: in ogni periodo, l'intercetta della domanda è a_H con probabilità π e a_L ($< a_H$) con probabilità $1 - \pi$; inoltre le domande dei diversi periodi sono indipendenti. Si supponga che il livello della domanda sia noto ad entrambe le imprese prima che esse scelgano i loro prezzi per quel periodo. Quali sono i livelli dei prezzi di monopolio (p_H e p_L) per i due livelli di domanda? Si ricavi δ^*, il più piccolo valore di δ in corrispondenza del quale le imprese possono utilizzare *trigger strategy* per sostenere questi livelli dei prezzi di monopolio (cioè, per giocare p_i quando la domanda è a_i, per $i = H, L$) in un equilibrio di Nash perfetto nei sottogiochi. Per ogni valore di δ compreso tra 1/2 e δ^* si trovi il prezzo più alto, $p(\delta)$, al quale le imprese possono utilizzare *trigger strategy* per sostenere il prezzo $p(\delta)$, quando la domanda è alta, e il prezzo p_L, quando la domanda è bassa in un equilibrio di Nash perfetto nei sottogiochi [si veda Rotemberg e Saloner 1986].

2.15. Si supponga che vi siano n imprese in un oligopolio alla Cournot e la domanda inversa sia data da $P(Q) = a - Q$, con $Q = Q_1 + \ldots + Q_n$. Si consideri il gioco ripetuto infinitamente basato su questo gioco costituente. Qual è il valore più basso di δ che consente alle imprese di impiegare *trigger strategy* per sostenere il livello di produzione di monopolio in un equilibrio di Nash perfetto nei sottogiochi? Come varia la risposta al variare di n e perché? Se δ è troppo piccolo per consentire alle imprese di utilizzare *trigger strategy* per sostenere la produzione di monopolio, qual è il più remunerativo equilibrio di Nash simmetrico perfetto nei sottogiochi che può essere sostenuto utilizzando *trigger strategy*?

2.16. Nel modello su salari e occupazione analizzato nel paragrafo 1.3, l'esito di *backwards induction* non è socialmente efficiente. Tuttavia, in realtà le imprese e il sindacato negoziano un contratto della durata di tre anni, poi dopo tre anni negoziano un altro contratto triennale e così via; quindi, sembra più appropriato caratterizzare tale rapporto come un gioco ripetuto, come in Espinosa e Rhee [1989].

Questo problema deriva le condizioni alle quali un equilibrio di Nash perfetto nei sottogiochi del gioco ripetuto infinitamente è Pareto-superiore all'esito di *backwards induction* del gioco che si svolge in un singolo periodo. Si indichino l'utilità del sindacato e i profitti dell'impresa dell'esito di *backwards induction* del gioco che si svolge in un unico periodo, rispettivamente, con U^* e π^*. Si consideri una coppia utilità-profitti (U, π) alternativa associata ad una coppia (w, L) salari-occupazione alternativa. Si supponga che le due controparti abbiano lo stesso fattore di sconto δ (per il periodo di tre anni). Si derivino le condizioni su (w, L) tali che 1) (U, π) domini paretianamente (U^*, π^*) e 2) (U, π) sia l'esito di un equilibrio di Nash perfetto nei sottogiochi del gioco ripetuto infinitamente, dove (U^*, π^*) è giocato per sempre qualora si verifichi una deviazione.

2.17. Si consideri il seguente gioco con orizzonte infinito tra una impresa e una sequenza di lavoratori, ognuno dei quali vive solo per un periodo. In ogni periodo il lavoratore sceglie tra due alternative: applicare un certo livello di sforzo e ottenere una produzione y sostenendo un costo pari a c, oppure non applicare alcuno sforzo, non produrre nulla e non sostenere alcun costo. Se vi è produzione essa è di proprietà dell'impresa che può dividerla con il lavoratore pagando un salario. Si assuma che all'inizio del periodo il lavoratore abbia una opportunità alternativa il cui valore è zero (al netto dei costi dello sforzo) e che il lavoratore non possa essere obbligato ad accettare un salario inferiore a zero. Si assuma inoltre che $y > c$, cioè che la situazione in cui viene applicato lo sforzo sia efficiente.

Nell'arco di ogni periodo la successione temporale degli eventi è la seguente: inizialmente il lavoratore sceglie un livello di sforzo, poi, sia l'impresa che il lavoratore osservano la produzione ed infine l'impresa sceglie un salario da pagare al lavoratore. Si assuma che nessun contratto possa essere fatto valere: la scelta del salario da parte dell'impresa è completamente priva di vincoli. Nel gioco di un periodo, quindi, la perfezione nei sottogiochi implica che l'impresa offrirà un salario pari a zero, indipendentemente dalla produzione del lavoratore, così che il lavoratore non applicherà alcuno sforzo.

Ora si consideri il problema con orizzonte infinito. Si rammenti che ogni lavoratore vive soltanto un periodo; tuttavia, si assuma che, all'inizio del periodo t, la storia del gioco fino al periodo $t - 1$ sia osservata dal lavoratore che lavorerà nel periodo t. (Si pensi a questa conoscenza come se fosse tramandata dalle varie generazioni di lavoratori). Si supponga che l'impresa sconti il futuro sulla base del fattore δ per periodo. Si descrivano le strategie dell'impresa e di ogni lavoratore in un equilibrio di Nash perfetto nei sottogiochi del gioco con orizzonte infinito in cui, in equilibrio, ogni lavoratore applica lo sforzo producendo la quantità y, a condizione che il fattore di sconto sia sufficientemente elevato. Si dia una condizione necessaria e sufficiente affinché tale equilibrio esista.

Paragrafo 4

2.18. Che cos'è una strategia (in un gioco arbitrario)? Che cos'è un insieme informativo? Che cos'è un sottogioco (in un gioco arbitrario)?

2.19. Nella versione a tre periodi del modello di contrattazione di Rubinstein analizzato nel paragrafo 1.4 si è ricavato l'esito di *backwards induction*. Qual è l'equilibrio di Nash perfetto nei sottogiochi?

2.20. Nella versione con orizzonte infinito del modello di contrattazione di Rubinstein, si considerino le seguenti strategie. (Si rammenti la convenzione relativa alla notazione per cui l'offerta $(s, 1-s)$ significa che il giocatore 1 ottiene s e il giocatore 2 ottiene $1-s$, indipendentemente da chi ha fatto l'offerta). Sia $s^* = 1/(1-\delta)$. Il giocatore 1 offre sempre $(s^*, 1-s^*)$ ed accetta una offerta $(s, 1-s)$ solo se $s \geq \delta s^*$. Il giocatore 2 offre sempre $(1-s^*, s^*)$ e accetta una offerta $(s, 1-s)$ solo se $1-s \geq \delta s^*$. Si mostri che queste strategie sono un equilibrio di Nash. Si mostri che tale equilibrio è perfetto nei sottogiochi.

2.21. Si diano le rappresentazioni in forma estesa ed in forma normale del gioco della granata descritto nel paragrafo 1. Quali sono gli equilibri di Nash in strategie pure? Qual è l'esito di *backwards induction*? Qual è l'equilibrio di Nash perfetto nei sottogiochi?

2.22. Si diano le rappresentazioni in forma estesa ed in forma normale del gioco della corsa agli sportelli discusso nel paragrafo 2.2. Quali sono gli equilibri di Nash perfetti nei sottogiochi in strategie pure?

2.23. Un acquirente e un venditore intendono scambiare. Prima di effettuare lo scambio, l'acquirente può effettuare un investimento che aumenta il valore che egli attribuisce all'oggetto che viene scambiato. Questo investimento non può essere osservato dal venditore e non influenza il valore che il venditore attribuisce all'oggetto che, per semplicità, normalizziamo e supponiamo pari a zero. (Come esempio, si pensi ad una impresa che acquisti un'altra impresa. A volte prima della fusione l'acquirente potrebbe prendere delle iniziative per cambiare i prodotti che ha in programma di produrre in modo che dopo la fusione si combinino ai prodotti dell'impresa acquistata. Se lo sviluppo di un prodotto richiede tempo e il ciclo di vita dei prodotti è breve, dopo la fusione l'acquirente non ha tempo sufficiente per effettuare questo investimento). Il valore iniziale dell'oggetto per l'acquirente è $v > 0$; un investimento pari a I aumenta il valore per il compratore ad un livello $v + I$, ma costa I^2. La successione temporale del gioco è la seguente: inizialmente l'acquirente sceglie un livello di investimento I e sostiene il costo I^2. Poi il venditore, che non osserva I, propone di vendere l'oggetto al prezzo p. Infine, l'acquirente accetta o rifiuta l'offerta del venditore: se l'acquirente accetta allora il payoff dell'acquirente è $v + I - p - I^2$ e quello del venditore è p; se l'acquirente rifiuta i payoff sono rispettivamente $-I^2$ e zero. Si mostri che questo gioco non ha nessun equilibrio di Nash perfetto nei sottogiochi in strategie pure. Per questo gioco, si ricavino quegli equilibri di Nash perfetti nei sottogiochi in strategie miste in cui la strategia mista dell'acquirente assegna una probabilità positiva soltanto a due livelli di investimento e la strategia mista del venditore assegna probabilità positive soltanto a due prezzi.

6. Indicazioni bibliografiche per ulteriori approfondimenti

Paragrafo 1. Su salari e occupazione in imprese in cui è presente il sindacato si veda Espinosa e Rhee [1989; problema 2.10], per un modello di contrattazioni ripetute, e Staiger [1991] per un modello con una singola negoziazione in cui l'impresa può scegliere se contrattare salari e occupazione oppure soltanto i salari. Sulla contrattazione sequenziale si veda Fernandez e Glazer [1991] che contiene un modello alla Rubinstein di contrattazione tra una impresa e un sindacato, con la caratteristica ulteriore che il sindacato può decidere di scioperare nel caso in cui venga rifiutata un'offerta. Pur essendo un caso con informazione completa, in questo modello vi sono numerosi equilibri perfetti nei sottogiochi efficienti i quali, a loro volta, sostengono equilibri perfetti nei sottogiochi inefficienti (cioè equilibri che comportano scioperi). Il libro di Osborn e Rubinstein [1990] passa in rassegna molti modelli di contrattazione formalizzati in termini di teoria dei giochi, li mette a confronto con l'approccio assiomatico alla contrattazione di Nash e utilizza i modelli di contrattazione come un fondamento per la teoria dei mercati.

Paragrafo 2. Sulla corsa agli sportelli si veda Jacklin e Bhattacharya [1988]. Il libro di McMillan [1986] passa in rassegna le prime applicazioni di teoria dei giochi alla economia internazionale; si veda Bulow e Rogoff [1989] per ricerche più recenti sul debito sovrano. Sui tornei si veda Lazear [1989; problema 2.8] per un modello in cui i lavoratori possono sia aumentare la propria produzione sia sabotare quella degli altri; inoltre, si veda Rosen [1986] per quanto riguarda i premi necessari per mantenere gli incentivi in una successione di tornei in cui i perdenti di un turno non partecipano a quello successivo.

Paragrafo 3. Benoit e Krishna [1985] analizzano i giochi ripetuti un numero finito di volte. Sulla rinegoziazione si veda Benoit e Krishna [1989], per quanto riguarda i giochi ripetuti un numero finito di volte, e Farrell e Maskin [1989] per i giochi ripetuti infinitamente e per una rassegna della letteratura. Tirole [1988, capitolo 6] passa in rassegna i modelli dinamici di oligopolio. Il libro di Akerlof e Yellen [1986] raccoglie gran parte degli articoli più importanti sui salari di efficienza e presenta una introduzione integrativa. Sulla politica monetaria si veda Ball [1990] che contiene un riassunto dei fatti stilizzati, una rassegna dei modelli esistenti e un modello che spiega il sentiero temporale dell'inflazione.

Paragrafo 4. Si veda Kreps e Wilson [1982] per una trattazione formale dei giochi in forma estesa e Kreps [1990, capitolo 11] per un resoconto più discorsivo.

Giochi statici con informazione incompleta

Capitolo 3

Con questo capitolo cominciamo l'analisi dei giochi con *informazione incompleta* detti anche *giochi bayesiani*. Come si è già detto, in un gioco con informazione completa le funzioni dei payoff dei giocatori sono conoscenza comune. Diversamente, in un gioco con informazione incompleta almeno un giocatore è incerto sulla funzione dei payoff di un'altro giocatore. Un esempio comune di un gioco statico con informazione incompleta è l'asta con offerta in busta sigillata: ogni offerente conosce la propria valutazione del bene in vendita, ma non conosce la valutazione degli altri; le offerte vengono effettuate in buste sigillate, perciò le mosse dei giocatori possono essere considerate come simultanee. Tuttavia, gran parte dei giochi bayesiani interessanti da un punto vista economico sono giochi dinamici. Come vedremo nel capitolo 4, è naturale che l'esistenza di informazione privata conduca a tentativi, da parte dei soggetti informati, di comunicare (o fornire informazioni fuorvianti) e a tentativi da parte di soggetti non informati di apprendere l'informazione e di rispondere. Questi sono problemi intrinsecamente dinamici.

Nel paragrafo 1 definiamo la rappresentazione in forma normale di un gioco statico bayesiano e l'equilibrio di Nash bayesiano per questa classe di giochi. Poiché tali definizioni sono astratte e un po' complesse, introdurremo le principali idee con un semplice esempio di concorrenza alla Cournot con informazione asimmetrica.

Nel paragrafo 2 consideriamo tre applicazioni. In primo luogo, presentiamo una discussione formale dell'interpretazione di strategia mista data nel capitolo 1: la strategia mista del giocatore j rappresenta l'incertezza del giocatore i sulla scelta della strategia pura da parte del giocatore j, e, inoltre, la scelta di j dipende dalla realizzazione di una piccola quantità di informazione privata. In secondo luogo, analizziamo un'asta con offerte in buste sigillate, in cui le valutazioni degli offerenti sono informazione privata, ma la valutazione del venditore è nota. Infine, consideriamo un caso in cui un venditore ed un acquirente hanno informazione privata riguardo alle proprie valutazioni (come nel caso di un'impresa che conosca il prodotto marginale del lavoratore e di un lavoratore che conosca le proprie opportunità di guadagno all'esterno.) Analizziamo un gioco di scambio detto asta bilaterale (*double auction*): il venditore annuncia il prezzo domandato mentre l'acquirente annuncia simultaneamente il prezzo offerto; se il secondo supera il primo, lo scambio ha luogo ad un prezzo pari alla media dei due prezzi annunciati.

Nel paragrafo 3 presentiamo e dimostriamo il *principio di rivelazione*; inoltre, daremo qualche breve suggerimento su come applicare tale principio per progettare giochi in cui i giocatori hanno informazione privata.

1. Teoria: giochi statici bayesiani ed equilibrio di Nash bayesiano

1.1. Un esempio: concorrenza alla Cournot in condizioni di informazione asimmetrica

Si consideri un modello di duopolio alla Cournot in cui la domanda inversa di mercato è data da $P(Q) = a - Q$, dove $Q = q_1 + q_2$ è la quantità aggregata offerta sul mercato. La funzione di costo dell'impresa 1 è $C_1(q_1) = cq_1$, mentre quella dell'impresa 2 è la seguente: $C_2(q_2) = c_H q_2$, con probabilità θ, e $C_2(q_2) = c_L q_2$, con probabilità $1 - \theta$, con $c_L < c_H$. Inoltre, l'informazione è asimmetrica: l'impresa 2 conosce la propria funzione di costo e quella dell'impresa 1, mentre l'impresa 1 conosce la propria funzione di costo e sa soltanto che il costo marginale dell'impresa 2 è c_H, con probabilità θ, e c_L, con probabilità $1 - \theta$. (L'impresa 2 potrebbe essere un nuovo entrante per l'industria o potrebbe aver inventato una nuova tecnologia). Tutto ciò è conoscenza comune: l'impresa 1 sa che la 2 ha una maggiore informazione, l'impresa 2 sa che l'impresa 1 è al corrente di ciò, e così via.

È naturale che l'impresa 2 scelga un quantità diversa (e presumibilmente più bassa) a seconda che il costo marginale sia alto oppure basso. Dall'altro lato, l'impresa 1 dovrebbe attendersi che l'impresa 2 deciderà la quantità prodotta in relazione ai propri costi nel modo sopra accennato. Si indichino con $q_2^*(c_H)$ e $q_2^*(c_L)$ le quantità scelte dall'impresa 2 in funzione dei propri costi e si indichi con q_1^* la singola quantità scelta dall'impresa 1. Se il costo dell'impresa 2 è alto, essa sceglierà la quantità $q_2^*(c_H)$ che risolve il problema

$$\max_{q_2} \; [(a - q_1^* - q_2) - c_H]q_2.$$

Analogamente, se il costo dell'impresa 2 è basso, la quantità $q_2^*(c_L)$ si ricava dalla soluzione del problema

$$\max_{q_2} \; [(a - q_1^* - q_2) - c_L]q_2.$$

Infine, l'impresa 1 sa che il costo dell'impresa 2 è alto con probabilità θ e inoltre, essa dovrebbe essere in grado di prevedere che la quantità scelta dall'impresa 2 sarà $q_2^*(c_H)$ oppure $q_2^*(c_L)$ a seconda di quale sarà il costo dell'impresa 2. Quindi, la scelta di q_1^* da parte dell'impresa 1 si ottiene dalla soluzione del problema

$$\max_{q_1} \; \theta[(a - q_1 - q_2^*(c_H)) - c]q_1 + (1 - \theta) \; [(a - q_1 - q_2^*(c_L)) - c]q_1,$$

cioè si ottiene dalla massimizzazione dei profitti attesi.

Le condizioni del primo ordine per questi tre problemi di ottimizzazione sono:

$$q_2^*(c_H) = \frac{a - q_1^* - c_H}{2},$$

$$q_2^*(c_L) = \frac{a - q_1^* - c_L}{2}$$

e

$$q_1^* = \frac{\theta[(a - q_2^*(c_H)) - c] + (1 - \theta) \; [(a - q_2^*(c_L)) - c]}{2}.$$

Si assuma che queste condizioni del primo ordine caratterizzino le soluzioni dei precedenti problemi di ottimizzazione. (Nel problema 1.6 abbiamo visto che, in un duopolio di Cournot con informazione completa, se i costi delle imprese sono sufficientemente diversi tra loro, in equilibrio, l'impresa con il costo più alto non produce nulla. Come esercizio, si trovi una condizione sufficiente per impedire che un problema analogo si presenti qui). Le soluzioni delle tre condizioni del primo ordine sono:

$$q_2^*(c_H) = \frac{a - 2c_H + c}{3} + \frac{1 - \theta}{6}(c_H - c_L),$$

$$q_2^*(c_L) = \frac{a - 2c_L + c}{3} - \frac{\theta}{6}(c_H - c_L)$$

e

$$q_1^* = \frac{a - 2c + \theta c_H + (1 - \theta)c_L}{3}.$$

Si confrontino $q_2^*(c_H)$, $q_2^*(c_L)$ e q_1^* con l'equilibrio di Cournot in condizioni di informazione *completa* con costi c_1 e c_2. Assumendo che i valori di c_1 e c_2 siano tali che le quantità di equilibrio di entrambe le imprese siano positive, nel caso con informazione completa l'impresa i produrrà $q_i^* = (a - 2c_i + c_j)/3$. Nel caso con informazione incompleta, invece, $q_2^*(c_H)$ è maggiore di $(a - 2c_H + c)/3$ e $q_2^*(c_L)$ è minore di $(a - 2c_L + c)/3$. Ciò si verifica non solo perché l'impresa 2 adatta la quantità ai propri costi, ma anche perché essa tiene conto del fatto che l'impresa 1 non può farlo. Per esempio, se il costo dell'impresa 2 è alto, essa produrrà di meno a causa dell'alto costo; tuttavia, dall'altro lato essa produrrà di più perché sa che l'impresa 1 produrrà la quantità che massimizza i propri profitti attesi, la quale è inferiore alla quantità che l'impresa 1 produrrebbe se sapesse che il costo dell'impresa 2 è alto. (Una caratteristica ingannevole di questo esempio è che q_1^* è esattamente uguale al valore atteso delle quantità di Cournot che l'impresa 1 produrrebbe nei due giochi con informazione completa corrispondenti. Questo solitamente non è vero; ad esempio, si consideri il caso in cui il costo totale dell'impresa i sia $c_i q_i^2$).

1.2. Rappresentazione in forma normale dei giochi statici bayesiani

In precedenza abbiamo visto che la rappresentazione in forma normale di un gioco ad informazione *completa* con n giocatori è $G = \{S_1, ..., S_n; u_1, ..., u_n\}$, dove S_i è lo spazio delle strategie del giocatore i e $u_i(s_1, ..., s_n)$ è il payoff del giocatore i quando i giocatori scelgono le strategie $(s_1, ..., s_n)$. Inoltre, come si è discusso nel paragrafo 3.2 del capitolo 2, in un gioco ad informazione completa con mosse simultanee, la strategia di un giocatore è data semplicemente da un'azione, perciò possiamo scrivere $G = \{A_1, ..., A_n; u_1, ..., u_n\}$, dove A_i è lo spazio delle azioni del giocatore i e $u_i(a_1, ..., a_n)$ è il payoff del giocatore i quando i giocatori scelgono le azioni $(a_1, ..., a_n)$. Per introdurre la descrizione della struttura temporale di un gioco statico con informazione *incompleta*, cominciamo dalla seguente descrizione della struttura temporale di un gioco statico con informazione *completa*: 1) i giocatori scelgono simultaneamente le azioni (il giocatore i sceglie l'azione a_i dall'insieme ammissibile A_i) e successivamente 2) vengono ricevuti i payoff $u_i(a_1, ..., a_n)$.

Ora svilupperemo la rappresentazione in forma normale di un gioco ad informazione incompleta e con mosse simultanee, detto anche gioco statico bayesiano. Il primo problema da affrontare è quello di rappresentare l'idea che ogni giocatore conosca la propria funzione dei payoff ma che possa essere incerto sulle funzioni dei payoff degli altri giocatori. Indichiamo le possibili funzioni dei payoff del giocatore i con $u_i(a_1, \ldots, a_n; t_i)$, dove t_i è detto *tipo* del giocatore i ed appartiene ad un insieme di possibili tipi (o *spazio dei tipi*), T_i. Ad ogni tipo t_i corriponde una diversa funzione dei payoff che il giocatore i può assumere.

Come esempio astratto si supponga che il giocatore i abbia due possibili funzioni dei payoff. Diremo che il giocatore i ha due tipi, t_{i1} e t_{i2}, che lo spazio dei tipi del giocatore i è $T_i = \{t_{i1}, t_{i2}\}$ e che le due funzioni dei payoff del giocatore i sono $u_i(a_1, \ldots, a_n; t_{i1})$ e $u_i(a_1, \ldots, a_n; t_{i2})$. L'idea che ognuno dei tipi di un giocatore corrisponda ad una diversa funzione dei payoff può essere sfruttata per rappresentare la possibilità di attribuire ad un giocatore diversi insiemi di azioni ammissibili. Per esempio, si supponga che l'insieme delle azioni ammissibili del giocatore i sia $\{a, b\}$, con probabilità q, e $\{a, b, c\}$, con probabilità $1 - q$. Possiamo allora dire che i ha due tipi (t_{i1} e t_{i2}, e q è la probabilità di t_{i1}) e possiamo definire un unico insieme di azioni ammissibili per entrambi i tipi del giocatore i, $\{a, b, c\}$, e infine fissare il payoff del tipo t_{i1} pari a $-\infty$ in corrispondenza dell'azione c.

Come esempio più concreto si consideri il gioco di Cournot del paragrafo precedente. Le azioni a disposizione delle imprese sono le quantità da scegliere, q_1 e q_2. L'impresa 2 ha due possibili funzioni di costo e quindi due possibili funzioni dei profitti o dei payoff:

$$\pi_2(q_1, q_2; c_L) = [(a - q_1 - q_2) - c_L]q_2$$

e

$$\pi_2(q_1, q_2; c_H) = [(a - q_1 - q_2)c_H]q_2.$$

L'impresa 1 ha soltanto una possibile funzione dei payoff:

$$\pi_1(q_1, q_2; c) = [(a - q_1 - q_2)c]q_1.$$

Diremo che lo spazio dei tipi dell'impresa 2 è $T_2 = \{c_L, c_H\}$ e che lo spazio dei tipi dell'impresa 1 è $T_1 = \{c\}$.

Data questa definizione di tipo di giocatore, affermare che il giocatore i conosce la propria funzione dei payoff equivale a dire che il giocatore i conosce il proprio tipo. Analogamente, affermare che il giocatore i è incerto sulle funzioni dei payoff degli altri giocatori equivale a dire che il giocatore i è incerto sui tipi degli altri giocatori indicati con $t_{-i} = (t_1, \ldots, t_{i-1}, t_{i+1}, \ldots, t_n)$. Con T_{-i} indichiamo l'insieme di tutti i possibili valori di t_{-i} e utilizziamo la distribuzione di probabilità $p_i(t_{-i} \mid t_i)$ per indicare le credenze (*belief*) del giocatore i relativi ai tipi degli altri giocatori, t_{-i}, data la conoscenza del giocatore i del proprio tipo, t_i. Nelle applicazioni che studieremo nel paragrafo 2 (e nella maggior parte della letteratura) i tipi dei giocatori sono indipendenti; in tal caso $p_i(t_{-i}|t_i)$ non dipende da t_i e possiamo indicare con $p_i t_{-1}$ le credenze del giocatore i. Tuttavia, poiché vi sono situazioni in cui i tipi dei giocatori sono correlati, nella definizione di gioco statico bayesiano scriveremo le credenze del giocatore i nel modo $p_i(t_{-i}|t_i)$[1].

Mettendo assieme i nuovi concetti di tipo e di credenze con gli elementi ormai familiari della rappresentazione in forma normale di un gioco statico con informazione completa, ricaviamo la rappresentazione in forma normale di un gioco statico bayesiano.

DEFINIZIONE. La *rappresentazione in forma normale* di un gioco statico bayesiano con n giocatori specifica gli spazi delle azioni dei giocatori, $A_1, ..., A_n$, i rispettivi spazi dei tipi, $T_1, ..., T_n$, le rispettive credenze, $p_1, ..., p_n$ e le funzioni dei payoff, $u_1, ..., u_n$. Il *tipo* del giocatore i è informazione privata del (noto soltanto al) giocatore i ed appartiene all'insieme dei possibili tipi, T_i; esso determina la funzione dei payoff del giocatore i, $u_i(a_1, ..., a_n|t_i)$. La *credenza* (*belief*) $p_i(t_{-i}|t_i)$ descrive l'incertezza di i relativa ai possibili tipi degli altri $n-1$ giocatori, t_{-i}, dato il tipo del giocatore i, t_i. Questo gioco è indicato con $G = \{A_1, ..., A_n; T_1, ..., T_n; p_1, ..., p_n; u_1, ..., u_n\}$.

Come in Harsanyi [1967] assumeremo che la struttura temporale di un gioco statico bayesiano sia la seguente: 1) la natura estrae a sorte un vettore dei tipi $t = (t_1, ..., t_n)$, dove t_i è estratto da un insieme di possibili tipi T_i; 2) la natura rivela t_i al giocatore i e a nessun altro giocatore; 3) i giocatori scelgono simultaneamente le azioni, il giocatore i sceglie l'azione a_i dall'insieme ammissibile A_i; infine 4) si ricevono i payoff $u_i(a_1, ..., a_n; t_i)$. Introducendo le mosse fittizie della natura negli stadi 1) e 2) abbiamo descritto un gioco con informazione *incompleta* come se fosse un gioco con informazione *imperfetta*; ovviamente, con informazione imperfetta si intende (come nel capitolo 2) che, in corrispondenza di qualche mossa del gioco, il giocatore a cui spetta la mossa non conosce la storia completa del gioco fino a quel momento. In questo caso, poiché nello stadio 2) la natura

[1] Si immagini che due imprese siano in competizione nello sviluppo di una nuova tecnologia. Le possibilità di riuscita di ogni impresa dipendono, in parte, dalle difficoltà insite nello sviluppo della tecnologia, le quali non sono note. Ogni impresa è in grado di sapere soltanto se essa ha avuto successo, ma non se anche le altre hanno conseguito il risultato. Tuttavia, se l'impresa 1 ha avuto successo allora è più probabile che la tecnologia sia facile da sviluppare e, quindi, è più probabile che anche l'impresa 2 sia riuscita nel proprio intento. Pertanto, le credenze dell'impresa 1 relative al tipo dell'impresa 2 dipendono dalla conoscenza da parte dell'impresa 1 del proprio tipo.

rivela il tipo del giocatore i al giocatore i ma non al giocatore j, quando le azioni sono scelte nello stadio 3), il giocatore j non conosce la storia completa del gioco.

Per completare la nostra discussione sulle rappresentazioni in forma normale dei giochi statici bayesiani, è necessario coprire altri due punti di natura più tecnica. In primo luogo, vi sono giochi in cui il giocatore i ha informazione privata non solo sulla propria funzione dei payoff, ma anche sulla funzione dei payoff di un altro giocatore. Nel problema 2, ad esempio, il modello di Cournot con informazione asimmetrica del paragrafo 1.1 è stato modificato in modo che i costi siano simmetrici e siano conoscenza comune, tuttavia, un'impresa conosce il livello della domanda mentre l'altra no. Poiché il livello della domanda influenza le funzioni dei payoff di entrambi i giocatori, il tipo dell'impresa informata entra nella funzione dei payoff dell'impresa non informata. Nel caso con n giocatori teniamo conto di questa possibilità consentendo che il payoff del giocatore i dipenda, non solo dalle azioni $(a_1, ..., a_n)$, ma anche da tutti i tipi $(t_1, ..., t_n)$. I payoff sono indicati nel modo seguente, $u_i(a_1, ..., a_n; t_1, ..., t_n)$.

Il secondo punto di natura tecnica riguarda le credenze, $p_i(t_{-i}|t_i)$. Assumeremo che sia conoscenza comune che, nello stadio 1) della successione temporale di un gioco statico bayesiano, la natura estragga a sorte un vettore di tipi $t = (t_1, ..., t_n)$ sulla base della distribuzione di probabilità a priori $p(t)$. Quando la natura rivela t_i al giocatore i, egli è in grado di calcolare le credenze $p_i(t_{-i}|t_i)$ utilizzando la regola di Bayes[2]:

$$p_i(t_{-i}|t_i) = \frac{p(t_{-i}, t_i)}{p(t_i)} = \frac{p(t_{-i}, t_i)}{\sum_{t_{-i} \in T_{-i}} p(t_{-i}, t_i)},$$

Inoltre, gli altri giocatori sono in grado di calcolare le credenze del giocatore i, le quali dipendono dal tipo di i, cioè $p_i(t_{-i}|t_i)$ per ogni $t_i \in T_i$. Come si è già osservato, spesso assumeremo che i tipi dei giocatori siano indipendenti; in tal caso, $p_i(t_{-i})$ non dipenderà da t_i, ma sarà derivato dalla distribuzione a priori $p(t)$. In questo caso gli altri giocatori conoscono le credenze di i sui loro tipi.

[2] La regola di Bayes fornisce una formula per $P(A|B)$, la probabilità (condizionale) che un evento A si verifichi dato che un evento B si è già manifestato. Siano $P(A)$, $P(B)$ e $P(A, B)$ le probabilità (a priori) (cioè le probabilità prima che A oppure B abbiano avuto l'opportunità di manifestarsi), rispettivamente, che A si verifichi, che B si verifichi, e che sia A che B si verifichino. La regola di Bayes stabilisce che $P(A|B) = P(A, B)/P(B)$. Cioè, la probabilità condizionale di A dato B è uguale alla probabilità che sia A che B si verifichino, diviso per la probabilità a priori che B si verifichi.

1.3. Definizione di equilibrio di Nash bayesiano

In questo paragrafo definiremo un concetto di equilibrio per giochi statici bayesiani. Innanzitutto, occorre definire gli spazi delle strategie dei giocatori per questa particolare classe di giochi. Nei paragrafi 3.2 e 4.2 del capitolo 2 abbiamo visto che la strategia di un giocatore è un piano d'azione completo che specifica un'azione ammissibile per ogni circostanza in cui il giocatore può essere chiamato ad agire. Data la struttura temporale di un gioco statico bayesiano, secondo la quale la natura comincia il gioco estraendo i tipi dei giocatori, una strategia (pura) del giocatore i deve specificare una azione ammissibile per *ognuno* dei possibili tipi del giocatore i.

DEFINIZIONE. Nel gioco statico bayesiano $G = \{A_1, ..., A_n; T_1, ..., T_n; p_1, ..., p_n; u_1, ..., u_n\}$, una *strategia* del giocatore i è una funzione $s_i(t_i)$, la quale, per ogni t_i in T_i, specifica l'azione appartenente all'insieme ammissibile A_i che il tipo t_i sceglierebbe qualora venisse estratto dalla natura.

A differenza di quanto accade per i giochi con informazione completa (sia statici che dinamici), nei giochi bayesiani gli spazi delle strategie non sono dati nella rappresentazione in forma normale del gioco. Al contrario, in un gioco statico bayesiano gli spazi delle strategie sono costruiti a partire dagli spazi dei tipi e delle azioni: l'insieme delle possibili strategie (pure) del giocatore i, S_i, è l'insieme di tutte le funzioni con dominio T_i e a valori in A_i. Per esempio, in una strategia *separating* ogni tipo t_i in T_i sceglie una diversa azione a_i in A_i. In una strategia *pooling*, invece, tutti i tipi scelgono la stessa azione. Questa distinzione tra strategie *separating* e *pooling* sarà di estrema importanza nella discussione del capitolo 4 sui giochi dinamici con informazione incompleta ed è stata introdotta in questo punto perché facilita la descrizione della grande varietà di strategie che possono essere costruite a partire da una data coppia di spazi dei tipi e delle azioni, T_i e A_i.

Può sembrare superfluo richiedere che la strategia del giocatore i specifichi un'azione ammissibile per ciascuno dei suoi possibili tipi. Dopo tutto, una volta che la natura ha estratto e rivelato il tipo al giocatore, può sembrare che il giocatore non sia interessato alle azioni che avrebbe scelto se la natura avesse estratto un tipo diverso. Tuttavia, al giocatore i interessa cosa faranno gli altri giocatori, ma ciò che essi faranno dipende da ciò che essi pensano che il giocatore i farà, per ogni t_i in T_i. Perciò, nel decidere cosa fare una volta che il tipo è stato già estratto, il giocatore i dovrà pensare a ciò che egli avrebbe fatto se ognuno degli altri tipi in T_i fosse stato estratto.

Si consideri, ad esempio, il gioco di Cournot con informazione asimmetrica del paragrafo 1.1. Abbiamo sostenuto che la soluzione del gioco è costituita dalla scelta di tre quantità: $q_2^*(c_H)$, $q_2^*(c_L)$ e q_1^*. In base alla definizione di strategia appena data, la coppia $(q_2^*(c_H), q_2^*(c_L))$ è la strategia dell'impresa 2, mentre q_1^* è la strategia dell'impresa 1. È naturale immaginare che l'impresa 2 sceglierà quantità differenti a seconda di quali saranno i propri costi. Tuttavia, è ugualmente importante osservare che la scelta della singola quantità da parte dell'impresa 1 terrà conto del fatto che la quantità dell'impresa 2 dipenderà dai costi. Perciò, se il concetto di equilibrio richiede che la strategia dell'impresa 1 sia una risposta ottima alla strategia dell'impresa 2, allora la strategia dell'impresa 2 deve essere una *coppia* di quantità, una per ogni possibile tipo di costo, altrimenti l'impresa 1 non potrebbe calcolare se la propria strategia è in effetti una risposta ottima a quella dell'impresa 2.

Più in generale, se ammettessimo la possibilità che la strategia di un giocatore non specifichi cosa farebbe il giocatore se un qualche tipo fosse estratto dalla natura, non saremmo in grado di applicare la nozione di equilibrio di Nash ai giochi bayesiani. Un ragionamento analogo è stato descritto nel capitolo 2: poteva sembrare superfluo richiedere che, in un gioco dinamico con informazione completa, la strategia del giocatore i specifichi un'azione ammissibile per ogni circostanza in cui il giocatore può essere chiamato ad agire; tuttavia, se avessimo consentito che la strategia di un giocatore possa lasciare non specificate le azioni del giocatore in alcune circostanze, non avremmo potuto applicare la nozione di equilibrio di Nash ai giochi dinamici con informazione completa.

Data la definizione di strategia per i giochi bayesiani, possiamo tornare alla definizione di equilibrio di Nash bayesiano. Nonostante la complessità della definizione, dal punto di vista della notazione, l'idea centrale è semplice e ormai familiare al lettore: la strategia di ogni giocatore deve essere una risposta ottima alle strategie degli altri giocatori. In altri termini, un equilibrio di Nash bayesiano non è altro che un equilibrio di Nash di un gioco bayesiano.

DEFINIZIONE. Nel gioco statico bayesiano, $G = \{A_1, \ldots, A_n; T_1, \ldots, T_n; p_1, \ldots, p_n; u_1, \ldots, u_n\}$, il vettore di strategie $s^* = (s_1^*, \ldots, s_n^*)$ è un *equilibrio di Nash bayesiano* (in strategie pure) se, per ogni giocatore i e ogni tipo di i, t_i in T_i, $s_i^*(t_i)$ risolve il problema

$$\max_{a_i \in A_i} \sum_{t_{-i} \in T_{-i}} u_i(s_1^*(t_1), \ldots, s_{i-1}^*(t_{i-1}),$$

$$a_i, s_{i+1}^*(t_{i+1}), \ldots, s_n^*(t_n); t)\, p_i(t_{-i} | t_i).$$

Cioè, nessun giocatore è disposto a cambiare la propria strategia nemmeno se tale cambiamento riguardasse una sola azione da parte di un tipo.

È immediato mostrare che in un gioco statico bayesiano finito (cioè, un gioco in cui n è finito e $(A_1, ..., A_n)$ e $(T_1, ..., T_n)$ sono tutti insiemi finiti) esiste un equilibrio di Nash bayesiano, eventualmente in strategie miste. Omettiamo la dimostrazione in quanto è del tutto analoga a quella dell'esistenza dell'equilibrio di Nash in strategie miste per giochi finiti con informazione completa.

2. Applicazioni

2.1. Una riconsiderazione delle strategie miste

Come si è accennato nel paragrafo 3.1 del capitolo 1, Harsanyi [1973] ha suggerito che la strategia mista del giocatore j rappresenti l'incertezza del giocatore i relativa alla scelta di una strategia pura da parte di j e che, a sua volta, la scelta del giocatore j dipenda dalla realizzazione di un piccolo margine di informazione privata. Ora, siamo in grado di presentare una formulazione più precisa di questa idea: un equilibrio di Nash in strategie miste di un gioco con informazione completa può essere (quasi sempre) interpretato come un equilibrio di Nash bayesiano in strategie pure di un gioco simile in cui è presente un piccolo margine di informazione incompleta. (Ignoreremo i rari casi in cui questa interpretazione non è possibile). In modo più suggestivo si può dire che la caratteristica cruciale di un equilibrio di Nash in strategie miste non è che il giocatore j scelga una strategia in modo casuale, ma piuttosto che il giocatore i sia incerto circa la scelta del giocatore j; questa incertezza può essere dovuta in parte al caso oppure (più plausibilmente) alla presenza, in qualche misura, di informazione incompleta, come nell'esempio seguente.

In precedenza abbiamo visto che nella battaglia dei sessi vi sono due equilibri di Nash in strategie pure, (Opera, Opera) e (Lotta, Lotta), e un equilibrio di Nash in strategie miste in cui Chris gioca «Opera» con probabilità 2/3 e Pat gioca «Lotta» con probabilità 2/3.

		Pat: Opera	Pat: Lotta
Chris	Opera	2, 1	0, 0
	Lotta	0, 0	1, 2

La battaglia dei sessi

Ora supponiamo che, sebbene si conoscano da diverso tempo, sia Chris che Pat non siano del tutto sicuri l'uno dei payoff dell'altro. In particolare, si supponga che: se entrambi vanno all'Opera il payoff di Chris è $2 + t_c$, dove t_c è informazione privata di Chris. Se entrambi vanno all'incontro di lotta il payoff di Pat è $2 + t_p$, dove t_p è informazione privata di Pat; inoltre, t_c e t_p sono estratti in modo indipendente da una distribuzione uniforme su $[0, x]$. (La scelta di una distribuzione uniforme su $[0, x]$ non è importante; ciò che abbiamo in mente è che i valori di t_c e di t_p perturbino soltanto lievemente i payoff del gioco originario, perciò si pensi a x come a un valore abbastanza piccolo). Tutti gli altri payoff sono gli stessi. In termini del gioco statico bayesiano astratto in forma normale, $G = \{A_c, A_p; T_c, T_p; p_c, p_p; u_c, u_p\}$, gli spazi delle azioni sono $A_c = A_p = \{\text{Opera, Lotta}\}$, gli spazi dei tipi sono $T_c = T_p = [0, x]$, le credenze sono $p_c(t_p) = p_p(t_c) = 1/x$ per tutti i t_c e t_p, e i payoff sono i seguenti.

		Pat	
		Opera	Lotta
Chris	Opera	$2 + t_c$, 1	0, 0
	Lotta	0, 0	1, $2 + t_p$

La battaglia dei sessi con informazione incompleta

Ora costruiremo un equilibrio di Nash bayesiano in strategie pure di questa versione con informazione incompleta della battaglia dei sessi in cui, Chris gioca «Opera» se t_c supera un valore critico, c, e gioca «Lotta» in ogni altro caso, mentre Pat gioca «Lotta» se t_p supera un valore critico, p, e gioca «Opera» in ogni altro caso. In questo equilibrio, Chris gioca «Opera» con probabilità $(x - c)/x$ e Pat gioca «Lotta» con probabilità $(x - p)/x$. Mostreremo che man mano che l'informazione incompleta tende a scomparire (cioè, al tendere di x a zero), il comportamento dei giocatori in questo equilibrio di Nash bayesiano in strategie pure si avvicina al comportamento che si avrebbe nell'equilibrio di Nash in strategie miste del gioco originario con informazione completa; cioè, sia $(x - c)/x$ che $(x - p)/x$ tendono a 2/3 al tendere di x a zero.

Supponiamo che Chris e Pat giochino le strategie appena descritte. Dato un valore di x, determineremo i valori di c e p in corrispondenza dei quali queste strategie costituiscono un equilibrio di Nash bayesiano. Data la strategia di Pat, i payoff attesi di Chris giocando «Opera» e giocando «Lotta» sono, rispettivamente,

$$\frac{p}{x}(2+t_c)+\left[1-\frac{p}{x}\right]\cdot 0=\frac{p}{x}(2+t_c)$$

e

$$\frac{p}{x}\cdot 0+\left[1-\frac{p}{x}\right]\cdot 1=1-\frac{p}{x}.$$

Perciò, giocare «Opera» è una strategia ottima se e solo se

$$t_c \geq \frac{x}{p}-3=c. \tag{3.1}$$

Analogamente, data la strategia di Chris, i payoff attesi di Pat giocando «Lotta» e giocando «Opera» sono, rispettivamente,

$$\left[1-\frac{c}{x}\right]\cdot 0+\frac{c}{x}(2+t_p)=\frac{c}{x}(2+t_p)$$

e

$$\left[1-\frac{c}{x}\right]\cdot 1+\frac{c}{x}\cdot 0=1-\frac{c}{x}.$$

Perciò, giocare «Lotta» è una strategia ottima se e solo se

$$t_p \geq \frac{x}{c}-3=p. \tag{3.2}$$

Risolvendo simultaneamente la [3.1] e la [3.2] si ottiene $p = c$ e $p^2 + 3p - x = 0$. La soluzione dell'equazione di secondo grado mostra che, sia la probabilità che Chris giochi «Opera», cioè $(x - c)/x$, che la probabilità che Pat giochi «Lotta», cioè $(x - p)/x$, sono pari a

$$1-\frac{-3+\sqrt{9+4x}}{2x},$$

che tende a 2/3 al tendere di x a zero. Perciò, quando l'informazione incompleta tende a scomparire, il comportamento dei giocatori in questo equilibrio di Nash bayesiano in strategie pure del gioco con informazione incompleta si approssima al comportamento dei giocatori nell'equilibrio di Nash in strategie miste del gioco originario con informazione completa.

2.2. Un'asta

Si consideri una vendita all'asta al miglior offerente, con offerta in busta sigillata e due offerenti, indicati con $i = 1, 2$. L'offerente i

attribuisce alla merce la valutazione v_i, cioè se l'offerente i si aggiudica la merce e paga il prezzo p, il payoff di i è $v_i - p$. Le valutazioni dei due offerenti sono distribuite indipendentemente e in modo uniforme sull'intervallo [0, 1]. Le offerte non possono essere negative e devono essere effettuate simultaneamente dai due offerenti. Il giocatore che ha effettuato l'offerta più alta si aggiudica la merce e paga il prezzo che ha offerto. L'altro offerente non riceve e non paga nulla. In caso di parità, l'offerente che si aggiudica la merce viene determinato sulla base del lancio di una moneta. Gli offerenti sono neutrali al rischio e l'intera descrizione di questo gioco è conoscenza comune.

Per poter formulare questo problema in termini di un gioco statico bayesiano, dobbiamo identificare gli spazi delle azioni, gli spazi dei tipi, le credenze e le funzioni dei payoff. L'azione del giocatore i consiste nell'effettuare un'offerta (non negativa), b_i, e il suo tipo è dato dalla valutazione v_i. (In termini del gioco astratto $G = \{A_1, A_2; T_1, T_2; p_1, p_2; u_1, u_2\}$, lo spazio delle azioni è $A_i = [0, \infty)$ e lo spazio dei tipi è $T_i = [0, 1]$). Poiché le valutazioni sono indipendenti, la credenza del giocatore i è che v_j sia distribuito in modo uniforme su [0, 1], indipendentemente dal valore che assume v_i. Infine, la funzione dei payoff del giocatore i è

$$u_i(b_1, b_2; v_1, v_2) = \begin{cases} v_i - b_i & \text{se } b_i > b_j, \\ (v_i - b_i)/2 & \text{se } b_i = b_j, \\ 0 & \text{se } b_i < b_j. \end{cases}$$

Per derivare un equilibrio di Nash bayesiano del gioco, partiamo dalla costruzione degli spazi delle strategie dei giocatori, tenendo presente che, in un gioco statico bayesiano, una strategia è una funzione che va dai tipi alle azioni. Una strategia del giocatore i è una funzione $b_i(v_i)$ che specifica l'offerta che ognuno dei tipi (cioè, le valutazioni) di i sceglierebbe. In un equilibrio di Nash bayesiano, la strategia del giocatore 1, $b_1(v_1)$, è una risposta ottima alla strategia del giocatore 2, $b_2(v_2)$, e viceversa. Formalmente, la coppia di strategie $(b_1(v_1), b_2(v_2))$ è un equilibrio di Nash bayesiano se, per ogni v_i in [0, 1], $b_i(v_i)$ risolve il problema

$$\max_{b_i} \ (v_i - b_i) \operatorname{Prob}\{b_i > b_j(v_j)\} + \frac{1}{2}(v_i - b_i) \operatorname{Prob}\{b_i = b_j(v_j)\}.$$

Per semplificare l'esposizione procediamo alla ricerca di un equilibrio in forma lineare: $b_1(v_1) = a_1 + c_1 v_1$ e $b_2(v_2) = a_2 + c_2 v_2$. Si noti bene che *non* stiamo restringendo gli spazi delle strategie dei giocatori alle sole strategie lineari; stiamo ammettendo che i giocatori possano scegliere strategie arbitrarie e ci chiediamo se, tuttavia, vi sia un equilibrio in forma lineare. In effetti, poiché le valutazioni sono distribuite in modo uniforme, non solo esiste un equilibrio lineare, ma esso è anche unico (in un senso che sarà precisato più oltre). Troveremo che $b_i(v_i) = v_i/2$, cioè, ogni giocatore effettua un'offerta pari alla metà della propria valutazione. Una tale offerta riflette il tipico trade-off a cui si trova di fronte l'offerente in un'asta: più alta è l'offerta e maggiore è la probabilità che l'offerente vinca l'asta; più bassa è l'offerta e maggiore è il guadagno nel caso in cui l'offerente vinca.

Si supponga che il giocatore j adotti la strategia $b_j(v_j) = a_j + c_j v_j$. Per un dato valore di v_i, la risposta ottima del giocatore i risolve il problema

$$\max_{b_i} \; (v_i - b_i)\, \text{Prob}\{b_i > a_j + c_j v_j\}.$$

dove abbiamo sfruttato il fatto che $\text{Prob}\{b_i = b_j(v_j)\} = 0$ (b_j è distribuito in modo uniforme poiché, $b_j(v_j) = a_j + c_j v_j$ ed inoltre v_j si distribuisce uniformemente). Poiché non ha senso che il giocatore i effettui un'offerta inferiore all'offerta minima del giocatore j, ed è sciocco per il giocatore i effettuare un'offerta superiore all'offerta massima del giocatore 2, abbiamo che $a_j \leq b_i \leq a_j + b_j$, perciò

$$\text{Prob}\{b_i > a_j + c_j v_j\} = \text{Prob}\left\{ v_j < \frac{b_i - a_j}{c_j} \right\} = \frac{b_i - a_j}{c_j}.$$

La risposta ottima del giocatore i è dunque

$$b_i(v_i) = \begin{cases} (v_i + a_j)/2 & \text{se } v_i \geq a_j, \\ a_j & \text{se } v_i < a_j. \end{cases}$$

Se $0 < a_j < 1$, vi sono valori di v_i in corrispondenza dei quali $v_i < a_j$ ed in questo caso $b_i(v_i)$ non è lineare, ma sarà invece orizzontale nel tratto iniziale e poi presenterà una pendenza positiva. Poiché siamo alla ricerca di un equilibrio lineare elimineremo la possibilità $0 < a_j < 1$ e ci concentreremo invece sui due casi $a_j \geq 1$ e $a_j \leq 0$. Tuttavia, il primo caso non si può verificare in equilibrio: poiché per un tipo più alto è ottimale offrire un prezzo almeno pari al prezzo ottimo offerto da un tipo più basso, si ha che $c_j \geq 0$; ma ciò implicherebbe che $b_j(v_j) \geq v_j$, cioè una condizione che non può essere ottimale. Quindi, affinché $b_i(v_i)$ sia lineare è necessario che $a_j \leq 0$, nel qual caso $b_i(v_i) = (v_i + a_j)/2$ e, dunque, $a_i = a_j/2$ e $c_i = 1/2$.

Se ripetiamo la stessa analisi per il giocatore j, sotto l'ipotesi che il giocatore i adotti la strategia $b_i(v_i) = a_i + c_i v_i$, otteniamo $a_i \leq 0$, $a_j = a_i/2$ e $c_j = 1/2$. Combinando questi due insiemi di risultati si ricava $a_i = a_j = 0$ e $c_i = c_j = 1/2$, cioè $b_i(v_i) = v_i/2$, come avevamo affermato precedentemente.

A questo punto ci si potrebbe domandare se esistono altri equilibri di Nash bayesiani per questo gioco e, anche, come cambiano le offerte di equilibrio quando viene modificata la distribuzione delle valutazioni degli offerenti. Nessuno di questi due problemi può essere affrontato con la tecnica impiegata sopra (di postulare strategie lineari e poi derivare i coefficienti che fanno di esse un equilibrio): è inutile e dispendioso provare ad indovinare tutte le forme funzionali che gli altri equilibri di questo gioco potrebbero avere; inoltre, per qualsiasi altra distribuzione delle valutazioni non esiste un equilibrio lineare. Nell'appendice deriviamo un equilibrio di Nash bayesiano simmetrico[3], ma sempre per il caso di distribuzione delle valutazioni di tipo uniforme; sotto l'ipotesi che le strategie dei giocatori siano strettamente crescenti e differenziabili, mostriamo che l'unico equilibrio di Nash bayesiano simmetrico è l'equilibrio lineare che abbiamo già derivato. La tecnica che utilizziamo può essere facilmente estesa ad un'ampia classe di distribuzioni delle valutazioni, così come al caso con n offerenti[4].

Appendice. Si supponga che il giocatore j adotti la strategie $b(\cdot)$ e si assuma che $b(\cdot)$ sia strettamente crescente e differenziabile. Per un dato valore di v_i, l'offerta ottima del giocatore i risolve il problema

$$\max_{b_i} \, (v_i - b_i) \, \text{Prob}\{b_i > b(v_j)\}.$$

Si indichi con $b^{-1}(b_j)$ la valutazione che il giocatore j deve avere per effettuare l'offerta b_j, cioè $b^{-1}(b_j) = v_j$ se $b_j = b(v_j)$. Poiché v_j è distribuito in modo uniforme su $[0, 1]$, $\text{Prob}\{b_i > b(v_j)\} = \text{Prob}\{b^{-1}(b_i) > v_j\} = b^{-1}(b_i)$. La condizione del primo ordine per il problema di ottimizzazione del giocatore i è dunque:

[3] Un equilibrio di Nash bayesiano è detto simmetrico se le strategie dei giocatori sono identiche. In altri termini, in un equilibrio di Nash bayesiano simmetrico vi è una funzione singola, $b(v_i)$, tale che la strategia del giocatore 1, $b_1(v_1)$, sia $b(v_1)$ e la strategia del giocatore 2, $b_2(v_2)$, sia $b(v_2)$, ed inoltre, questa strategia singola è una risposta ottima a se stessa. Ovviamente, poiché i giocatori avranno solitamente valutazioni diverse, pur avendo la stessa strategia essi effettueranno anche offerte diverse.

[4] Il lettore può tralasciare questa appendice senza pregiudicare la comprensione degli argomenti successivi.

$$-b^{-1}(b_i) + (v_i - b_i)\frac{d}{db_i}b^{-1}(b_i) = 0.$$

La condizione del primo ordine è un'equazione che definisce implicitamente la risposta ottima dell'offerente i alla strategia $b(\cdot)$ del giocatore j, data la valutazione v_i del giocatore i. Affinché la strategia $b(\cdot)$ sia un equilibrio di Nash bayesiano è necessario che la soluzione della condizione del primo ordine sia $b(v_i)$: cioè, per ogni possibile valutazione dell'offerente i, il medesimo offerente i non desidera deviare dalla strategia $b(\cdot)$, dato che l'offerente j gioca questa strategia. Per imporre questo requisito, andiamo a sostituire $b_i = b(v_i)$ nella condizione del primo ordine, ottenendo:

$$-b^{-1}(b(v_i)) + (v_i - b(v_i))\frac{d}{db_i}b^{-1}(b(v_i)) = 0.$$

Ovviamente, $b^{-1}(b(v_i))$ è semplicemente v_i; inoltre, $d\{b^{-1}(b(v_i))\}/db_i = 1/b'(v_i)$, cioè $d\{b^{-1}(b_i)\}/db_i$ misura quanto deve variare la valutazione dell'offerente j per variare di una unità l'offerta, mentre $b'(v_i)$ misura la variazione dell'offerta in risposta ad una variazione unitaria della valutazione. Perciò, $b(\cdot)$ deve soddisfare l'equazione differenziale del primo ordine:

$$-v_i + (v_i - b(v_i))\frac{1}{b'(v_i)} = 0,$$

che conviene riscrivere nel modo seguente: $b'(v_i)v_i + b(v_i) = v_i$. Il membro di sinistra di questa equazione differenziale è esattamente $d\{b(v_i)v_i\}/dv_i$, perciò, integrando entrambi i membri dell'equazione si ottiene:

$$b(v_i)v_i = \frac{1}{2}v_i^2 + k,$$

dove k è una costante di integrazione; per eliminare k occorre una condizione ulteriore. Per fortuna, tale condizione può essere ricavata da un semplice ragionamento economico: nessun giocatore può offrire un prezzo superiore alla propria valutazione; quindi, imponiamo $b(v_i) \leq v_i$. Poiché le offerte non possono essere negative, ciò implica che $b(0) = 0$, quindi $k = 0$ e $b(v_i) = v_i/2$, come abbiamo affermato precedentemente.

2.3. Un'asta duplice

Consideriamo ora il caso in cui un compratore ed un venditore abbiano entrambi informazione privata sulle loro valutazioni, come nel modello di Chatterjee e Samuelson [1983]. (In Hall e Lazear [1984], il compratore è un'impresa e il venditore è un lavoratore. L'impresa conosce il prodotto marginale del lavoratore e il lavoratore conosce le proprie opportunità di guadagno esterne. Si veda il problema 3.8). Analizziamo un gioco di scambio chiamato asta duplice. Il venditore annuncia un prezzo domandato, p_s, e simultaneamente il compratore annuncia il prezzo offerto, p_b. Se $p_b \geq p_s$, lo scambio ha luogo al prezzo $p = (p_b + p_s)/2$; se $p_b < p_s$ lo scambio non ha luogo.

La valutazione del compratore per il bene del venditore è v_b, quella del venditore è v_s. Queste valutazioni sono informazione privata dei giocatori e sono estratte casualmente in modo indipendente da distribuzioni uniformi sull'intervallo [0, 1]. Se il compratore ottiene il bene al prezzo p, la sua utilità è $v_b - p$; se invece lo scambio non si verifica, l'utilità del compratore è pari a zero. Se il venditore vende il bene al prezzo p, la sua utilità è $p - v_s$; se invece lo scambio non ha luogo, l'utilità del venditore è pari a zero. (Ognuna di queste funzioni di utilità misura la variazione dell'utilità del giocatore; se lo scambio non ha luogo l'utilità rimane invariata. Non vi sarebbe alcuna difficoltà a stabilire, per esempio, che l'utilità del venditore sia p, se si realizza lo scambio al prezzo p, e sia v_s se lo scambio non si verifica).

In questo gioco statico bayesiano, una strategia per il compratore è una funzione $p_b(v_b)$ che specifica il prezzo che il compratore offrirà in corrispondenza di ognuna delle possibili valutazioni del compratore. Analogamente, una strategia per il venditore è una funzione $p_s(v_s)$ che specifica il prezzo che il venditore domanderà in corrispondenza di ogni valutazione del venditore. Una coppia di strategie $\{p_b(v_b), p_s(v_s)\}$ è un equilibrio bayesiano se sono soddisfatte le due condizioni seguenti. Per ogni v_b in [0, 1], $p_b(v_b)$ risolve il problema

$$[3.3] \qquad \max_{p_b} \left[v_b - \frac{p_b + E[p_s(v_s) | p_b \geq p_s(v_s)]}{2} \right] \text{Prob}\{p_b \geq p_s(v_s)\},$$

dove $E[p_s(v_s) | p_b \geq p_s(v_s)]$ è il prezzo atteso che domanderà il venditore, condizionato al fatto che il prezzo domandato sia inferiore al prezzo offerto dal compratore, p_b. Per ogni v_s in [0, 1], $p_s(v_s)$ risolve il problema

$$[3.4] \quad \max_{p_s} \left[\frac{p_s + E[p_b(v_b) | p_b(v_b) \geq p_s]}{2} - v_s \right] \text{Prob}\{p_b(v_b) \geq p_s\},$$

dove $E[p_b(v_b) | p_b(v_b) \geq p_s]$ è il prezzo atteso che il compratore offrirà, condizionato al fatto che il prezzo offerto sia superiore al prezzo domandato dal venditore, p_s.

Questo gioco ha numerosi equilibri di Nash bayesiani. Per esempio, si consideri il seguente equilibrio con prezzo singolo (*one-price equilibrium*) in cui, se lo scambio si verifica, ciò può avvenire soltanto ad un singolo prezzo. Per ogni valore x in $[0, 1]$, supponiamo che la strategia del compratore sia di offrire x se $v_b \geq x$ e di offrire zero in caso contrario; inoltre, supponiamo che la strategia del venditore sia di domandare x se $v_s \leq x$ e di domandare 1 in caso contrario. Data la strategia del compratore, le scelte del venditore equivalgono a scambiare al prezzo x oppure non scambiare; perciò, la strategia del venditore è una risposta ottima a quella del compratore poiché i tipi di venditore che preferiscono scambiare al prezzo x piuttosto che non scambiare lo fanno, e viceversa. Con un'argomentazione analoga si mostra che la strategia del compratore è una risposta ottima a quella del venditore, perciò queste strategie sono effettivamente un equilibrio di Nash bayesiano. In questo equilibrio, lo scambio si verifica in corrispondenza delle coppie (v_s, v_b) indicate nella figura 3.1; lo scambio sarebbe efficiente per tutte le coppie (v_s, v_b) che soddisfano la condizione $v_b \geq v_s$, tuttavia, nelle due aree ombreggiate della figura lo scambio non si verifica.

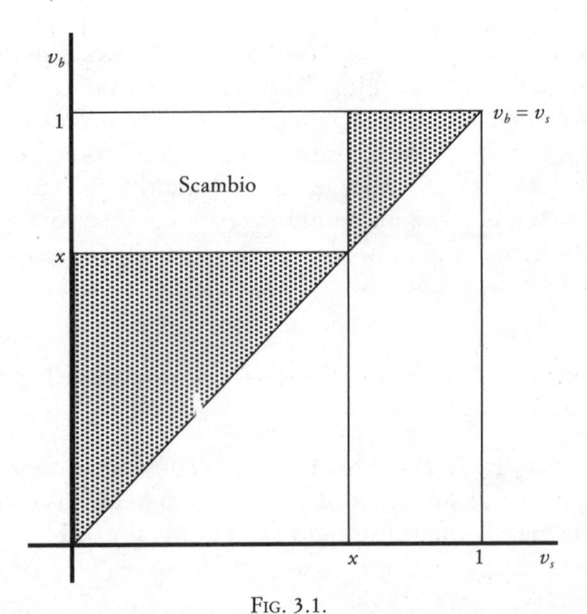

FIG. 3.1.

Ora deriviamo un equilibrio di Nash bayesiano lineare per il gioco dell'asta duplice. Come nel paragrafo precedente, *non* stiamo restringendo gli spazi delle strategie alle sole strategie lineari; pur ammettendo che i giocatori possano scegliere strategie arbitrarie ci chiediamo se esista un equilibrio che sia lineare. Oltre all'equilibrio con prezzo singolo e all'equilibrio lineare esistono molti altri equilibri, ma l'equilibrio lineare ha interessanti proprietà di efficienza, che descriveremo più oltre.

Supponiamo che la strategia del venditore sia $p_s(v_s) = a_s + c_s v_s$; quindi p_s è distribuito in modo uniforme su $[a_s, a_s + c_s]$ e la [3.3] diventa

$$\max_{p_b} \left[v_b - \frac{1}{2}\left\{ p_b + \frac{a_s + p_b}{2} \right\} \right] \frac{p_b - a_s}{c_s};$$

dalla condizione del primo ordine si ricava

$$p_b = \frac{2}{3} v_b + \frac{1}{3} a_s. \qquad [3.5]$$

Perciò, se il venditore gioca una strategia lineare, anche la risposta ottima del compratore è lineare. Analogamente, supponiamo che la strategia del compratore sia $p_b(v_b) = a_b + c_b v_b$; quindi p_b è distribuito in modo uniforme su $[a_b, a_b + c_b]$ e la [3.4] diventa

$$\max_{p_s} \left[\frac{1}{2}\left\{ p_s + \frac{p_s + a_b + c_b}{2} \right\} - v_s \right] \frac{a_b + c_b - p_s}{c_b};$$

dalla condizione del primo ordine si ricava

$$p_s = \frac{2}{3} v_s + \frac{1}{3}(a_b + c_b). \qquad [3.6]$$

Perciò, se il compratore gioca una strategia lineare, anche la risposta ottima del venditore è lineare. Affinché le strategie lineari siano risposte ottime l'una rispetto all'altra, la [3.5] implica $c_b = 2/3$ e $a_b = a_s/3$, e la [3.6] implica $c_s = 2/3$ e $a_s = (a_b + c_b)/3$. Perciò, le strategie dell'equilibrio lineare sono

$$p_b(v_b) = \frac{2}{3} v_b + \frac{1}{12} \qquad [3.7]$$

e

$$p_s(v_s) = \frac{2}{3} v_s + \frac{1}{4}, \qquad [3.8]$$

come mostrato nella figura 3.2.

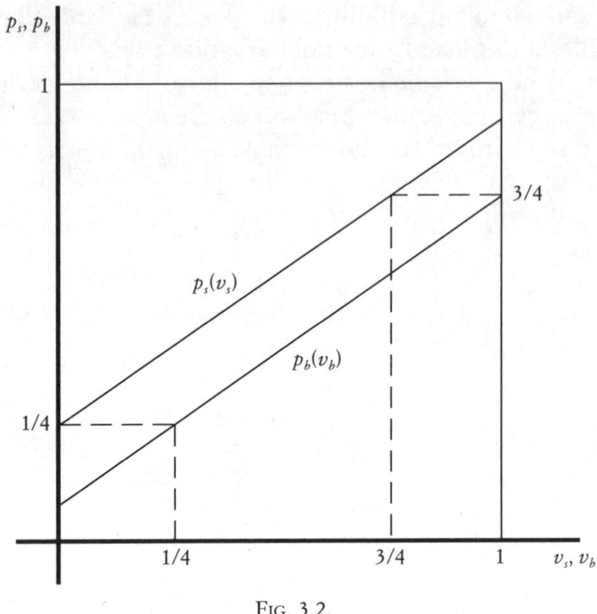

FIG. 3.2.

Si rammenti che, nell'asta duplice, lo scambio ha luogo se e soltanto se $p_b \geq p_s$. Attraverso manipolazioni algebriche della [3.7] e della [3.8], si mostra che, nell'equilibrio lineare, lo scambio si verifica se e solo se $v_b \geq v_s + (1/4)$, come è mostrato nella figura 3.3. (Coerentemente con quanto detto, la figura 3.2 rivela che i tipi di venditore al di sopra di 3/4 effettuano domande superiori all'offerta più alta del compratore, $p_b(1) = 3/4$, e i tipi di compratore al di sotto di 1/4 annunciano offerte inferiori alla più bassa offerta del venditore, $p_s(0) = 1/4$).

Si confrontino le figure 3.1 e 3.3, le quali mostrano le regioni in cui le coppie di valutazioni consentono lo scambio, rispettivamente, nell'equilibrio con prezzo singolo e nell'equilibrio lineare. In entrambi i casi, lo scambio più vantaggioso in assoluto (cioè $v_s = 0$ e $v_b = 1$) si può verificare. Tuttavia, l'equilibrio con prezzo singolo non consente di effettuare alcuni scambi vantaggiosi (come, ad esempio, $v_s = 0$ e $v_b = x + \varepsilon$, con ε abbastanza piccolo) e consente di effettuare scambi che comportano vantaggi quasi nulli (come, ad esempio, $v_s = x - \varepsilon$ e $v_b = x + \varepsilon$). Al contrario, l'equilibrio lineare non ammette scambi che comportano vantaggi quasi nulli, ma consente di effettuare tutti gli scambi che comportano vantaggi pari ad almeno 1/4. Ciò, non solo suggerisce l'idea che l'equilibrio lineare possa dominare gli equilibri con prezzo singolo, in termini dei guadagni attesi ottenuti dai giocatori, ma solleva anche il dubbio che vi possa essere un equilibrio alternativo in cui i giocatori ottengono risultati migliori.

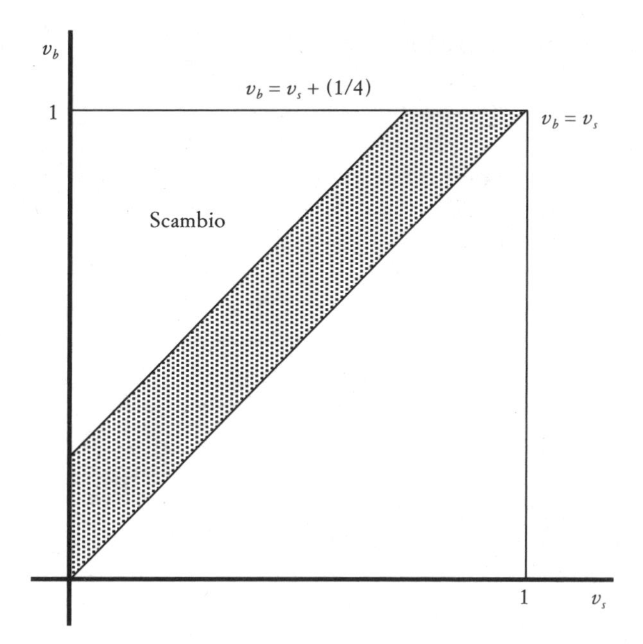

FIG. 3.3.

Myerson e Satterthwaite [1983] mostrano che, per le distribuzioni delle valutazioni di tipo uniforme qui considerate, l'equilibrio lineare consente di raggiungere i più alti guadagni attesi per i giocatori rispetto a qualsiasi altro equilibrio di Nash bayesiano del gioco dell'asta duplice (compresi gli equilibri con prezzo singolo). Ciò significa che non esiste nessun equilibrio di Nash bayesiano dell'asta duplice in cui lo scambio si verifica se e solo se è efficiente (cioè, se e solo se $v_b \geq v_s$). Inoltre, essi mostrano che quest'ultimo risultato è molto generale: se v_b è distribuito in modo continuo su $[x_b, y_b]$ e v_s è distribuito in modo continuo su $[x_s, y_s]$, con $y_s > x_b$ e $y_b > x_s$, non esiste nessun gioco di contrattazione, che il compratore e il venditore sarebbero disposti a giocare, in cui lo scambio si realizza se e solo se esso è efficiente. Nel prossimo paragrafo accenneremo a come impiegare il principio di rivelazione per dimostrare questo risultato generale. Concludiamo questo paragrafo con la traduzione del risultato in termini del modello di occupazione di Hall e Lazear: se l'impresa ha informazione privata sul prodotto marginale del lavoratore (m) e il lavoratore ha informazione privata sulle proprie opportunità di guadagno all'esterno (v), allora non esiste nessun gioco di contrattazione che l'impresa e il lavoratore sarebbero disposti a giocare in cui vi è occupazione se e solo se essa è efficiente (cioè, $m \geq v$).

3. Il principio di rivelazione

Il principio di rivelazione, sviluppato da Myerson [1979] nell'ambito dei giochi bayesiani (e da altri autori in contesti collegati), è un importante strumento per la definizione di giochi in cui i giocatori hanno informazione privata. Esso può essere applicato ai problemi dell'asta e dello scambio bilaterale descritti nei due precedenti paragrafi, così come ad una vasta schiera di altri problemi. In questo paragrafo presentiamo e dimostriamo il principio di rivelazione per i giochi statici bayesiani. (È immediato estendere la dimostrazione ai giochi dinamici bayesiani). Tuttavia, prima di iniziare questa analisi accenniamo a come viene utilizzato il principio di rivelazione nei problemi dell'asta e dello scambio bilaterale.

Si consideri un venditore che intende progettare un'asta per massimizzare il proprio ricavo atteso. Specificare tutte le numerose aste che il venditore dovrebbe considerare potrebbe risultare un'impresa molto complessa. Per esempio, nell'asta del paragrafo 2.2 il miglior offerente consegnava il denaro al venditore e riceveva il bene; tuttavia, vi sono molte altre possibilità. Si potrebbe richiedere agli offerenti di pagare una quota di partecipazione; più in generale, si potrebbe richiedere agli offerenti che perdono l'asta di pagare un certa somma, eventualmente in relazione alla loro offerta e a quella degli altri partecipanti; inoltre, il venditore potrebbe fissare un prezzo di riserva, cioè un limite inferiore al di sotto del quale le offerte non vengono accettate. Più in generale, il bene potrebbe rimanere al venditore con una certa probabilità e qualora venga ceduto non lo sia necessariamente al miglior offerente.

Vi sono due modi in cui il venditore può avvalersi del principio di rivelazione per semplificare considerevolmente questo problema. In primo luogo, il venditore può concentrare l'attenzione sulla seguente classe di giochi.

1) Gli offerenti fanno simultaneamente una dichiarazione (eventualmente in modo disonesto) sui loro tipi (cioè, sulle loro valutazioni). L'offerente i può dichiarare di essere un qualsiasi tipo τ_i scelto dall'insieme dei possibili tipi di i, T_i, indipendentemente da quale sia il vero tipo, t_i, di i.

2) Date le dichiarazioni degli offerenti, $(\tau_1, ..., \tau_n)$, l'offerente i paga $x_i(\tau_1, ..., \tau_n)$ e riceve il bene con probabilità $q_i(\tau_1, ..., \tau_n)$. Per ogni possibile combinazione di dichiarazioni, $(\tau_1, ..., \tau_n)$, la somma delle probabilità, $q_1(\tau_1, ..., \tau_n) + ... + q_n(\tau_1, ..., \tau_n)$, deve essere minore o uguale a uno.

I giochi di questo genere (cioè, giochi statici bayesiani in cui l'unica azione di ogni giocatore consiste nell'effettuare una dichiarazione riguardante il proprio tipo) sono detti *meccanismi diretti.*

Il secondo modo in cui il venditore può servirsi del principio di rivelazione è restringere l'attenzione a quei meccanismi diretti in cui la dichiarazione veritiera da parte di ogni giocatore costituisce un equilibrio di Nash bayesiano – cioè, pagamenti e funzioni di probabilità $\{x_1(\tau_1, ..., \tau_n), ..., x_n(\tau_1, ..., \tau_n); q_1(\tau_1, ..., \tau_n), ..., q_n(\tau_1, ..., \tau_n)\}$ tali che la strategia di equilibrio di ogni giocatore è dichiarare $\tau_i(t_i) = t_i$, per ogni t_i in T_i. Un meccanismo diretto in cui la dichiarazione veritiera è un equilibrio di Nash bayesiano è detto *meccanismo diretto con incentivi compatibili (incentive-compatible direct mechanism).*

Al di fuori dell'ambito della progettazione dell'asta, il principio di rivelazione può essere utilizzato ancora in questi due modi. Qualsiasi equilibrio di Nash bayesiano di qualsiasi gioco bayesiano può essere rappresentato da un nuovo equilibrio di Nash bayesiano di un nuovo gioco bayesiano scelto in modo appropriato, dove, col termine «rappresentato» si intende che per ogni possibile combinazione dei tipi dei giocatori $(t_1, ..., t_n)$, le azioni e i payoff dei giocatori nel nuovo equilibrio sono identici a quelli del vecchio equilibrio. Inoltre, indipendentemente dal gioco originario, il nuovo gioco bayesiano è sempre un meccanismo diretto e, indipendentemente dall'equilibrio originario, il nuovo equilibrio del nuovo gioco prescrive sempre dichiarazioni veritiere. Formalmente:

DEFINIZIONE (IL PRINCIPIO DI RIVELAZIONE). Qualsiasi equilibrio di Nash bayesiano di qualsiasi gioco bayesiano può essere rappresentato da un meccanismo diretto con incentivi compatibili.

Nell'asta analizzata nel paragrafo 2.2, abbiamo assunto che le valutazioni degli offerenti siano indipendenti l'una dall'altra. Inoltre, abbiamo assunto (implicitamente, nella definizione delle valutazioni degli offerenti) che la conoscenza della valutazione dell'offerente j non modifica la valutazione dell'offerente i (sebbene tale informazione di solito modifichi l'offerta di i). Caratterizziamo queste due assunzioni dicendo che gli offerenti hanno valori privati, indipendenti. Per questo caso, Myerson [1981] individua quei meccanismi diretti in cui la dichiarazione veritiera è un equilibrio e determina quali di questi equilibri massimizza il payoff atteso del venditore. Il principio di rivelazione garantisce che non esiste nessun altra asta che abbia un equilibrio di Nash bayesiano in cui il venditore ottiene un payoff atteso più alto; infatti, l'equilibrio di tale asta dovrebbe poter essere rappresentato da un equilibrio con dichiarazioni veritiere di un meccanismo diretto, ma tutti questi meccanismi diretti con incentivi compatibili sono già stati tenuti in considerazione. Myerson mostra, inoltre, che l'equilibrio di Nash bayesiano simmetrico dell'asta analizzata nel paragrafo 2.2 è equivalente all'equilibrio con dichiarazioni veritiere che garantisce il massimo payoff (come lo sono gli equilibri simmetrici di molte altre aste note).

Come secondo esempio dell'applicazione del principio di rivelazione, si consideri il problema dello scambio bilaterale descritto nel paragrafo 2.3, in cui abbiamo analizzato uno dei possibili giochi di scambio tra un compratore e un venditore – l'asta bilaterale. In questo gioco, se lo scambio ha luogo, il compratore paga una somma al venditore, altrimenti non si verifica nessun pagamento; anche in questo caso vi sono molte altre possibilità. Vi potrebbero essere pagamenti (dal compratore al venditore o viceversa) anche in assenza di scambio e la probabilità che si effettui lo scambio potrebbe essere strettamente compresa tra zero e uno. Inoltre, la regola per stabilire se effettuare lo scambio potrebbe richiedere che l'offerta del compratore superi la domanda del venditore di un certo ammontare (positivo o negativo); questo ammontare potrebbe anche variare in funzione dei prezzi annunciati dalle parti in causa.

Queste possibilità possono essere catturate dalla seguente classe di meccanismi diretti: il compratore e il venditore effettuano simultaneamente le dichiarazioni sui loro tipi, τ_b e τ_s, dopo di che il compratore paga al venditore la cifra $x(\tau_b, \tau_s)$, che può essere sia positiva che negativa, e il compratore riceve il bene con probabilità $q(\tau_b, \tau_s)$. Myerson e Satterthwaite individuano i meccanismi diretti che hanno un equilibrio con dichiarazione veritiera; poi, impongono il vincolo che ogni tipo di ognuna delle parti in causa sia disposto a partecipare al gioco (cioè, che ogni tipo di ognuna delle parti in causa abbia un payoff atteso di equilibrio non inferiore al payoff che quel tipo potrebbe ottenere rifiutandosi di partecipare al gioco – cioè, zero per ogni tipo di acquirente e t_s per il tipo t_s di venditore). Infine, essi mostrano che in nessuno di questi meccanismi diretti con incentivi compatibili lo scambio si effettua con probabilità uno se e solo se lo scambio è efficiente. Il principio di rivelazione garantisce che non vi sia nessun gioco di contrattazione, che il compratore e il venditore sarebbero disposti a giocare, che abbia un equilibrio di Nash bayesiano in cui lo scambio si verifica se e solo se è efficiente.

Per dare una enunciazione ed una dimostrazione formali del principio di rivelazione si consideri l'equilibrio di Nash bayesiano $s^* = (s_1^*, ..., s_n^*)$ del gioco statico bayesiano $G = \{A_1, ..., A_n; T_1, ..., T_n; p_1, ..., p_n; u_1, ..., u_n\}$; costruiremo un meccanismo diretto che possiede un equilibrio con dichiarazione veritiera che rappresenta s^*. L'appropriato meccanismo diretto è un gioco statico bayesiano con lo stesso spazio dei tipi e le stesse credenze di G, ma con nuovi spazi delle azioni e nuove funzioni dei payoff. I nuovi spazi delle azioni sono semplici. Nel meccanismo diretto, le azioni ammissibili del giocatore i sono dichiarazioni (eventualmente disoneste) sui possibili tipi di i; cioè, lo spazio delle azioni del giocatore i è T_i. Le nuove funzioni dei payoff sono più complicate; esse dipendono, non solo dal gioco originario, G, ma anche dall'equilibrio originario del gioco, s^*. L'idea cruciale è di sfruttare, nel modo che vedremo, il fatto che s^* è un equilibrio di G per assicurare che la dichiarazione veritiera sia un equilibrio del meccanismo diretto.

Dire che s^* è un equilibrio di Nash bayesiano di G significa che per ogni giocatore i, s_i^* è la risposta ottima di i alle strategie degli altri giocatori, $(s_1^*, ..., s_{i-1}^*, s_{i+1}^*, ..., s_n^*)$. In particolare, per ognuno dei tipi di i, t_i in T_i, $s_i^*(t_i)$ è per i la migliore azione da scegliere da A_i, dato che le strategie degli altri giocatori sono $(s_1^*, ..., s_{i-1}^*, s_{i+1}^*, ..., s_n^*)$. Quindi, se il tipo di i è t_i e ammettiamo che i possa scegliere un'azione da un sottoinsieme di A_i che contiene $s_i^*(t_i)$, allora la scelta ottima di i rimane $s_i^*(t_i)$, assumendo ancora che le strategie degli altri giocatori siano $(s_1^*, ..., s_{i-1}^*, s_{i+1}^*, ..., s_n^*)$. Le funzioni dei payoff del meccanismo diretto sono scelte in modo da mettere ogni giocatore di fronte ad una scelta esattamente di questo genere.

Definiamo i payoff del meccanismo diretto andando a sostituire la dichiarazione del tipo effettuata dai giocatori nel nuovo gioco, $\tau = (\tau_1, ..., \tau_n)$, nelle strategie di equilibrio del vecchio gioco, s^*, e poi andando a sostituire le azioni risultanti del vecchio gioco $s^*(\tau) = (s_1^*(\tau_1), ..., s_n^*(\tau_n))$ nelle funzioni dei payoff del vecchio gioco. Formalmente, la funzione dei payoff di i è

$$v_i(\tau, t) = u_i[s^*(\tau), t],$$

con $t = (t_1, ..., t_n)$. Forse, può essere di aiuto pensare che questi payoff siano il risultato dell'intervento di un osservatore esterno che si avvicina ai giocatori e rivolge loro il seguente discorso:

> Io so che voi conoscete i vostri tipi e state per giocare l'equilibrio s^* del gioco G. Ecco a voi un nuovo gioco da giocare – un meccanismo diretto. Innanzitutto, ciascuno di voi dovrà firmare un contratto che mi autorizza ad imporvi l'azione che dovrete giocare quando, più tardi, parteciperete al gioco G. In secondo luogo, ognuno di voi scriverà una dichiarazione del proprio tipo e la presenterà a me. Terzo, mi servirò sia della vostra dichiarazione scritta del tipo, τ_i, resa nel nuovo gioco, che della strategia di equilibrio del vecchio gioco, s_i^*, per calcolare l'azione che il giocatore avrebbe scelto nell'equilibrio s^* se il tipo del giocatore fosse realmente τ_i – cioè, $s_i^*(\tau_i)$. Infine, ordinerò a ciascuno di voi di giocare l'azione che io ho calcolato per voi e voi riceverete i payoff risultanti (che dipenderanno da queste azioni e dai vostri veri tipi).

Concludiamo questo paragrafo (e la dimostrazione del principio di rivelazione) mostrando che la dichiarazione veritiera è un equilibrio di Nash bayesiano di questo meccanismo diretto. Dichiarando di essere il tipo τ_i scelto in T_i, il giocatore i sta in effetti scegliendo l'azione $s_i^*(\tau_i)$ da A_i. Se tutti gli altri giocatori dicono la verità, essi stanno in effetti giocando le strategie $(s_1^*, ..., s_{i-1}^*, s_{i+1}^*, ..., s_n^*)$. Tuttavia, precedentemente abbiamo sostenuto che se essi giocano queste strategie, quando il tipo di i è t_i, la miglior azione per i è scegliere $s_i^*(t_i)$. Quindi, se gli altri giocatori dicono la verità, quando il tipo di i è t_i, il miglior tipo da dichiarare è t_i, cioè, dire la verità è un equilibrio. Formalmente, giocare la strategia di dichiarazione veritiera $\tau_i(t_i) = t_i$, per ogni t_i in T_i, da parte di ogni giocatore i, è un equilibrio di Nash bayesiano del gioco statico bayesiano $\{A_1, ..., A_n; T_1, ..., T_n; p_1, ..., p_n; v_1, ..., v_n\}$.

4. Problemi

Paragrafo 1

3.1. Che cos'è un gioco statico bayesiano? Che cos'è una strategia (pura) per tale gioco? Cos'è un equilibrio di Nash bayesiano (in strategie pure) di tale gioco?

3.2. Si consideri un duopolio di Cournot in un mercato la cui domanda inversa è $P(Q) = a - Q$, dove $Q = q_1 + q_2$ è la quantità aggregata offerta sul mercato. Entrambe le imprese hanno costi totali pari a $c_i(q_i) = cq_i$, tuttavia la domanda di mercato è incerta: è alta ($a = a_H$) con probabilità θ e bassa ($a = a_L$) con probabilità $1 - \theta$; inoltre l'informazione è asimmetrica: l'impresa 1 sa se la domanda è alta oppure bassa, mentre l'impresa 2 non dispone di questa informazione. La descrizione data fin qui è conoscenza comune. Le due imprese scelgono simultaneamente le quantità. Quali sono gli spazi delle strategie delle due imprese? Si introducano le assunzioni relative a a_H, a_L, θ e c che assicurano che tutte le quantità di equilibrio siano positive. Qual è l'equilibrio di Nash bayesiano di questo gioco?

3.3. Si consideri il seguente modello di duopolio di Bertrand con prodotti differenziati ed informazione asimmetrica. La domanda dell'impresa i è $q_i(p_i, p_j) = a - p_i - b_i p_j$. I costi sono pari a zero per entrambe le imprese. La sensibilità della domanda dell'impresa i al prezzo dell'impresa j può essere alta o bassa; cioè b_i è pari a b_H oppure a b_L, dove $b_H > b_L > 0$. Per ogni impresa, si ha $b_i = b_H$ con probabilità θ e $b_i = b_L$ con probabilità $1 - \theta$, indipendentemente dalla realizzazione di b_j. Ogni impresa conosce il proprio valore di b_i ma non quello del concorrente. La descrizione data fin qui è conoscenza comune. Quali sono gli spazi delle azioni, gli spazi dei tipi, le credenze e le funzioni di utilità relative a questo gioco? Quali sono gli spazi delle strategie? Quali condizioni definiscono un equilibrio di Nash bayesiano in strategie pure simmetrico di questo gioco? Si trovi un tale equilibrio.

3.4. Si trovino tutti gli equilibri di Nash bayesiani in strategie pure del seguente gioco statico bayesiano.

1) La natura determina se i payoff sono quelli del gioco 1 oppure quelli del gioco 2; ogni gioco ha la stessa probabilità di essere estratto.
2) Il giocatore 1 apprende se la natura ha estratto il gioco 1 oppure il gioco 2; il giocatore 2 non ha questa informazione.
3) Il giocatore 1 può scegliere tra T e B; simultaneamente, il giocatore 2 sceglie tra L e R.
4) I payoff sono dati dal gioco estratto dalla natura.

	L	R
T	1, 1	0, 0
B	0, 0	0, 0

Gioco I

	L	R
T	0, 0	0, 0
B	0, 0	2, 2

Gioco II

Paragrafo 2

3.5. Nel paragrafo 1.3 abbiamo visto che *Matching pennies* (un gioco statico con informazione completa) non ha nessun equilibrio di Nash in strategie pure, ma ha un equilibrio di Nash in strategie miste: ogni giocatore sceglie H con probabilità 1/2.

		Giocatore 2	
		H	T
Giocatore 1	H	1, –1	–1, 1
	T	–1, 1	1, –1

Si trovi un equilibrio di Nash bayesiano in strategie pure di un gioco corrispondente con informazione incompleta che abbia la seguente caratteristica: man mano che l'informazione incompleta tende a scomparire, il comportamento dei giocatori nell'equilibrio di

Nash bayesiano si approssima al loro comportamento nell'equilibrio di Nash in strategie miste del gioco originario con informazione completa.

3.6. Si consideri una vendita all'asta al miglior offerente con offerte in buste sigillate, in cui le valutazioni degli offerenti sono stocasticamente indipendenti e distribuite in modo uniforme sull'intervallo [0, 1]. Si mostri che, se ci sono n offerenti, la strategia di offrire $(n-1)/n$ volte la propria valutazione è un equilibrio di Nash bayesiano simmetrico di questa asta.

3.7. Si consideri una vendita all'asta al miglior offerente con offerte in buste sigillate, in cui le valutazioni degli offerenti sono stocasticamente indipendenti e identicamente distribuite su [0, 1], secondo una funzione di densità strettamente positiva $f(v_i)$. Si calcoli un equilibrio di Nash bayesiano simmetrico per il caso con due offerenti.

3.8. Supponiamo che il compratore e il venditore dell'asta bilaterale analizzata nel paragrafo 2.3 siano, rispettivamente, un'impresa la quale conosce il prodotto marginale del lavoratore (m) e un lavoratore il quale conosce le proprie opportunità di guadagno all'esterno (v), come in Hall e Lazear [1984]. In questo contesto, effettuare lo scambio significa che il lavoratore è assunto dall'impresa e il prezzo al quale le parti in causa scambiano è il salario del lavoratore, w. Se lo scambio si verifica, il payoff dell'impresa è $m - w$ e quello del lavoratore è w; se lo scambio non si verifica il payoff dell'impresa è zero e quello del lavoratore è v.

Supponiamo che m e v siano estratti indipendentemente da una distribuzione uniforme su [0, 1] come nel testo. Si calcoli il payoff atteso dei giocatori nell'equilibrio lineare dell'asta bilaterale. Si considerino i due seguenti giochi di scambio in alternativa all'asta bilaterale.

Gioco I. Prima che le parti in causa vengano a conoscenza della loro informazione privata, esse firmano un contratto in cui si stabilisce che se il lavoratore è assunto dall'impresa il suo salario sarà w ed inoltre che entrambe le parti in causa hanno la facoltà di interrompere il rapporto di lavoro senza sostenere alcun costo. Dopo che le parti hanno appreso i rispettivi valori assunti dall'informazione privata, annunciano simultaneamente se «Accettare» il salario w oppure «Rifiutare» il salario w. Se entrambi annunciano «Accettare» lo scambio si verifica, altrimenti no. Dato un valore arbitrario di w compreso nell'intervallo [0, 1], qual è l'equilibrio di Nash bayesiano di questo gioco? Si disegni un diagramma analogo a quello della figura 3.3 e si mostrino le coppie di tipi che effettuano lo scambio. Si trovi il valore di w che massimizza la somma dei payoff attesi dei giocatori e si calcoli il valore massimo di questa somma.

Gioco II. Prima che le parti in causa vengano a conoscenza della loro informazione privata, esse firmano un contratto in cui si stabilisce di utilizzare il seguente gioco dinamico per determinare se il lavoratore è assunto dall'impresa e, in caso affermativo, quale salario riceve. (Per essere precisi, questo gioco rientra tra gli argomenti del capitolo 4. Anticipiamo l'impostazione del capitolo 4 sostenendo che questo gioco può esssere risolto combinando le lezioni del presente capitolo con quelle del capitolo 2). Dopo che le parti hanno appreso i rispettivi valori assunti dall'informazione privata, l'impresa sceglie un salario da offrire al lavoratore, w, che il lavoratore, a sua volta, può accettare oppure rifiutare. Si provi ad analizzare questo gioco utilizzando il procedimento di *backwards induction* come si è fatto per i giochi analoghi con informazione completa nel paragrafo 1.1 del capitolo 2. Si seguano queste indicazioni: dati w e v, che cosa farà il lavoratore? Se l'impresa anticipa ciò che farà il lavoratore, dato m, cosa farà l'impresa? Qual è la somma dei payoff attesi dei giocatori?

5. Indicazioni bibliografiche per ulteriori approfondimenti

Myerson [1985] presenta una introduzione molto dettagliata ai giochi bayesiani, all'equilibrio di Nash bayesiano e al principio di rivelazione. Si veda McAfee e McMillan [1987] per una rassegna della letteratura sulle aste che comprende una introduzione alla «maledizione del vincitore» (*winner's curse*). Bulow e Klemperer [1991] estendono il modello dell'asta del paragrafo 2.2 e forniscono una spiegazione suggestiva in termini di comportamento razionale dei crolli e degli andamenti frenetici della borsa. Sull'occupazione in condizioni di informazione asimmetrica, si veda Deere [1988] che analizza un modello dinamico in cui, nel corso del tempo, il lavoratore si confronta con una successione di imprese, ognuna delle quali ha informazione privata sul proprio prodotto marginale. Per quanto riguarda le applicazioni del principio di rivelazione, si veda Baron e Myerson [1982] sul problema della regolamentazione di un monopolista con costi non noti, Hart [1983] sui contratti impliciti e la disoccupazione involontaria e Sappington [1983] sulla teoria dell'agenzia.

Giochi dinamici con informazione incompleta

Capitolo 4

In questo capitolo introduciamo un altro concetto di equilibrio: l'*equilibrio bayesiano perfetto*. Con quest'ultimo, sono quattro i concetti di equilibrio presentati, uno per ciascuno dei quattro capitoli: l'equilibrio di Nash per i giochi statici con informazione completa, l'equilibrio di Nash perfetto nei sottogiochi per i giochi dinamici con informazione completa, l'equilibrio di Nash bayesiano per i giochi statici con informazione incompleta e l'equilibrio bayesiano perfetto per i giochi dinamici con informazione incompleta. A prima vista, potrebbe sembrare che abbiamo inventato un nuovo concetto di equilibrio per ciascuna classe di giochi che abbiamo studiato; in realtà, questi concetti di equilibrio sono strettamente legati tra loro. Procedendo a considerare giochi progressivamente sempre più elaborati, abbiamo progressivamente rafforzato il concetto di equilibrio allo scopo di eliminare quegli equilibri poco plausibili che sopravvivrebbero nei giochi più elaborati se applicassimo i concetti di equilibrio adatti a giochi più semplici. In ogni caso, il concetto di equilibrio più forte differisce dal concetto più debole soltanto con riferimento ai giochi più elaborati e non relativamente ai giochi più semplici. In particolare, l'equilibrio bayesiano perfetto è equivalente all'equilibrio di Nash bayesiano nei giochi statici con informazione incompleta; è equivalente all'equilibrio di Nash perfetto nei sottogiochi nel caso di giochi dinamici con informazione completa e perfetta (e nel caso di numerosi giochi dinamici con informazione completa ma imperfetta, compresi quelli discussi nei paragrafi 2 e 3 del capitolo 2), ed infine è equivalente all'equilibrio di Nash nel caso di giochi statici con informazione completa.

L'equilibrio bayesiano perfetto è stato introdotto allo scopo di raffinare (cioè, rafforzare i requisiti del) l'equilibrio di Nash bayesiano così come, in modo del tutto analogo, l'equilibrio di Nash perfetto nei sottogiochi era stato introdotto per raffinare l'equilibrio di Nash. Così come avevamo imposto la perfezione nei sottogiochi per i giochi dinamici con informazione completa perché l'equilibrio di Nash non era in grado di catturare l'idea che le minacce e le promesse fossero credibili, ora restringiamo l'attenzione all'equilibrio bayesiano perfetto per giochi dinamici con informazione incompleta in quanto l'equilibrio di Nash bayesiano presenta il medesimo inconveniente. Si rammenti che, affinché le strategie dei giocatori siano un equilibrio di Nash perfetto nei sottogiochi non solo devono essere un equilibrio di Nash per l'intero gioco, ma devono costituire un equilibrio di Nash anche in ogni sottogioco. In questo capitolo sostituiamo l'idea di sottogioco con l'idea più generale di gioco di continuazione (*continuation game*) – quest'ultimo può cominciare da un qualsiasi insieme informativo completo (non importa se costituito da un singolo nodo oppure da più nodi decisionali) e non soltanto dagli insiemi informativi formati da un singolo nodo. Procediamo poi per analogia: affinché le strategie dei giocatori siano un equilibrio bayesiano perfetto non solo devono costituire un equilibrio di Nash bayesiano per l'intero gioco, ma devono costituire un equilibrio di Nash bayesiano anche per ogni gioco di continuazione.

Nel paragrafo 1 introduciamo informalmente le caratteristiche principali dell'equilibrio bayesiano perfetto. A tale scopo, adottiamo temporaneamente un secondo punto di vista (complementare) che non è conforme alla relazione tra i concetti di equilibrio vista precedentemente: l'equilibrio bayesiano perfetto rafforza i requisiti dell'equilibrio di Nash perfetto nei sottogiochi analizzando esplicitamente, come nell'equilibrio di Nash bayesiano, le credenze dei giocatori. La ragione per cui prendiamo in esame questo secondo punto di vista è che, seguendo Harsanyi [1967], descriveremo un gioco con informazione incompleta come se fosse un gioco con informazione imperfetta – la natura rivela il tipo del giocatore i ad i ma non a j, perciò il giocatore j non conosce l'intera storia del gioco. Quindi, un concetto di equilibrio elaborato per rafforzare l'equilibrio di Nash bayesiano, nel caso di giochi dinamici con informazione incompleta, può servire anche a rafforzare l'equilibrio di Nash perfetto nei sottogiochi nel caso di giochi dinamici con informazione completa e imperfetta.

Nel paragrafo 2 analizziamo la classe di giochi con informazione incompleta più diffusa nelle applicazioni: i *giochi di segnalazione* (*signaling games*). Presentato in modo astratto, un gioco di segnalazione richiede due giocatori (uno con informazione privata e l'altro senza) e due mosse (la prima è un segnale inviato dal giocatore informato e la seconda è la risposta del giocatore non informato). L'idea centrale è che la comunicazione si può realizzare soltanto se uno dei tipi del giocatore informato è disposto a inviare un segnale che per un altro tipo sarebbe troppo costoso inviare. Definiremo innanzitutto l'equilibrio bayesiano perfetto per i giochi di segnalazione e descriveremo i vari generi di equilibri (corrispondenti ai vari gradi di comunicazione, da zero a comunicazione completa) che si possono verificare. Poi consideriamo il fecondo modello di segnalazione nel mercato del lavoro di Spence [1973], il modello di investimento societario di Myers e Majluf [1984] e il modello di politica monetaria di Vickers [1986].

Nel paragrafo 3 descriviamo altre applicazioni dell'equilibrio bayesiano perfetto. Cominceremo con l'analisi di Crawford e Sobel [1982] dei giochi *senza costi di comunicazione* (*cheap-talks games*) (cioè, giochi di segnalazione in cui l'invio di messaggi non comporta costi); le applicazioni di questi giochi comprendono le analisi delle minacce di veto da parte del presidente, degli annunci di politica monetaria da parte della banca centrale e della comunicazione (o «voice») all'interno delle organizzazioni. Nei giochi senza costi di comunicazione, il livello di comunicazione che si realizza è determinato dalla affinità degli interessi dei giocatori e non dai costi di segnalazione che devono sostenere i vari tipi. Poi studieremo il modello di contrattazione sequenziale di Sobel e Takahashi [1983] in cui un'impresa, per poter dimostrare che non può permettersi di pagare alti salari, è costretta a subire uno sciopero (si confronti con il modello di contrattazione con informazione completa di Rubinstein presentato nel paragrafo 1.4 del capitolo 2 in cui, in equilibrio, non si verifica alcuno sciopero). Infine, prenderemo in esame la fondamentale spiegazione del ruolo della *reputazione* nel raggiungimento della cooperazione tra agenti razionali nel dilemma del prigioniero ripetuto un numero finito di volte (si confronti con la proposizione del paragrafo 3.1 del capitolo 2 riguardante l'unico equilibrio di Nash perfetto nei sottogiochi di un gioco ripetuto un numero finito di volte basato su un gioco costituente con un unico equilibrio di Nash) fornita da Kreps, Milgrom, Roberts e Wilson [1982].

Nel paragrafo 4 ritorniamo alla teoria. Nonostante sia il paragrafo finale del libro, la funzione di tale paragrafo non è quella di riassumere gli argomenti che sono stati trattati quanto, piuttosto, quella di fornire indicazioni su ulteriori argomenti di studio. Descriveremo e illustreremo due raffinamenti (consecutivi) dell'equilibrio bayesiano perfetto, il secondo dei quali è il *criterio intuitivo* (*intuitive criterion*) di Cho e Kreps [1987].

1. Introduzione all'equilibrio bayesiano perfetto

Si consideri il seguente gioco dinamico con informazione completa e imperfetta. Innanzitutto, il giocatore 1 può scegliere una delle tre azioni seguenti: L, M ed R. Se il giocatore 1 sceglie R, il gioco termina senza alcuna mossa da parte del giocatore 2. Se il giocatore 1 sceglie L oppure M, il giocatore 2 rileva che R non è stato scelto (ma non apprende quale delle due azioni, tra L e M, è stata scelta) e può scegliere una delle due azioni L' e R', dopo di che il gioco termina. I payoff sono riportati nella forma estesa della figura 4.1.

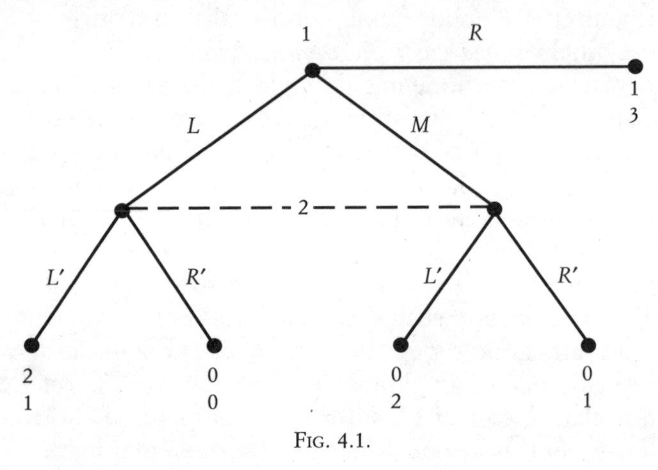

FIG. 4.1.

		Giocatore 2	
		L'	R'
	L	2, 1	0, 0
Giocatore 1	M	0, 2	0, 1
	R	1, 3	1, 3

FIG. 4.2.

Dalla rappresentazione in forma normale di questo gioco data dalla figura 4.2, notiamo che vi sono due equilibri di Nash in strategie pure – (L, L') e (R, R'). Per stabilire se questi equilibri di Nash sono perfetti nei sottogiochi, ci serviamo della rappresentazione in forma estesa per individuare i sottogiochi del gioco. Poiché, per definizione, un sottogioco inizia da un nodo decisionale che, di per sé, costituisce un insieme informativo (ma che non è il primo nodo decisionale del gioco), il gioco della figura 4.1 non possiede sottogiochi. Se un gioco non ha sottogiochi, il requisito di perfezione nei sottogiochi (cioè, che le strategie dei giocatori siano un equilibrio di Nash in ogni sottogioco) è banalmente soddisfatto. Per qualsiasi gioco che non ha sottogiochi, la definizione di equilibrio di Nash perfetto nei sottogiochi è equivalente alla definizione di equilibrio di Nash, perciò, nella figura 4.1, sia (L, L') che (R, R') sono equilibri di Nash perfetti nei sottogiochi. Tuttavia, (R, R') si basa chiaramente su una minaccia non credibile: se il giocatore 2 ottiene la mossa, giocare L' domina giocare R', pertanto il giocatore 1 non dovrebbe essere indotto a giocare R dalla minaccia di 2 di giocare R' se gli viene data la possibilità di muovere.

Un modo per rafforzare il concetto di equilibrio in modo da eliminare l'equilibrio di Nash perfetto nei sottogiochi (R, R') della figura 4.1 è di imporre i due requisiti seguenti.

REQUISITO 1. In ogni insieme informativo, il giocatore a cui spetta la mossa deve avere una *credenza* (*belief*) su quale nodo dell'insieme informativo è stato raggiunto dallo svolgimento del gioco. Nel caso di un insieme informativo con più nodi, una credenza è una distribuzione di probabilità sui nodi dell'insieme informativo stesso; nel caso di un insieme informativo costituito da un nodo singolo, la credenza del giocatore assegna probabilità uno all'unico nodo decisionale.

REQUISITO 2. Date le credenze, le strategie dei giocatori devono essere *sequenzialmente razionali*. Cioè, in ogni insieme informativo, l'azione scelta dal giocatore a cui spetta la mossa (e la strategia successiva del giocatore) deve essere ottima data la credenza del giocatore in quell'insieme informativo e date le strategie successive degli altri giocatori (dove una «strategia successiva» è un piano completo di azione che contempla qualsiasi circostanza che potrebbe presentarsi dopo che il dato insieme informativo è stato raggiunto).

Nella figura 4.1, il Requisito 1 implica che se lo svolgimento del gioco raggiunge l'insieme informativo con più nodi del giocatore 2, il giocatore 2 deve avere una credenza su quale dei due nodi è stato raggiunto (o, equivalentemente, sulla possibilità che il giocatore 1 abbia giocato L oppure M). Questa credenza è rappresentata dalle probabilità p e $1 - p$ assegnate ai nodi rilevanti dell'albero, come è mostrato nella figura 4.3.

Data la credenza del giocatore 2, il payoff atteso giocando R' è $p \cdot 0 + (1 - p) \cdot 1 = 1 - p$, mentre il payoff atteso giocando L' è $p \cdot 1 + (1 - p) \cdot 2 = 2 - p$. Poiché $2 - p > 1 - p$ per ogni valore di p, il Requisito 2 esclude che il giocatore 2 possa scegliere R'. Quindi, richiedere semplicemente che ogni giocatore abbia una credenza e agisca in modo ottimale sulla base di tale credenza è sufficiente per eliminare l'equilibrio poco plausibile (R, R') di questo esempio.

I Requisiti 1 e 2 impongono che i giocatori abbiano delle credenze e che agiscano in modo ottimale sulla base di tali credenze, ma non che tali credenze siano plausibili. Allo scopo di imporre ulteriori requisiti sulle credenze dei giocatori, distinguiamo tra quegli insiemi informativi che si trovano sul sentiero di equilibrio e quelli fuori dal sentiero di equilibrio.

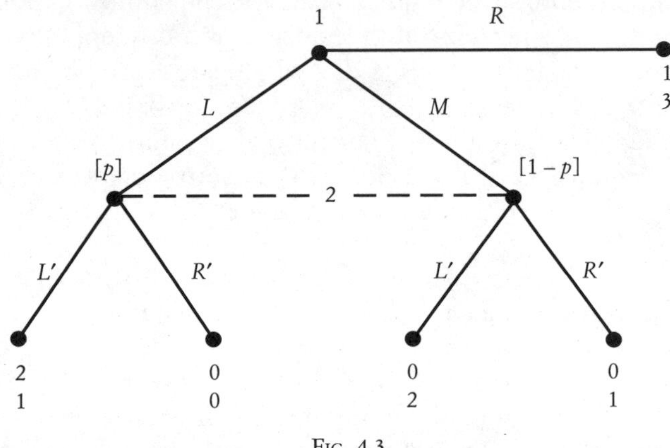

FIG. 4.3.

DEFINIZIONE. Con riferimento ad un dato equilibrio di un dato gioco in forma estesa, un insieme informativo è *sul sentiero di equilibrio* se esso sarà raggiunto con probabilità positiva qualora il gioco sia giocato in base alle strategie di equilibrio, ed è *fuori dal sentiero di equilibrio* se, con certezza, esso non sarà raggiunto qualora il gioco sia giocato in base alle strategie di equilibrio (dove, con «equilibrio» si può intendere sia equilibrio di Nash, sia equilibrio di Nash perfetto nei sottogiochi, sia equilibrio di Nash bayesiano e sia equilibrio bayesiano perfetto).

REQUISITO 3. Negli insiemi informativi che si trovano sul sentiero di equilibrio le credenze sono determinate dalla regola di Bayes e dalle strategie di equilibrio dei giocatori.

Nell'equilibrio di Nash perfetto nei sottogiochi (L, L') della figura 4.3, per esempio, la credenza del giocatore 2 deve essere $p = 1$: data la strategia di equilibrio del giocatore 1 (cioè L), il giocatore 2 sa quale nodo dell'insieme informativo è stato raggiunto. Come ulteriore illustrazione (ipotetica) del Requisito 3, si supponga che nella figura 4.3 vi sia un equilibrio in strategie miste in cui il giocatore 1 gioca L con probabilità q_1, M con probabilità q_2 ed R con probabilità $1 - q_1 - q_2$. Il requisito 3 imporrebbe al giocatore 2 una credenza pari a $p = q_1/(q_1 + q_2)$.

I Requisiti 1, 2 e 3 catturano lo spirito dell'equilibrio bayesiano perfetto. La nuova caratteristica cruciale di questo concetto di equilibrio è da attribuire a Kreps e Wilson [1982]: nella definizione di equilibrio le credenze e le strategie sono considerate alla stessa stregua. Formalmente, un equilibrio non è formato soltanto da una strategia per ogni giocatore, ma comprende anche una credenza per ogni insieme informativo nel quale il giocatore ha diritto alla mossa[1]. Il vantaggio di rendere esplicite le credenze dei giocatori è che, così come nei capitoli precedenti abbiamo richiesto che i giocatori scelgano strategie credibili, anche ora possiamo richiedere che essi abbiano credenze plausibili, sia sul sentiero di equilibrio (il Requisito 3) che fuori dal sentiero di equilibrio (il Requisito 4, che segue, ed altri che saranno introdotti nel paragrafo 4).

In applicazioni economiche semplici – compreso il gioco di segnalazione del paragrafo 2.1 e il gioco senza costi di comunicazione del paragrafo 3.1 – i Requisiti 1, 2 e 3 non solo catturano lo spirito ma costituiscono la definizione di equilibrio bayesiano perfetto. Tuttavia, nelle applicazioni economiche più elaborate è necessario imporre altri requisiti per eliminare gli equilibri poco plausibili. Autori diversi hanno impiegato definizioni diverse di equilibrio bayesiano perfetto. Tutte le definizioni comprendono i Requisiti 1, 2 e 3; la maggior parte comprende anche il Requisito 4; alcuni autori impongono dei Requisiti ulteriori[2]. In questo capitolo assumiamo che la

[1] Kreps e Wilson formalizzano questa visione dell'equilibrio per mezzo della definizione di *equilibrio sequenziale*, un concetto di equilibrio che in molte applicazioni economiche è equivalente all'equilibrio bayesiano perfetto, ma che, in alcuni casi, è leggermente più forte. L'equilibrio sequenziale è più complesso da definire e da applicare rispetto all'equilibrio bayesiano perfetto, per questa ragione la maggior parte degli autori impiega ora quest'ultimo concetto, anche se alcuni di loro indicano (impropriamente) il concetto di equilibrio da essi applicato con il termine equilibrio sequenziale. Kreps e Wilson mostrano che in ogni gioco finito (cioè, ogni gioco con un numero finito di giocatori, di tipi e di mosse possibili) esiste un equilibrio sequenziale; questo implica che in ogni gioco finito esiste un equilibrio bayesiano perfetto.

[2] Per dare un'idea delle questioni che non sono affrontate dai Requisiti 1, 2, 3 e 4, si supponga che i giocatori 2 e 3 abbiano osservato gli stessi eventi e che entrambi osservino una deviazione dall'equilibrio da parte del giocatore 1. In un gioco con informazione incompleta in cui il giocatore 1 ha informazione privata, è ragionevole che i giocatori 2 e 3 mantengano la stessa credenza sul tipo del giocatore 1? In un gioco con informazione completa è ragionevole che i giocatori 2 e 3 mantengano la stessa credenza sulle mosse precedenti non osservate del giocatore 1? Analogamente, se i giocatori 2 e 3 hanno osservato gli stessi eventi e poi il giocatore 2 devia dall'equilibrio è ragionevole che il giocatore 3 cambi la propria credenza sul tipo del giocatore 1, oppure sulle mosse non osservate di 1?

definizione di equilibrio bayesiano perfetto sia data dai Requisiti 1, 2, 3 e 4[3].

REQUISITO 4. Negli insiemi informativi fuori dal sentiero di equilibrio, le credenze sono determinate, dove ciò è possibile, dalla regola di Bayes e dalle strategie di equilibrio dei giocatori.

DEFINIZIONE. Un *equilibrio bayesiano perfetto* è composto da strategie e credenze che soddisfano i Requisiti 1, 2, 3 e 4.

È ovvio che sarebbe preferibile avere una formulazione più precisa del Requisito 4 – una formulazione che eviti la vaga indicazione «dove ciò è possibile». Questo è ciò che faremo in ognuna delle applicazioni economiche analizzate nei paragrafi successivi. Per ora, ci serviremo dei giochi con tre giocatori delle figure 4.4 e 4.5 per illustrare e motivare il Requisito 4. (Il payoff più in alto, quello intermedio e quello più in basso si riferiscono, rispettivamente, ai giocatori 1, 2 e 3).

Questo gioco ha soltanto un sottogioco che inizia dall'insieme informativo con un solo nodo del giocatore 2. L'unico equilibrio di Nash di questo sottogioco tra i giocatori 2 e 3 è (L, R'), quindi l'unico equilibrio di Nash perfetto nei sottogiochi dell'intero gioco è (D, L, R'). Queste strategie e la credenza $p = 1$ del giocatore 3 soddisfano i Requisiti 1, 2 e 3. Poiché non vi è nessun insieme informativo fuori da questo sentiero di equilibrio, le strategie e la credenza soddisfano banalmente anche il Requisito 4 e quindi costituiscono un equilibrio bayesiano perfetto.

Ora si considerino le strategie (A, L, L') e la credenza $p = 0$. Queste strategie sono un equilibrio di Nash – nessun giocatore desidera deviare in modo unilaterale. Inoltre, queste strategie e questa credenza soddisfano i Requisiti 1, 2 e 3 – il giocatore 3 ha una credenza e agisce in modo ottimale in base a essa e i giocatori 1 e 2 agiscono in modo ottimale date le strategie successive degli altri giocatori. Tuttavia, questo equilibrio di Nash non è perfetto nei sottogiochi, poiché l'unico equilibrio di Nash dell'unico sottogioco del gioco è

[3] Fudenberg e Tirole [1991] presentano una definizione formale di equilibrio bayesiano perfetto per un'ampia classe di giochi dinamici con informazione incompleta. La loro definizione tiene conto di questioni analoghe a quelle sollevate nella nota precedente. Tuttavia, nei semplici giochi analizzati in questo capitolo questi problemi non si presentano, quindi la loro definizione è equivalente ai Requisiti 1, 2, 3 e 4. Fudenberg e Tirole ricavano le condizioni alle quali il loro equilibrio bayesiano perfetto è equivalente all'equilibrio sequenziale di Kreps e Wilson.

(L, R'). Quindi, i Requisiti 1, 2 e 3 non garantiscono che le strategie dei giocatori siano un equilibrio di Nash perfetto nei sottogiochi. Il problema è che la credenza del giocatore 3 ($p = 0$) non è coerente con la strategia del giocatore 2 (L), cioè, i Requisiti 1, 2 e 3 non impongono alcuna restrizione sulla credenza di 3 poiché l'insieme informativo di 3 non è raggiunto qualora il gioco venga giocato in base alle strategie specificate. Tuttavia, il Requisito 4 impone che la credenza del giocatore 3 sia determinata dalla strategia del giocatore 2: se la strategia di 2 è L, la credenza di 3 deve essere $p = 1$; se la strategia di 2 è R, la credenza di 3 deve essere $p = 0$. Tuttavia, se la credenza di 3 è $p = 1$ il Requisito 2 impone che la strategia di 3 sia R', quindi le strategie (A, L, L') e la credenza $p = 0$ non soddisfano tutti i Requisiti 1, 2, 3 e 4.

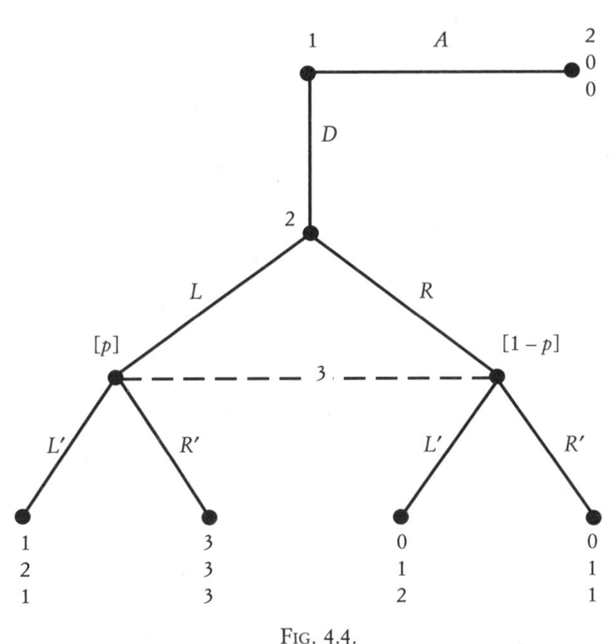

Fig. 4.4.

Come ulteriore illustrazione del Requisito 4, si supponga che la figura 4.4 sia modificata come mostrato nella figura 4.5: ora il giocatore 2 ha una terza azione possibile, A', la quale pone termine al gioco. (Per semplicità, ignoriamo i payoff di questo gioco). Se la strategia di equilibrio del giocatore 1 è A, come prima, l'insieme informativo del giocatore 3 è fuori dal sentiero di equilibrio, ma ora il Requisito 4 non è più sufficiente a determinare la credenza di 3 dalla strategia di 2. Se la strategia di 2 è A', il Requisito 4 non impone alcuna restrizione sulla credenza di 3, tuttavia se la strategia di 2 è giocare L con probabilità q_1, R con probabilità q_2 e A' con probabi-

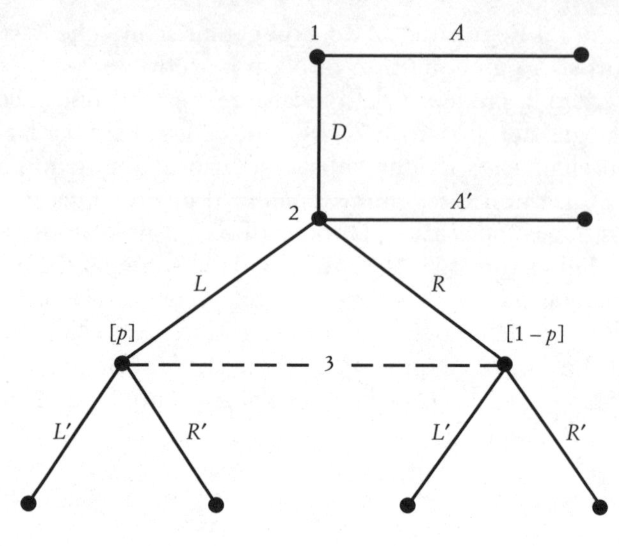

FIG. 4.5.

lità $1 - q_1 - q_2$, dove $q_1 + q_2 > 0$, il Requisito 4 impone che la credenza di 3 sia $p = q_1/(q_1 + q_2)$.

In conclusione di questo paragrafo mettiamo in relazione, in modo non formale, l'equilibrio bayesiano perfetto con i concetti di equilibrio introdotti nei capitoli precedenti. In un equilibrio di Nash, la strategia di ogni giocatore deve essere una risposta ottima alle strategie degli altri giocatori, pertanto nessun giocatore sceglie una strategia strettamente dominata. In un equilibrio bayesiano perfetto, i Requisiti 1 e 2 equivalgono a richiedere che la strategia di ogni giocatore non sia strettamente dominata a partire da un qualsiasi insieme informativo. (Si veda il paragrafo 4 per una definizione formale di dominanza stretta a partire da un insieme informativo). L'equilibrio di Nash e l'equilibrio di Nash bayesiano non hanno questa caratteristica in corrispondenza degli insiemi informativi fuori dal sentiero di equilibrio; neanche l'equilibrio di Nash perfetto nei sottogiochi possiede questa caratteristica in alcuni insiemi informativi fuori dal sentiero di equilibrio, per esempio, gli insiemi informativi che non fanno parte di nessun sottogioco. L'equilibrio bayesiano perfetto consente di superare questi inconvenienti: i giocatori non possono minacciare di giocare strategie che sono strettamente dominate a partire da un qualsiasi insieme informativo fuori dal sentiero di equilibrio.

Come abbiamo notato precedentemente, uno degli aspetti positivi del concetto di equilibrio bayesiano perfetto è che rende esplicite le credenze dei giocatori e, quindi, permette di imporre non solo i Requisiti 3 e 4 ma anche requisiti ulteriori (sulle credenze fuori dal sentiero di equilibrio). Poiché l'equilibrio bayesiano perfetto esclude che il giocatore i giochi una strategia strettamente dominata a partire da un insieme informativo fuori dal sentiero di equilibrio, non sembra plausibile che il giocatore j creda che il giocatore i giochi una tale strategia. Tuttavia, poiché l'equilibrio bayesiano perfetto rende esplicite le credenze dei giocatori, spesso un tale equilibrio non può essere costruito risalendo lungo l'albero del gioco, come abbiamo fatto per la costruzione dell'equilibrio di Nash perfetto nei sottogiochi. In effetti, il Requisito 2 determina l'azione di un giocatore in un dato insieme informativo basandosi in parte sulla credenza del giocatore in quell'insieme informativo; se a questo insieme informativo si applica o l'uno o l'altro dei Requisiti 3 e 4, si determina la credenza del giocatore dalle azioni dei giocatori nella parte superiore dell'albero del gioco. Tuttavia, il Requisito 2 determina le azioni nella parte superiore dell'albero del gioco basandosi, in parte, sulle strategie successive dei giocatori, compresa l'azione dell'insieme informativo originario. Questa circolarità implica che un singolo percorso che risale lungo l'albero del gioco (normalmente) non è sufficiente per ricavare un equilibrio bayesiano perfetto.

2. Giochi di segnalazione

2.1. Equilibrio bayesiano perfetto nei giochi di segnalazione

Un gioco di segnalazione è un gioco dinamico con informazione incompleta che richiede la presenza di due giocatori: un Mittente (S) e un Destinatario (R). La struttura temporale del gioco è la seguente:

1) La natura estrae un tipo t_i per il Mittente da un insieme di tipi ammissibili, $T = \{t_1, ..., t_I\}$, in base ad una distribuzione di probabilità $p(t_i)$, dove $p(t_i) > 0$ per ogni i e $p(t_1) + ... + p(t_I) = 1$.

2) Il Mittente osserva t_i e poi sceglie un messaggio m_j da un insieme di messaggi ammissibili, $M = \{m_1, ..., m_J\}$.

3) Il Destinatario osserva m_j (ma non t_i) e poi sceglie un'azione a_k da un insieme di azioni ammissibili $A = \{a_1, ..., a_K\}$.

4) I payoff sono dati da $U_S(t_i, m_j, a_k)$ e $U_R(t_i, m_j, a_k)$.

In molte applicazioni, gli insiemi T, M e A sono intervalli della retta reale piuttosto che insiemi finiti come quelli qui considerati. È immediato estendere l'analisi per consentire che l'insieme dei messaggi ammissibili dipenda dal tipo estratto dalla natura, e l'insieme delle azioni ammissibili dipenda dal messaggio scelto dal Mittente.

I modelli di segnalazione sono stati applicati estesamente nella teoria economica. Per dare un'idea dell'ampiezza delle possibili applicazioni presentiamo una breve interpretazione della struttura formale esposta ai punti 1-4 in termini delle tre applicazioni che saranno analizzate nei paragrafi 2.2, 2.3 e 2.4.

Nel modello di segnalazione nel mercato del lavoro di Spence [1973], il Mittente è un lavoratore, il Destinatario è il mercato dei potenziali datori di lavoro, il tipo è l'abilità produttiva del lavoratore, il messaggio è la scelta del livello di istruzione da parte del lavoratore e l'azione è il salario pagato dal mercato.

Nel modello di investimento societario e struttura del capitale di Myers e Majluf [1984], il Mittente è una società di capitali che necessita di fondi per finanziare un nuovo progetto, il Destinatario è un potenziale investitore, il tipo è la profittabilità delle attività esistenti dell'impresa, il messaggio è l'offerta da parte dell'impresa di una quota di partecipazione azionaria in cambio del finanziamento, e l'azione è la decisione dell'investitore di investire o non investire.

In alcune applicazioni, un gioco di segnalazione è inserito in un gioco più articolato. Per esempio, vi potrebbe essere un'azione da parte del Destinatario prima che il Mittente scelga il messaggio nello stadio 2; inoltre, vi potrebbe essere un'azione da parte del Mittente dopo che (o mentre) il Destinatario sceglie l'azione nello stadio 3.

Nel modello di politica monetaria di Vickers [1986], la banca centrale ha informazione privata sulla propria disponibilità ad accettare l'inflazione in cambio di maggiore occupazione, tuttavia, per quanto riguarda gli altri aspetti, il modello è una versione a due periodi del gioco ripetuto con informazione completa analizzato nel paragrafo 3 del capitolo 2. Perciò, il Mittente è la banca centrale, il Destinatario è il mercato dei datori di lavoro, il tipo è la disponibilità della banca centrale ad accettare l'inflazione in cambio di maggiore occupazione, il messaggio è la scelta da parte della banca centrale dell'inflazione del primo periodo e l'azione è data dalle aspettative di inflazione del secondo periodo dei datori di lavoro. Le aspettative di inflazione del primo periodo dei datori di lavoro sono precedenti al gioco di segnalazione e la scelta dell'inflazione del secondo periodo da parte della banca centrale è successiva.

Nella parte restante di questo paragrafo tralasciamo queste applicazioni e analizziamo il gioco astratto di segnalazione esposto ai punti 1-4. La figura 4.6 mostra una rappresentazione in forma estesa (senza payoff) di un semplice caso: $T = \{t_1, t_2\}$, $M = \{m_1, m_2\}$, $A = \{a_1, a_2\}$ e $\text{Prob}\{t_1\} = p$. Si noti che il gioco non si sviluppa a partire da un nodo iniziale nella parte superiore dell'albero per procedere fino ai nodi terminali della parte inferiore, ma si sviluppa invece da una mossa iniziale della natura nella parte centrale dell'albero per procedere fino ai nodi terminali che si trovano ai margini sinistro e destro.

Si rammenti che (in qualunque gioco) la strategia di un giocatore è un piano completo di azione – una strategia specifica un'azione ammissibile per ogni circostanza in cui il giocatore potrebbe essere chiamato ad agire. Perciò, in un gioco di segnalazione, una strategia pura per il Mittente è una funzione $m(t_i)$ che specifica quale messaggio sarà scelto, per ciascuno dei tipi che la natura potrebbe estrarre; inoltre, una strategia pura per il Destinatario è una funzione $a(m_j)$ che specifica quale azione sarà scelta, per ciascun messaggio che il Mittente potrebbe inviare. Nel semplice gioco della figura 4.6, sia il Mittente che il Destinatario hanno quattro strategie pure.

Strategia 1 del Mittente: giocare m_1 se la natura estrae t_1 e giocare m_1 se la natura estrae t_2.
Strategia 2 del Mittente: giocare m_1 se la natura estrae t_1 e giocare m_2 se la natura estrae t_2.
Strategia 3 del Mittente: giocare m_2 se la natura estrae t_1 e giocare m_1 se la natura estrae t_2.
Strategia 4 del Mittente: giocare m_2 se la natura estrae t_1 e giocare m_2 se la natura estrae t_2.

Strategia 1 del Destinatario: giocare a_1 se il Mittente sceglie m_1 e giocare a_1 se il Mittente sceglie m_2.
Strategia 2 del Destinatario: giocare a_1 se il Mittente sceglie m_1 e giocare a_2 se il Mittente sceglie m_2.
Strategia 3 del Destinatario: giocare a_2 se il Mittente sceglie m_1 e giocare a_1 se il Mittente sceglie m_2.
Strategia 4 del Destinatario: giocare a_2 se il Mittente sceglie m_1 e giocare a_2 se il Mittente sceglie m_2.

Le strategie 1 e 4 del Mittente sono dette strategie *pooling* (*accomunanti*) poiché ogni tipo invia lo stesso messaggio, mentre la seconda e la terza sono dette *separating* (*separanti*) poiché ogni tipo invia un messaggio differente. In un modello con più di due tipi vi sono anche strategie *parzialmente pooling* (o *semi-separating*) nelle quali tutti i tipi che appartengono ad un dato insieme dei tipi inviano lo stesso messaggio, mentre differenti insiemi di tipi inviano messaggi differenti. Nel gioco con due tipi della figura 4.6, vi sono strategie miste simili, chiamate strategie *ibride*, nelle quali (per esempio) t_1 gioca m_1 e t_2 effettua la scelta tra m_1 e m_2 in modo casuale.

Ora traduciamo le formulazioni informali dei Requisiti 1, 2 e 3 del paragrafo 1 in una definizione formale di equilibrio bayesiano perfetto per un gioco di segnalazione. (La discussione della figura 4.5 implica che, in un gioco di segnalazione, il Requisito 4 è privo di

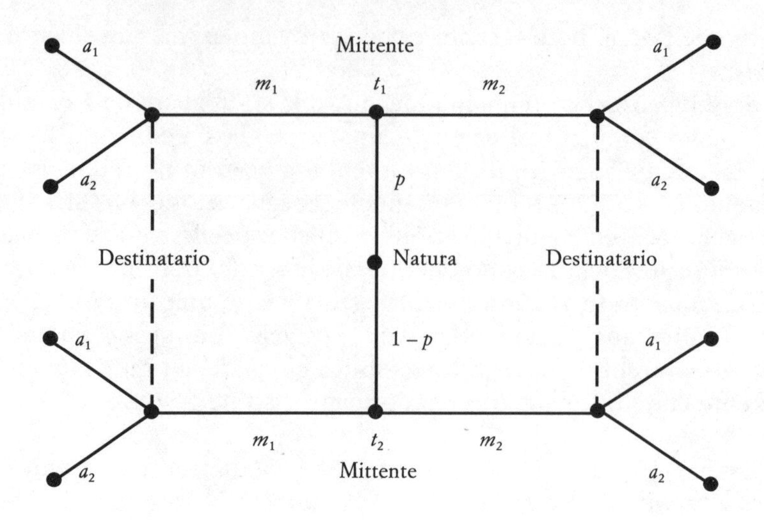

FIG. 4.6.

significato). Per semplificare le cose, restringiamo l'attenzione alle strategie pure; le strategie ibride saranno discusse brevemente nel corso dell'analisi della segnalazione nel mercato del lavoro del prossimo paragrafo. Lasciamo al lettore, come esercizio, il compito di definire l'equilibrio di Nash bayesiano per un gioco di segnalazione; si veda il problema 4.6.

Poiché il Mittente conosce l'intera storia del gioco quando sceglie un messaggio, questa scelta viene effettuata in un insieme informativo con un singolo nodo. (Vi è un insieme informativo simile per ciascuno dei tipi che la natura potrebbe estrarre). Quindi, il Requisito 1 è banalmente soddisfatto dal Mittente. Il Destinatario, invece, sceglie un'azione dopo aver osservato il messaggio del Mittente, ma senza conoscere il tipo del Mittente, perciò la scelta del Destinatario avviene in un insieme informativo con più nodi. (Vi è un insieme informativo simile per ciascun messaggio che il Mittente potrebbe scegliere e ognuno di tali insiemi informativi ha un nodo per ogni tipo che la natura potrebbe aver estratto.) Applicando il Requisito 1 al Mittente si ricava:

REQUISITO DI SEGNALAZIONE 1. Dopo aver osservato un qualunque messaggio m_j scelto da M, il Destinatario deve avere una credenza su quale tipo potrebbe aver inviato m_j. Si indichi questa credenza con la distribuzione di probabilità $\mu(t_i | m_j)$, dove $\mu(t_i | m_j) \geq 0$ per ogni t_i in T, e

$$\sum_{t_i \in T} \mu(t_i | m_j) = 1.$$

Una volta dati il messaggio del Mittente e la credenza del Destinatario, è immediato caratterizzare l'azione ottima del Destinatario; applicando il Requisito 2 al Destinatario si ricava:

REQUISITO DI SEGNALAZIONE 2R. Per ogni m_j in M, l'azione del Destinatario $a^*(m_j)$ deve massimizzare l'utilità attesa del Destinatario, data la credenza $\mu(t_i|m_j)$ su quali tipi avrebbero potuto inviare m_j. Cioè, $a^*(m_j)$ è una soluzione del problema

$$\max_{a_k \in A} \sum_{t_i \in T} \mu(t_i|m_j)\, U_R(t_i, m_j, a_k).$$

Il Requisito 2 si applica anche al Mittente il quale, tuttavia, ha informazione completa (e quindi una credenza ovvia) ed inoltre muove soltanto all'inizio del gioco; quindi, il Requisito 2 impone semplicemente che la strategia del Mittente sia ottima data la strategia del Destinatario:

REQUISITO DI SEGNALAZIONE 2S. Per ogni t_i in T, il messaggio del Mittente $m^*(t_i)$ deve massimizzare l'utilità del Mittente, data la strategia del Destinatario $a^*(m_j)$. Cioè, $m^*(t_i)$ è una soluzione del problema

$$\max_{m_j \in M} U_S(t_i, m_j, a^*(m_j)).$$

Infine, data la strategia del Mittente $m^*(t_i)$, si indichi con T_j l'insieme dei tipi che inviano il messaggio m_j, cioè, t_i fa parte dell'insieme T_j se $m^*(t_i) = m_j$. Se T_j non è vuoto, l'insieme informativo corrispondente al messaggio m_j si trova sul sentiero di equilibrio; altrimenti, m_j non è inviato da nessun tipo e quindi l'insieme informativo corrispondente a m_j è fuori dal sentiero di equilibrio. Applicando il Requisito 3 alle credenze del Destinatario nel caso di messaggi che si trovano sul sentiero di equilibrio si ricava:

REQUISITO DI SEGNALAZIONE 3. Per ogni m_j in M, se esiste t_i in T tale che $m^*(t_i) = m_j$, la credenza del Destinatario nell'insieme informativo corrispondente a m_j deve essere dedotto dalla regola di Bayes e dalla strategia del Mittente:

$$\mu(t_i|m_j) = \frac{p(t_i)}{\sum_{t_i \in T_i} p(t_i)}.$$

DEFINIZIONE. Un *equilibrio bayesiano perfetto* in strategie pure per un gioco di segnalazione è una coppia di strategie, $m^*(t_i)$ e $a^*(m_j)$, ed una credenza $\mu(t_i|m_j)$ che soddisfano i Requisiti di segnalazione (1), (2*R*), (2*S*) e (3).

L'equilibrio è detto *pooling*, se la strategia del Mittente è *pooling*, e *separating* se la strategia del Mittente è *separating*.

Concludiamo questo paragrafo calcolando l'equilibrio bayesiano perfetto in strategie pure per l'esempio con due tipi della figura 4.7. Si noti che ogni tipo ha la stessa probabilità di essere estratto dalla natura; con $(p, 1-p)$ e $(q, 1-q)$ indichiamo le credenze del Destinatario in corrispondenza dei suoi due insiemi informativi.

I quattro possibili equilibri bayesiani perfetti in strategie pure di questo gioco con due tipi e due messaggi sono: 1) *pooling* su L; 2) *pooling* su R; 3) separazione con t_1 che gioca L e t_2 che gioca R; e 4) separazione con t_1 che gioca R e t_2 che gioca L. Analizziamo queste possibilità una alla volta.

1) *Pooling* su L: si supponga che vi sia un equilibrio in cui la strategia del Mittente sia (L, L), dove (m', m'') significa che il tipo t_1 sceglie m' e il tipo t_2 sceglie m''. L'insieme informativo del Destinatario corrispondente ad L è sul sentiero di equilibrio, perciò la credenza del Destinatario, $(p, 1-p)$ in questo insieme informativo è determinata dalla regola di Bayes e dalla strategia del Mittente: $p = 0{,}5$, cioè la distribuzione a priori. Data questa credenza (o, in effetti, qualsiasi altra credenza), la migliore risposta del Destinatario a L è giocare u, di conseguenza i tipi t_1 e t_2 del Mittente ottengono, rispettivamente, dei payoff pari a 1 e 2. Per determinare se entrambi i tipi del Mittente sono disposti a scegliere L, occorre specificare come il Destinatario risponderebbe ad R. Se la risposta del Destinatario ad R è u, il payoff che ottiene il tipo t_1 giocando R è 2, che è maggiore del payoff pari a 1 che t_1 ottiene giocando L. Tuttavia, se la risposta del Destinatario a R è d, t_1 e t_2 ottengono payoff pari a 0 e 1 (rispettivamente) giocando R, mentre guadagnano 1 e 2 (rispettivamente) giocando L. Quindi, se esiste un equilibrio in cui la strategia del Mittente è (L, L), la risposta del Destinatario a R deve essere d, perciò la strategia del Destinatario sarà (u, d), dove (a', a'') significa che il Destinatario gioca a' in risposta a L e a'' in risposta a R. Non resta che considerare la credenza del Destinatario nell'insieme informativo corrispondente a R, e l'ottimalità di giocare d data questa credenza. Poiché per il Destinatario giocare d è ottimo per qualsiasi $q \leq 2/3$, si ha che $[(L, L), (u, d), p = 0{,}5, q]$ è un equilibrio bayesiano perfetto *pooling* per ogni $q \leq 2/3$.

2) *Pooling* su R: supponiamo che la strategia del Mittente sia (R, R). In questo caso avremo $q = 0{,}5$, quindi la risposta ottima del Destinatario a R è d, che assicura dei payoff pari a 0 per t_1 e 1 per t_2. Tuttavia, t_1 può guadagnare 1 giocando L, poiché la risposta ottima del Destinatario a L è u per qualsiasi valore di p, perciò non vi è nessun equilibrio in cui il Mittente gioca (R, R).

3) Separazione con t_1 che gioca L: se il Mittente gioca la strategia

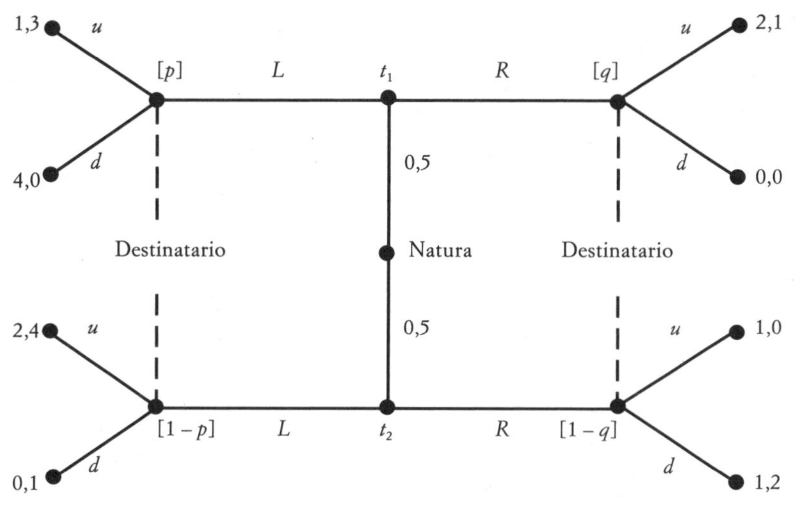

FIG. 4.7.

separating, (L, R), entrambi gli insiemi informativi del Destinatario sono sul sentiero di equilibrio, quindi entrambe le credenze sono determinate dalla regola di Bayes e dalla strategia del Mittente: $p = 1$ e $q = 0$. Le risposte ottime del Destinatario a queste credenze sono, rispettivamente, u e d, perciò entrambi i tipi del Mittente ottengono un payoff pari a 1. Non resta che controllare se la strategia del Mittente è ottima data la strategia del Destinatario, (u, d). La risposta è negativa: se il tipo t_2 devia giocando L invece di R, il Destinatario risponde con u e t_2 guadagna un payoff pari a 2 che è maggiore del payoff pari a 1 che t_2 ottiene giocando R.

4) Separazione con t_1 che gioca R: se il Mittente gioca la strategia *separating* (R, L), le credenze del Destinatario devono essere $p = 0$ e $q = 1$, perciò la risposta ottima del Destinatario è (u, u) e entrambi i tipi ricevono un payoff pari a 2. Se t_1 deviasse giocando L, il Destinatario risponderebbe u e il payoff di t_1 sarebbe pari a 1; quindi, non vi è alcun incentivo per t_1 a deviare giocando R. Analogamente, se t_2 deviasse giocando R, il Destinatario risponderebbe con u e il payoff di t_2 sarebbe pari a 1; quindi, non vi è alcun incentivo per t_2 a deviare giocando L. Perciò, $[(R, L), (u, u), p = 0, q = 1]$ è un equilibrio bayesiano perfetto *separating*.

2.2. Segnalazione nel mercato del lavoro

La vasta letteratura sui giochi di segnalazione si sviluppa a partire dal modello di Spence [1973], il quale anticipa sia l'ampio ricorso ai giochi in forma estesa per descrivere i problemi economici e sia la definizione di concetti di equilibrio come, ad esempio, l'equilibrio bayesiano perfetto. In questo paragrafo riformuliamo il modello di Spence in termini di un gioco in forma estesa e descriviamo alcuni degli equilibri bayesiani perfetti di tale gioco; nel paragrafo 4 applicheremo a questo gioco un raffinamento dell'equilibrio bayesiano perfetto. La struttura temporale del modello è la seguente.

1) La natura determina l'abilità produttiva del lavoratore, η, la quale può essere alta (H) oppure bassa (L). La probabilità che $\eta = H$ è q.

2) Il lavoratore, una volta nota la propria abilità, sceglie un livello di istruzione $e \geq 0$.

3) Due imprese osservano il livello di istruzione del lavoratore (ma non l'abilità del lavoratore) e poi, simultaneamente, propongono le loro offerte salariali al lavoratore[4].

4) Il lavoratore accetta la più alta delle offerte salariali affidandosi all'esito del lancio di una moneta nel caso di parità. Con w si indica il salario che il lavoratore accetta.

I payoff sono: $w - c(\eta, e)$ per il lavoratore, dove $c(\eta, e)$ è il costo per il lavoratore con abilità η di conseguire il livello di istruzione e; $y(\eta, e) - w$ per l'impresa che assume il lavoratore, dove $y(\eta, e)$ è la produzione di un lavoratore con abilità η e con istruzione e; e zero per l'impresa che non assume il lavoratore.

Ci concentreremo (in parte qui e maggiormente nel paragrafo 4) su un equilibrio bayesiano perfetto in cui le imprese interpretano l'istruzione come un segnale dell'abilità e, quindi, offrono un salario più alto ad un lavoratore maggiormente istruito. L'aspetto paradossale dell'articolo di Spence [1973] è che i salari possono aumentare in relazione all'istruzione anche se l'istruzione *non* ha alcun effetto sulla produttività (cioè, anche se la produzione di un lavoratore con abiltà η è $y(\eta)$, indipendentemente da e). L'articolo di Spence [1974] generalizza il risultato ammettendo la possibilità che la produzione aumenti non solo in relazione all'abilità, ma anche all'istruzione; la conclusione analoga è che i salari aumentano in funzione dell'istruzione più di quanto può essere spiegato dall'effetto dell'istruzione sulla produttività. Seguiremo questo approccio più generale[5].

[4] La presenza di due imprese nel ruolo di Destinatario collocano questo gioco fuori dalla classe dei giochi analizzati nel paragrafo precedente; tuttavia, si veda la discussione che precede l'equazione [4.1].

[5] Formalmente, assumiamo che i lavoratori con abilità alta siano più produttivi (cioè, $y(H, e) > y(L, e)$ per ogni e) e che l'istruzione non riduce la produttività (cioè, $y_e(\eta, e) \geq 0$ per ogni η ed ogni e, dove $y_e(\eta, e)$ è la produttività marginale dell'istruzione per un lavoratore con abilità η e istruzione e).

È un fatto assodato che i salari sono più alti (in media) per i lavoratori con più anni di istruzione [si veda Mincer 1974, per esempio]; viene spontanea, quindi, la tentazione di interpretare la variabile e come anni di istruzione. Potremmo supporre che, in un equilibrio *separating*, un lavoratore con abilità bassa consegua un diploma di scuola media superiore e un lavoratore con abilità alta consegua un'istruzione di livello universitario. Sfortunatamente, interpretare e come anni di scuola solleva alcuni problemi di natura dinamica che non sono presenti nel semplice gioco descritto ai punti 1-4, come ad esempio la possibilità che un'impresa proponga un'offerta salariale dopo il primo anno di università del lavoratore (cioè, dopo che un lavoratore con abilità bassa si supponga abbia abbandonato la scuola, ma prima che un lavoratore con abilità alta termini gli studi). In un gioco più articolato, ogni anno un lavoratore potrebbe scegliere se accettare la migliore offerta salariale corrente oppure tornare a scuola per un altro anno. Noldeke e van Damme [1990] analizzano un gioco più articolato seguendo queste indicazioni e mostrano che: *i*) vi sono molti equilibri bayesiani perfetti; *ii*) dopo aver applicato un raffinamento strettamento collegato al raffinamento che applicheremo nel paragrafo 4, soltanto uno di questi equilibri sopravvive; e *iii*) l'equilibrio che sopravvive è identico all'unico equilibrio del gioco descritto ai punti 1-4, che sopravvive dopo aver applicato il raffinamento del paragrafo 4. Quindi, nel semplice gioco descritto ai punti 1-4, potremmo interpretare approssimativamente e come anni di istruzione in quanto i risultati sono gli stessi che si ottengono nel gioco più articolato.

Tuttavia, eviteremo questi problemi di natura dinamica interpretando differenze di e come differenze di qualità della prestazione di uno studente e *non* come differenze nella lunghezza del periodo di istruzione dello studente. Quindi, il gioco descritto ai punti 1-4 potrebbe essere applicato a un gruppo di diplomati della scuola media superiore (cioè, i lavoratori con esattamente 13 anni di istruzione), oppure ad un gruppo di laureati. In base a tale interpretazione, e misura il numero e il tipo di corsi frequentati e le votazioni riportate nell'ambito della data carriera scolastica. I costi di insegnamento (se esistono) sono indipendenti da e, perciò la funzione di costo $c(\eta, e)$ misura i costi non monetari (o psichici): per gli studenti con più bassa abilità è più difficile ottenere voti alti in un dato istituto scolastico ed è ancora più difficile ottenere voti alti in istituti più prestigiosi. L'impiego da parte delle imprese dell'istruzione come segnale, dunque, riflette il fatto che le imprese assumono e pagano salari più alti ai migliori diplomati di un dato istituto e ai diplomati degli istituti più prestigiosi.

L'assunzione cruciale del modello di Spence è che la segnalazione sia più costosa per i lavoratori con abilità bassa rispetto ai lavoratori con abilità alta. Più precisamente, il costo marginale dell'istruzione è più alto per i lavoratori con abilità bassa rispetto a quelli con abilità alta: per ogni e,

$$c_e(L, e) > c_e(H, e),$$

dove $c_e(\eta, e)$ indica il costo marginale dell'istruzione per un lavoratore di abilità η e istruzione e. Per interpretare questa assunzione si consideri un lavoratore con istruzione e_1 che riceve il salario w_1, come è illustrato dalla figura 4.8, e si calcoli l'aumento del salario che sarebbe necessario per compensare questo lavoratore per l'aumento di istruzione da e_1 a e_2. La risposta dipende dall'abilità del lavoratore: per i lavoratori con abilità bassa è più difficile acquisire l'istruzione addizionale e quindi essi richiedono un maggiore aumento di salario (fino a w_L invece che soltanto fino a w_H) per essere compensati. L'interpretazione grafica di questa assunzione è che i lavoratori con abilità bassa hanno una curva di indifferenza più inclinata rispetto a quella dei lavoratori con abilità alta – si confronti I_L con I_H nella figura.

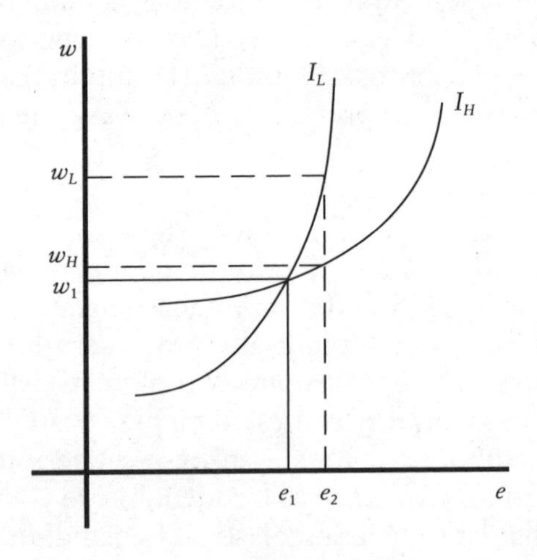

FIG. 4.8.

Inoltre, Spence assume che la concorrenza tra le imprese riduca a zero i profitti attesi. Per incorporare questa assunzione nel nostro modello si potrebbero sostituire le due imprese nello stadio (3) con un singolo giocatore detto il mercato, il quale effettua una singola offerta salariale w e ha un payoff pari a $-[y(\eta, e) - w]^2$. (In questo modo il modello apparterrebbe alla classe di giochi di segnalazione con un Destinatario, definita nel paragrafo precedente). Per massimizzare il proprio payoff atteso, come impone il Requisito di segnalazione 2R, il mercato dovrebbe offrire un salario pari al prodotto atteso di un lavoratore con istruzione e data la credenza del mercato sulla abilità del lavoratore dopo aver osservato e:

$$[4.1] \qquad w(e) = \mu(H|e) \cdot y(H, e) + [1 - \mu(H|e)] \cdot y(L, e),$$

dove $\mu(H|e)$ è la valutazione del mercato della probabilità che l'abilità del lavoratore sia H. Lo scopo di avere due imprese in concorrenza tra loro nello stadio (3) è di raggiungere lo stesso risultato senza ricorrere ad un giocatore fittizio chiamato il mercato. Tuttavia, per garantire che le imprese offriranno sempre un salario uguale alla produzione attesa del lavoratore, occorre introdurre un'altra assunzione: dopo aver osservato la scelta relativa all'istruzione e, entrambe le imprese hanno la stessa credenza sull'abilità del lavoratore, indicata nuovamente con $\mu(H|e)$. Poiché il Requisito di segnalazione 3 determina la credenza che entrambe le imprese devono avere dopo aver osservato una scelta di e che si trova sul sentiero di equilibrio, la nostra assunzione, in realtà, equivale a supporre che le imprese abbiano una credenza comune anche dopo aver osservato una scelta di e fuori dal sentiero di equilibrio. Data questa assunzione, si deduce che in ogni equilibrio bayesiano perfetto entrambe le imprese offrono il salario $w(e)$ dato dalla equazione [4.1] – esattamente come accade nel modello di Bertrand del paragrafo 2.2 del capitolo 1, in cui entrambe le imprese fissano un prezzo uguale al costo marginale di produzione. Quindi, nel modello con due destinatari di questo paragrafo, l'equazione [4.1] sostituisce il Requisito di segnalazione 2R.

Per preparare l'analisi degli equilibri bayesiani perfetti di questo gioco di segnalazione, consideriamo, in primo luogo, la versione analoga con informazione completa del gioco. Cioè, assumiamo, temporaneamente, che l'abilità del lavoratore sia conoscenza comune piuttosto che informazione privata del lavoratore. In questo caso, la concorrenza tra le due imprese nello stadio (3) implica che un lavoratore con abilità η e istruzione e riceva il salario $w(e) = y(\eta, e)$. Perciò, la scelta di e da parte di un lavoratore con abilità η si ricava dalla soluzione del problema

$$\max_{e} \; y(\eta, e) - c(\eta, e).$$

Si indichi la soluzione con $e^*(\eta)$, come mostrato nella figura 4.9, e si ponga $w^*(\eta) = y[\eta, e^*(\eta)]$.

Ritorniamo (definitivamente) all'assunzione che l'abilità del la-

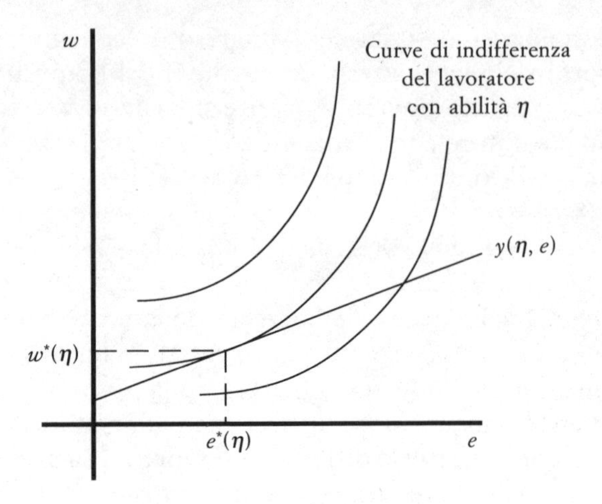

FIG. 4.9.

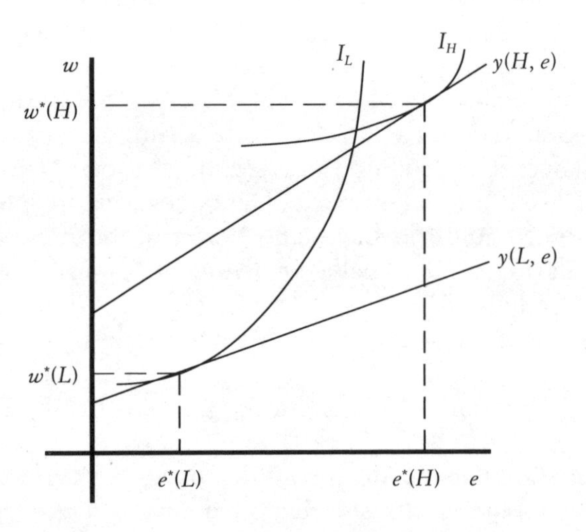

FIG. 4.10.

voratore sia informazione privata. Questo offre al lavoratore con abilità bassa la possibilità di farsi passare per un lavoratore con abilità alta. Si possono avere due casi. La figura 4.10 illustra il caso in cui per un lavoratore con abilità bassa è troppo costoso conseguire l'istruzione $e^*(H)$, anche se così facendo riuscisse ad indurre le imprese a credere (erroneamente) che egli abbia abilità alta e, quindi, a pagare il salario $w^*(H)$. Cioè, nella figura 4.10, $w^*(L) - c[L, e^*(L)] > w^*(H) - c[L, e^*(H)]$.

La figura 4.7 illustra il caso opposto, in cui il lavoratore con bassa abilità preferirebbe avere il salario e il livello di istruzione del lavoratore con abilità alta corrispondente alla situazione di informazione completa – cioè, $w^*(L) - c[L, e^*(L)] < w^*(H) - c[L, e^*(H)]$. Questo secondo caso non solo è più realistico, ma anche (come vedremo) più interessante. In un modello in cui l'abilità del lavoratore può assumere più di due valori, il primo caso si presenta soltanto se ogni possibile valore dell'abilità è sufficientemente distante dai possibili valori adiacenti. Se l'abilità è una variabile continua, per esempio, allora si verifica il secondo caso.

Come descritto nel paragrafo precedente, in questo modello vi possono essere tre tipi di equilibri bayesiani perfetti: *pooling*, *separating* e ibridi. Normalmente, per ogni tipo di equilibrio vi è un numero elevato di equilibri; restringiamo l'attenzione ad alcuni esempi. In un equilibrio *pooling* entrambi i tipi di lavoratore scelgono un singolo livello di istruzione, per esempio, e_p. Il Requisito di segnalazione 3 implica che la credenza delle imprese dopo aver osservato e_p sia la credenza a priori, $\mu(H, e_p) = q$, che, a sua volta, implica che il salario offerto dopo aver osservato e_p sia

$$w_p = q \cdot y(H, e_p) + (1 - q) \cdot y(L, e_p). \qquad [4.2]$$

Per completare la descrizione di un equilibrio bayesiano perfetto *pooling* non resta che: *i*) specificare la credenza delle imprese $\mu(H|e)$ per le scelte di istruzione $e \neq e_p$ fuori dall'equilibrio, le quali determinano poi la parte restante della strategia delle imprese $w(e)$ per mezzo dell'equazione [4.1], e *ii*) mostrare che la risposta ottima di entrambi i tipi del lavoratore alla strategia dell'impresa $w(e)$ è di scegliere $e = e_p$. Questi due passaggi corrispondono, rispettivamente, ai Requisiti di segnalazione 1 e 2S; come si è notato precedentemente, in questo modello con due destinatari, l'equazione [4.1] sostituisce il Requisito 2R.

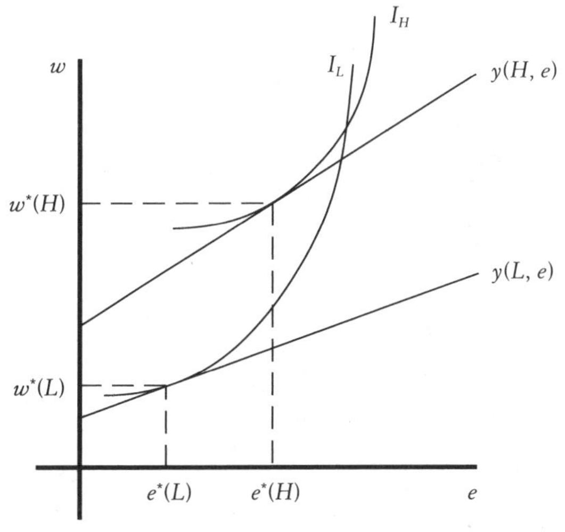

FIG. 4.11.

Si consideri l'eventualità in cui le imprese credano che qualsiasi livello di istruzione diverso da e_p implichi che il lavoratore abbia una abilità bassa: $\mu(H|e) = 0$ per ogni $e \neq e_p$. Sebbene questa credenza possa sembrare strana, nella definizione di equilibrio bayesiano perfetto non vi è nulla che consenta di escluderla, in quanto i Requisiti da 1 a 3 non impongono alcuna restrizione sulle credenze fuori dal sentiero di equilibrio e nei giochi di segnalazione il Requisito 4 è privo di significato. Il raffinamento che applicheremo nel paragrafo 4 non impone restrizioni sulla credenza del Destinatario fuori dal sentiero di equilibrio di un gioco di segnalazione; tuttavia, esso è sufficiente per escludere la credenza qui analizzata. Per ragioni di semplicità espositiva, in questa analisi degli equilibri *pooling* ci concentriamo su questa credenza sebbene considereremo brevemente anche credenze alternative.

Se la credenza dell'impresa è

$$\mu(H|e) = \begin{cases} 0 & \text{se } e \neq e_p \\ q & \text{se } e = e_p \end{cases} \tag{4.3}$$

allora l'equazione [4.1] implica che la strategia dell'impresa sia

$$w(e) = \begin{cases} y(L,e) & \text{se } e \neq e_p \\ w_p & \text{se } e = e_p. \end{cases} \tag{4.4}$$

Perciò, la scelta e di un lavoratore con abilità η si ricava dalla soluzione del problema

$$\max_e \; w(e) - c(\eta, e). \tag{4.5}$$

La soluzione della [4.5] è semplice: un lavoratore con abilità η sceglie e_p oppure il livello di istruzione che massimizza $y(L, e) - c(\eta, e)$. (Quest'ultimo è precisamente $e^*(L)$ per il lavoratore con abilità bassa). Nell'esempio illustrato dalla figura 4.12, il primo livello è ottimo per entrambi i tipi di lavoratore: la curva di indifferenza del lavoratore con abilità bassa e passante per il punto $[e^*(L), w^*(L)]$ giace al di sotto della curva di indifferenza del medesimo tipo passante per il punto (e_p, w_p), e la curva di indifferenza del lavoratore con abilità alta passante per il punto (e_p, w_p) giace al disopra della funzione del salario $w = y(L, e)$. Riassumendo, date le curve di indifferenza, le funzioni di produzione e il valore di e_p nella figura 4.12, la strategia $[e(L) = e_p, e(H) = e_p]$ per il lavoratore e la credenza $\mu(H|e)$ data dalla [4.3] e la strategia $w(e)$ data dalla [4.4] per l'impresa sono un equilibrio bayesiano perfetto *pooling*.

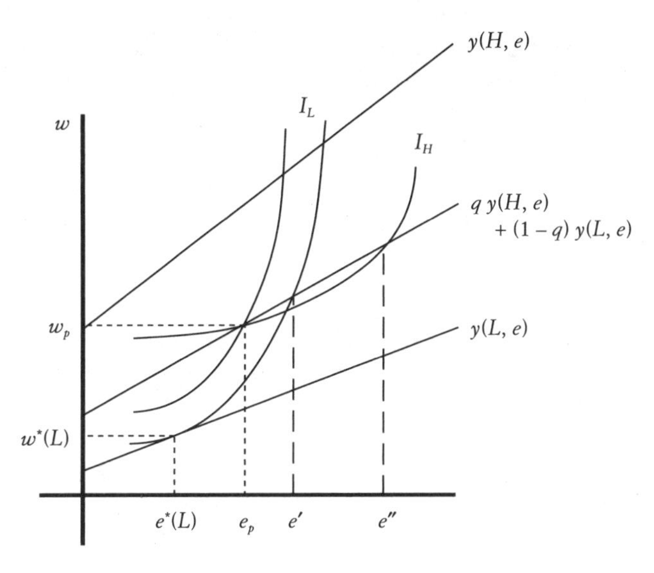

FIG. 4.12.

Nell'esempio descritto dalle curve di indifferenza e dalle funzioni di produzione della figura 4.12 esistono molti altri equilibri bayesiani perfetti *pooling*. Alcuni di questi equilibri prescrivono una diversa scelta del livello di istruzione da parte del lavoratore (cioè, un valore di e_p diverso da quello impiegato nella figura); altri equilibri prescrivono la stessa scelta del livello di istruzione ma si differenziano fuori dal sentiero di equilibrio. Come esempio del primo genere di equilibri, si indichi con $\hat{e}$ il livello di istruzione compreso tra e_p ed e', dove e' nella figura 4.12 è il livello di istruzione al quale la curva di indifferenza del lavoratore con abilità bassa passante per il punto $(e^*(L),\ w^*(L))$ interseca la funzione del salario $w = q \cdot y(H, e) + (1 - q) \cdot y(L, e)$. Se nelle [4.3] e [4.4] sostituiamo e_p con $\hat{e}$, la credenza e la strategia risultanti per le imprese assieme alla strategia $[e(L) = \hat{e},\ e(H) = \hat{e}]$ per il lavoratore sono un altro equilibrio bayesiano perfetto *pooling*. Come esempio del secondo genere di equilibrio, si supponga che la credenza delle imprese sia la stessa descritta nella [4.3] con la variante che qualsiasi livello di istruzione al disopra di e'' significa che il lavoratore è estratto casualmente dalla seguente distribuzione delle abilità:

$$\mu(H|e) = \begin{cases} 0 & \text{se } e \leq e'', \text{ eccetto } e = e_p \\ q & \text{se } e = e_p \\ q & \text{se } e > e'', \end{cases}$$

dove e'' nella figura 4.12 è il livello di istruzione al quale la curva di indifferenza del lavoratore con abilità alta passante per il punto (e_p, w_p) interseca la funzione del salario $w = q \cdot y(H, e) + (1 - q) \cdot y(L, e)$. La strategia delle imprese è dunque

$$w(e) = \begin{cases} y(L, e) & \text{se } e \leq e'', \text{ eccetto } e = e_p \\ w_p & \text{se } e = e_p \\ w_p & \text{se } e > e''. \end{cases}$$

Questa credenza e questa strategia per le imprese e la strategia $(e(L) = e_p, e(H) = e_p)$ per il lavoratore costituiscono un terzo equilibrio bayesiano perfetto *pooling*.

Torniamo ora agli equilibri *separating*. Nella figura 4.10 (il caso senza invidia), il naturale equilibrio bayesiano perfetto *separating* prescrive la strategia $[e(L) = e^*(L), e(H) = e^*(H)]$ per il lavoratore. Il Requisito di segnalazione 3 determina poi la credenza delle imprese dopo aver osservato l'uno o l'altro di questi due livelli di istruzione (cioè, $\mu[H|e^*(L)] = 0$ e $\mu[H|e^*(H)] = 1$), quindi l'equazione [4.1] implica che $w[e^*(L)] = w^*(L)$ e $w[e^*(H)] = w^*(H)$. Come nella discussione degli equilibri *pooling*, per completare la descrizione di questo equilibrio bayesiano perfetto *separating* non rimane altro che: *i*) specificare la credenza delle imprese $\mu(H|e)$ per le scelte del livello di istruzione fuori dall'equilibrio (cioè, i valori di e diversi da $e^*(L)$ oppure $e^*(H)$); per mezzo dell'equazione [4.1], tale credenza consente poi di determinare la parte restante della strategia delle imprese $w(e)$; e *ii*) mostrare che la risposta ottima di un lavoratore con abilità η alla strategia delle imprese $w(e)$ è scegliere $e = e^*(\eta)$.

Una credenza che soddisfa questa condizione è quella secondo cui un lavoratore ha abilità alta se e è almeno pari a $e^*(H)$, altrimenti ha abilità bassa:

$$[4.6] \qquad \mu(H|e) = \begin{cases} 0 & \text{se } e < e^*(H) \\ 1 & \text{se } e \geq e^*(H). \end{cases}$$

La strategia delle imprese è dunque

$$[4.7] \qquad w(e) = \begin{cases} y(L, e) & \text{se } e < e^*(H) \\ y(H, e) & \text{se } e \geq e^*(H). \end{cases}$$

Poiché $e^*(H)$ è la risposta ottima del lavoratore con abilità alta alla funzione del salario $w = y(H, e)$, essa è la risposta ottima anche in questo caso. Per quanto riguarda il lavoratore con abilità bassa, $e^*(L)$ è la risposta ottima di quel lavoratore quando la funzione del salario è $w = y(L, e)$, quindi $w^*(L) - c[L, e^*(L)]$ è il payoff più alto che il lavoratore può ottenere in questo caso, fra tutte le scelte di $e < e^*(H)$. Poiché le curve di indifferenza del lavoratore con abilità bassa sono più inclinate di quelle del lavoratore con abilità alta, $w^*(H) - c[L, e^*(H)]$ è il payoff più alto che il lavoratore con abilità bassa può raggiungere in questo caso, fra tutte le scelte $e \geq e^*(H)$. Quindi, $e^*(L)$ è la risposta ottima del lavoratore con abilità bassa, in quanto, nel caso senza invidia, $w^*(L) - c[L, e^*(L)] > w^*(H) - c[L, e^*(H)]$.

Da qui in avanti ignoreremo il caso senza invidia. Come abbiamo suggerito precedentemente, la figura 4.11 (il caso con invidia) è più interessante. Ora il lavoratore con abilità alta non può ottenere l'alto salario $w(e) = y(H, e)$ scegliendo semplicemente l'istruzione $e^*(H)$ che egli sceglierebbe in condizioni di informazione completa. Per segnalare la propria abilità, invece, il lavoratore con abilità alta deve scegliere $e_s > e^*(H)$, come mostrato nella figura 4.13, in quanto il lavoratore con abilità bassa imiterà qualsiasi valore di e compreso tra $e^*(H)$ ed e_s se, così facendo, riesce a far credere alle imprese di essere un lavoratore con abilità alta. Formalmente, in questo caso il naturale equilibrio bayesiano perfetto *separating* prescrive la strategia $[e(L) = e^*(L), e(H) = e_s]$ per il lavoratore e le credenze di equilibrio $\mu[H|e^*(L)] = 0$ e $\mu[H|e_s] = 1$ e i salari di equilibrio $w[e^*(L)] = w^*(L)$ e $w(e_s) = y(H, e_s)$ per le imprese. Questo è l'unico comportamento di equilibrio che sopravvive al raffinamento che applicheremo nel paragrafo 4.

Una specificazione delle credenze delle imprese fuori dall'equilibrio, compatibile con questo comportamento di equilibrio, è che il lavoratore abbia abilità alta se $e \geq e_s$ e altrimenti abbia abilità bassa:

$$\mu(H|e) = \begin{cases} 0 & \text{se } e < e_s \\ 1 & \text{se } e \geq e_s. \end{cases}$$

La strategia delle imprese è dunque

$$w(e) = \begin{cases} y(L, e) & \text{se } e < e_s \\ y(H, e) & \text{se } e \geq e_s. \end{cases}$$

Data questa funzione del salario, il lavoratore con abilità bassa ha due risposte ottime: scegliere $e^*(L)$ e guadagnare $w^*(L)$ e scegliere e_s e guadagnare $y(H, e_s)$. Assumeremo che questa situazione di indifferenza si risolva in favore di $e^*(L)$; alternativamente, potremmo aumentare e_s di una quantità arbitrariamente piccola in modo che il lavoratore con abilità bassa preferisca strettamente $e^*(L)$. Per quanto riguarda il lavoratore con abilità alta, poiché $e_s > e^*(H)$, le scelte di

$e > e_s$ sono peggiori rispetto a e_s. Poiché le curve di indifferenza del lavoratore con abilità bassa sono più inclinate di quelle del lavoratore con abilità alta, le curve di indifferenza di quest'ultimo passanti per il punto $(e_s, y(H, e_s))$ giacciono al di sopra della funzione del salario $w = y(L, e)$ per $e < e_s$, perciò anche le scelte di $e < e_s$ sono peggiori. Quindi, la risposta ottima del lavoratore con abilità alta alla strategia delle imprese $w(e)$ è e_s.

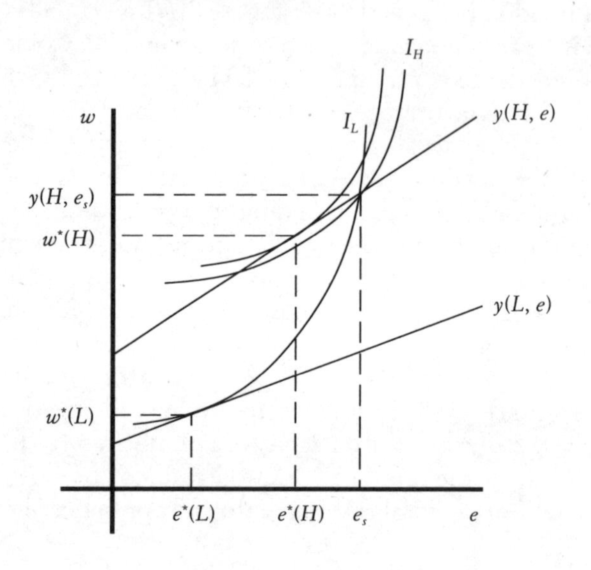

FIG. 4.13.

Come nel caso degli equilibri *pooling* esistono altri equilibri *separating* che comportano la scelta di un diverso livello di istruzione da parte del lavoratore con abilità alta (il lavoratore con abilità bassa si separa sempre in corrispondenza di $e^*(L)$; si veda oltre), e vi sono altri equilibri *separating* che comportano le scelte dei livelli di istruzione $e^*(L)$ ed e_s, ma differiscono fuori dal sentiero di equilibrio. Come esempio del primo genere di equilibri, si indichi con $\hat{e}$ un livello di istruzione maggiore di e_s ma sufficientemente piccolo che il lavoratore con abilità alta preferisca segnalare la propria abilità scegliendo $\hat{e}$ piuttosto che essere considerato un lavoratore con abilità bassa: $y(H, \hat{e}) - c(H, \hat{e})$ è maggiore di $y(L, e) - c(H, e)$ per ogni e. Se sostituiamo e_s con $\hat{e}$ in $\mu(H|e)$ e $w(e)$ nella figura 4.13, la credenza e la strategia risultanti per le imprese assieme alla strategia $[e(L) = e^*(L), e(H) = \hat{e}]$ per il lavoratore sono un altro equilibrio bayesiano perfetto *separating*. Come esempio del secondo genere, si assuma che la credenza delle imprese relativa a livelli di istruzione strettamente compresi tra $e^*(H)$ ed e_s sia strettamente positiva, ma sufficientemente piccola da permettere che la strategia risultante $w(e)$ giaccia strettamente al di sotto della curva di indifferenza del lavoratore con abilità bassa passante per il punto $(e^*(L), w^*(L))$.

Concludiamo questo paragrafo con una breve discussione sugli equilibri ibridi nei quali un tipo sceglie un livello di istruzione con certezza mentre l'altro tipo effettua una scelta casuale tra un «comportamento *pooling*» (scegliendo il livello di istruzione del primo tipo) e un «comportamento *separating*» (scegliendo un livello di istruzione differente da quello del primo tipo). Prenderemo in esame il caso in cui è il lavoratore con abilità bassa ad effettuare questa scelta casuale; il problema 4.7 tratta il caso complementare. Supponiamo che il lavoratore con abilità alta scelga il livello di istruzione e_b e che il lavoratore con abilità bassa effettui una scelta casuale tra e_b (con probabilità π) ed e_L (con probabilità $1 - \pi$). Il Requisito di segnalazione 3 (opportunamente esteso per ammettere la possibilità di strategie miste) determina poi la credenza delle imprese dopo aver osservato e_b oppure e_L: dalla regola di Bayes si ricava[6]

$$\mu(H|e_b) = \frac{q}{q + (1-q)\pi}, \qquad [4.8]$$

e il comportamento *separating* impone $\mu(H|e_L) = 0$. Tre osservazioni possono essere di aiuto nell'interpretazione della [4.8]: innanzitutto, poiché il lavoratore con abilità alta sceglie e_b mentre il lavoratore con abilità bassa lo fa soltanto con probabilità π, osservare e_b significa che è più probabile che il lavoratore abbia abilità alta, quindi $\mu(H|e_b) > q$; in secondo luogo, quando π assume valori prossimi a zero, non si verifica quasi mai che il lavoratore con abilità bassa si faccia passare per un lavoratore con abilità alta, quindi $\mu(H|e_b)$ tende ad assumere valori prossimi a 1; terzo, quando π tende ad assumere valori prossimi a 1, quasi sempre il lavoratore con abilità bassa tende a comportarsi come il lavoratore con abilità alta, quindi $\mu(H|e_b)$ tende ad assumere valori prossimi alla credenza a priori q.

Quando il lavoratore con abilità bassa tende a «separarsi» dal lavoratore con abilità alta scegliendo e_L, la credenza $\mu(H|e_L) = 0$ implica il salario $w(e_L) = y(L, e_L)$. Si deduce che e_L deve essere uguale a $e^*(L)$: l'unica scelta del livello di istruzione in corrispondenza della quale il lavoratore con abilità bassa può essere indotto a «separarsi» (in modo probabilistico come in questo caso, oppure con certezza nel caso discusso precedentemente degli equilibri *separating*) è la

[6] Si rammenti dalla nota 2 del capitolo 3 che la regola di Bayes afferma che $P(A|B) = P(A, B)/P(B)$. Per derivare la [4.8], si riscriva la regola di Bayes nel modo seguente $P(A, B) = P(B|A) \cdot P(A)$ in modo che $P(A|B) = P(B|A) \cdot P(A)/P(B)$.

scelta del livello di istruzione di quel lavoratore in condizioni di informazione completa, $e^*(L)$. Per comprendere meglio questo punto, si supponga che il lavoratore con abilità bassa si «separi» scegliendo un qualsiasi valore $e_L \neq e^*(L)$. Questo genere di separazione consente di ottenere il payoff $y(L, e_L) - c(L, e_L)$, mentre scegliendo $e^*(L)$ si riceverebbe un payoff pari ad almeno $y[L, e^*(L)] - c[L, e^*(L)]$ (oppure maggiore se la credenza delle imprese $\mu[H|e^*(L)]$ è maggiore di zero); inoltre, la definizione di $e^*(L)$ implica che $y[L, e^*(L)] - c[L, e^*(L)] > y(L, e) - c(L, e)$ per ogni $e \neq e^*(L)$. Perciò, non esiste alcuna scelta del livello di istruzione $e_L \neq e^*(L)$ tale da indurre il lavoratore con bassa abilità a «separarsi» scegliendo e_L.

Affinché il lavoratore con abilità bassa sia disposto ad effettuare una scelta casuale tra «separarsi» in corrispondenza di $e^*(L)$ ed «accomunarsi» in corrispondenza di e_h, il salario $w(e_h) = w_h$ deve rendere il lavoratore indifferente tra le due possibilità:

$$[4.9] \qquad w^*(L) - c[L, e^*(L)] = w_h - c(L, e_h).$$

Tuttavia, affinché w_h sia un salario pagato dalle imprese in equilibrio, la [4.1] e la [4.8] implicano

$$[4.10] \quad w_h = \frac{q}{q + (1-q)\pi} \cdot y(H, e_h) + \frac{(1-q)\pi}{q + (1-q)\pi} \cdot y(L, e_h).$$

Per un dato valore di e_h se dalla [4.9] risulta $w_h < y(H, e_h)$, allora la [4.10] determina l'unico valore di π coerente con un equilibrio ibrido in cui il lavoratore con abilità bassa effettua una scelta casuale tra $e^*(L)$ ed e_h, mentre se $w_h > y(H, e_h)$, allora non esiste alcun equilibrio ibrido che prescriva e_h.

La figura 4.14 illustra implicitamente il valore di π coerente con il valore e_h indicato. Dato e_h il salario w_h risolve la [4.9], perciò il punto (e_h, w_h) è sulla curva di indifferenza del lavoratore con abilità bassa passante per il punto $[e^*(L), w^*(L)]$. Dato $w_h < y(H, e_h)$, la probabilità r si ricava dalla soluzione dell'espressione $r \cdot y(H, e_h) + (1 - r) \cdot y(L, e_h) = w_h$. Questa probabilità è la credenza di equilibrio delle imprese $\mu(H|e_h)$, quindi la [4.8] implica $\pi = q(1 - r)/r(1 - q)$. Inoltre, la figura illustra che il vincolo $w_h < y(H, e_h)$ è equivalente a $e_h < e_s$, dove e_s è l'istruzione scelta dal lavoratore con abilità alta nell'equilibrio *separating* della figura 4.13. In effetti, al tendere di e_h a e_s, r assume valori prossimi a 1 e, quindi, π tende a zero. Perciò, l'equilibrio *separating* descritto nella figura 4.13 è il limite dell'equilibrio ibrido qui considerato.

Per completare la descrizione dell'equilibrio bayesiano perfetto ibrido della figura 4.14, si assuma che la credenza delle imprese sia

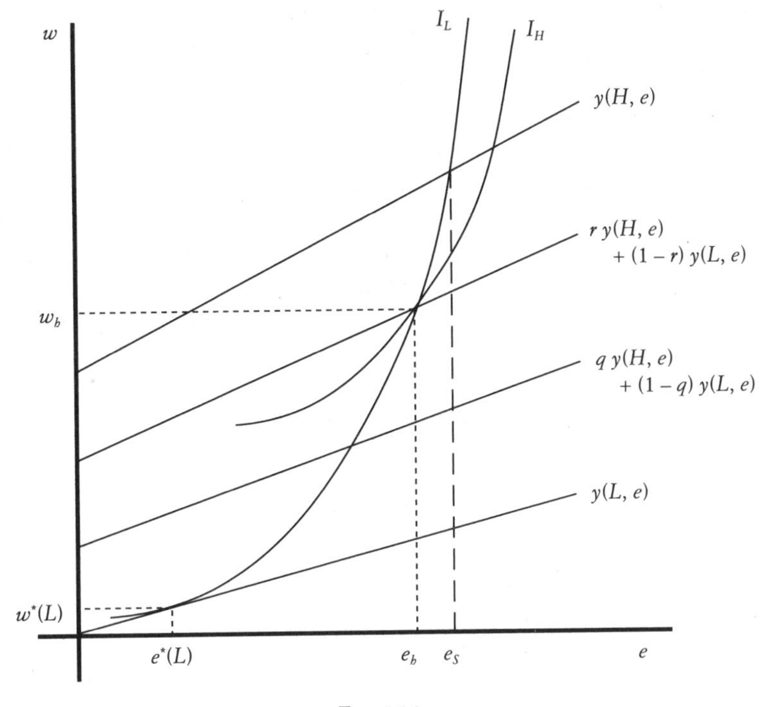

FIG. 4.14.

che il lavoratore abbia abilità bassa se $e < e_b$, altrimenti abbia abilità alta con probabilità r e abilità bassa con probabilità $1 - r$:

$$\mu(H|e) = \begin{cases} 0 & \text{se } e < e_b \\ r & \text{se } e \geq e_b. \end{cases}$$

La strategia delle imprese è dunque

$$w(e) = \begin{cases} y(L, e) & \text{se } e < e_b \\ r \cdot y(H, e) + (1 - r) \cdot y(L, e) & \text{se } e \geq e_b. \end{cases}$$

Rimane soltanto da verificare che la strategia del lavoratore ($e(L) = e_b$ con probabilità π, $e(L) = e^*(L)$ con probabilità $1 - \pi$; $e(H) = e_b$) sia una risposta ottima alla strategia delle imprese. Per il lavoratore con abilità bassa, il valore ottimo di $e < e_b$ è $e^*(L)$ e il valore ottimo $e \geq e_b$ è e_b. Per il lavoratore con abilità alta, e_b è preferito a qualsiasi alternativa.

2.3. Investimento societario e struttura del capitale

Si consideri un imprenditore che ha avviato una società di capitali e necessita di un finanziamento esterno per intraprendere un nuovo promettente progetto. L'imprenditore ha informazione privata sulla profittabilità della società esistente, tuttavia, il payoff del nuovo progetto non può essere osservato separatamente dal payoff della società esistente – l'unica variabile che si osserva è il profitto aggregato dell'impresa. (Si potrebbe ammettere la possibilità che l'imprenditore abbia informazione privata sulla profittabilità del nuovo progetto, tuttavia, questa sarebbe una inutile complicazione). Si supponga che l'imprenditore offra ad un potenziale investitore una partecipazione azionaria nell'impresa in cambio del finanziamento necessario. A quali condizioni sarà intrapreso il nuovo progetto, e a quanto ammonta la partecipazione azionaria?

Per tradurre questi problemi in termini di un gioco di segnalazione, si supponga che il profitto della società esistente possa essere alto oppure basso: $\pi = L$ oppure H, dove $H > L > 0$. Per rendere l'idea che il nuovo progetto è allettante, si supponga che l'investimento necessario sia I, il payoff R, il tasso di rendimento alternativo per l'investitore potenziale sia r, e $R > I(1 + r)$. La struttura temporale e i payoff del gioco sono i seguenti.

1) La natura determina il profitto della società esistente. La probabilità che $\pi = L$ è p.

2) L'imprenditore apprende il valore di π e poi offre al potenziale investitore una partecipazione azionaria s, con $0 \leq s \leq 1$.

3) L'investitore osserva s (ma non π) e poi decide se accettare oppure rifiutare l'offerta.

4) Se l'investitore rifiuta l'offerta, il suo payoff è $I(1 + r)$ e il payoff dell'imprenditore è π. Se l'investitore accetta s, il suo payoff è $s(\pi + R)$ e quello dell'imprenditore $(1 - s)(\pi + R)$.

Myers e Majluf [1984] analizzano un modello simile, sebbene loro considerino una grande impresa (con azionisti e un manager) piuttosto che un imprenditore (che è sia il manager che l'unico azionista). Essi discutono varie ipotesi su come gli interessi degli azionisti possano influenzare l'utilità del manager; Dybvig e Zender [1991] derivano il contratto ottimo che gli azionisti dovrebbero offrire al manager.

Questo è un gioco di segnalazione molto semplice, per due ragioni: l'insieme delle azioni ammissibili del Destinatario è estremamente limitato e l'insieme dei segnali ammissibili del Mittente, pur essendo più grande, ha una efficacia piuttosto scarsa (come vedremo).

Supponiamo che dopo aver ricevuto l'offerta s, l'investitore creda che la probabilità che $\pi = L$ sia q. Perciò, l'investitore accetterà s se e solo se

$$s[qL + (1 - q)H + R] \geq I(1 + r). \tag{4.11}$$

Per quanto riguarda l'imprenditore, si supponga che il profitto della società esistente sia π e si valuti se l'imprenditore preferisce ricevere il finanziamento al costo della partecipazione azionaria s, oppure rinunciare al progetto. La prima alternativa è superiore se e solo se

$$s \leq \frac{R}{\pi + R}. \tag{4.12}$$

In un equilibrio bayesiano perfetto *pooling*, la credenza dell'investitore deve essere, $q = p$ dopo aver ricevuto l'offerta di equilibrio. Poiché è più difficile che il vincolo di partecipazione [4.12] sia soddisfatto per $\pi = H$ piuttosto che per $\pi = L$, combinando la [4.11] e la [4.12] si ricava che un equilibrio *pooling* esiste soltanto se

$$\frac{I(1+R)}{pL + (1-p)H + R} \leq \frac{R}{H+R}. \tag{4.13}$$

Se p è sufficientemente vicino a zero, la [4.13] è soddisfatta poiché $R > I(1 + r)$. Tuttavia, se p è sufficientemente vicino a 1 allora la [4.13] è soddisfatta soltanto se

$$R - I(1+r) \geq \frac{I(1+r)H}{R} - L. \tag{4.14}$$

Intuitivamente, il problema di un equilibrio *pooling* è che il tipo con profitto alto deve sovvenzionare il tipo con profitto basso: ponendo $q = p$ nella [4.11] si ricava $s \geq I(1 + r)/[pL + (1 - p)H + R]$, mentre se l'investitore fosse certo che $\pi = H$ (cioè, $q = 0$) allora egli accetterebbe la minore partecipazione azionaria $s \geq I(1 + r)/(H + R)$. La maggiore partecipazione azionaria richiesta da un equilibrio *pooling* è molto costosa per un'impresa con profitto alto – probabilmente così costosa da indurre l'impresa con profitto alto a preferire di rinunciare al nuovo progetto. La nostra analisi mostra che un equilibrio *pooling* esiste se p è prossimo a zero, cioè se il costo di sovvenzionamento è piccolo, oppure se la [4.14] è soddisfatta, cioè se il profitto derivante dal nuovo progetto controbilancia il costo del sovvenzionamento.

L'equilibrio *pooling* non esiste se la [4.13] è violata; tuttavia, esiste sempre un equilibrio *separating*. Il tipo con profitto basso offre $s = I(1 + r)/(L + R)$, che l'investitore accetta, mentre il tipo con profitto alto offre $S < I(1 + r)/(H + R)$, che l'investitore rifiuta. In un tale equilibrio l'investimento non è efficiente in quanto è troppo basso: il nuovo progetto sarà certamente profittevole, tuttavia il tipo con profitto alto rinuncia all'investimento. Questo equilibrio illustra in che senso l'insieme dei segnali ammissibili del Mittente è inefficace: il tipo con alto profitto non è in grado in alcun modo di distinguersi; i termini di finanziamento che sono attraenti per il tipo con profitto alto lo sono ancora di più per il tipo con profitto basso. Come osservano Myers e Majluf, le forze presenti in questo modello spingono le imprese verso l'indebitamento oppure verso fonti interne di fondi.

Concludiamo questa applicazione considerando brevemente la possibilità che l'imprenditore possa offrire non solo azioni, ma anche obbligazioni (o debito). Si supponga che l'investitore accetti il contratto di debito D. Se l'imprenditore non fallisce, il payoff dell'investitore è D e quello dell'imprenditore $\pi + R - D$; se l'imprenditore fallisce, il payoff dell'investitore è $\pi + R$ e quello dell'investitore è zero. Poiché $L > 0$, esiste sempre un equilibrio *pooling*: entrambi i tipi offriranno il contratto di debito $D = I(1 + r)$, che l'investitore accetta. Tuttavia, se L fosse sufficientemente negativo in modo che risulti $R + L < I(1 + r)$, il tipo con profitto basso non potrebbe ripagare questo debito, quindi l'investitore non accetterebbe il contratto. Se L e H rappresentano i profitti attesi (piuttosto che certi) si applica una argomentazione analoga. Si supponga che il tipo π significa che il profitto della società esistente sarà $\pi + K$ con probabilità 1/2 e $\pi - K$ con probabilità 1/2. Se $L - K + R < I(1 + r)$, vi è probabilità 1/2 che il tipo con profitto basso non sarà in grado di ripagare il debito $D = I(1 + r)$ e quindi l'investitore non accetterà il contratto.

2.4. Politica monetaria

In questo paragrafo introduciamo l'informazione privata in una versione a due periodi del gioco ripetuto di politica monetaria analizzato nel paragrafo 3.5 del capitolo 3. Come nel modello di Spence, vi sono numerosi equilibri bayesiani perfetti sia *pooling*, sia ibridi che *separating*. Poiché abbiamo già discusso in dettaglio questi equilibri nel paragrafo 2.2, in questo paragrafo accenneremo soltanto alle questioni principali. Per i dettagli di una analisi a due periodi simile, si veda Vickers [1986] e per un modello di reputazione multiperiodale si veda Barro [1986].

Nel paragrafo 3.5 del capitolo 3 abbiamo visto che il payoff dell'autorità monetaria nel modello uniperiodale è

$$W(\pi, \pi^e) = -c\pi^2 - [(1-b)y^* + d(\pi - \pi^e)]^2,$$

dove π è l'inflazione effettiva, π^e è l'aspettativa di inflazione dei datori di lavoro e y^* è il livello di produzione efficiente. Per i datori di lavoro il payoff del modello uniperiodale è $-(\pi - \pi^e)^2$. Nel nostro modello con due periodi, il payoff di ogni giocatore è semplicemente la somma dei payoff del giocatore nel modello uniperiodale, $W(\pi_1, \pi_1^e) + W(\pi_2, \pi_2^e)$ e $-(\pi_1 - \pi_1^e)^2 - (\pi_2 - \pi_2^e)^2$, dove π_t è l'inflazione effettiva del periodo t e π_1^e è l'aspettativa di inflazione del periodo t dei datori di lavoro (all'inizio del periodo t).

Il parametro c nella funzione dei payoff $W(\pi, \pi^e)$ riflette il *trade-off* dell'autorità monetaria tra i due obiettivi: inflazione pari a zero e produzione efficiente. Nel paragrafo 3.5 del capitolo 3, il valore di questo parametro era conoscenza comune. Qui assumiamo invece che la conoscenza di tale parametro sia informazione privata dell'autorità monetaria: $c = S$ oppure W, con $S > W > 0$ (S sta a significare che l'autorità monetaria è risoluta nel combattere l'inflazione, cioè l'autorità monetaria è forte, mentre W indica il caso opposto, cioè l'autorità monetaria è debole). La struttura temporale del modello a due periodi è la seguente.

1) La natura estrae il tipo dell'autorità monetaria, c. La probabilità che $c = W$ è p.

2) I datori di lavoro formano la loro aspettativa di inflazione del primo periodo π^e.

3) L'autorità monetaria osserva π_1^e e poi sceglie l'inflazione effettiva del primo periodo, π_1.

4) I datori di lavoro osservano π_1 (ma non c) e poi formano la loro aspettativa di inflazione del secondo periodo, π_2^e.

5) L'autorità monetaria osserva π_2^e e poi sceglie l'inflazione effettiva del secondo periodo.

Come si è notato nel paragrafo 2.1 questo gioco di politica monetaria a due periodi racchiude un gioco di segnalazione uniperiodale. Il messaggio del Mittente è la scelta dell'inflazione del primo periodo, π_1, da parte dell'autorità e l'azione del Destinatario è l'aspettativa di inflazione del secondo periodo π_2^e da parte dei datori di lavoro. L'aspettativa di inflazione del primo periodo dei datori di lavoro e la scelta dell'inflazione del secondo periodo dell'autorità monetaria, rispettivamente, precedono e seguono il gioco di segnalazione.

Si rammenti che nel problema uniperiodale (cioè, nel gioco costituente del gioco ripetuto analizzato nel paragrafo 3.5 del capitolo 2) la scelta ottima di π dell'autorità monetaria, data l'apettativa π^e dei datori di lavoro, è

$$\pi^*(\pi^e) = \frac{d}{c + d^2}[(1 - b)y^* + d\pi^e].$$

Applicando lo stesso ragionamento al caso in esame, se il tipo dell'autorità monetaria è c, la scelta ottima di π_2, data l'aspettativa π_2^e, è

$$\frac{d}{c + d^2}[(1 - b)y^* + d\pi_2^e] = \pi_2^*(\pi_2^e, c).$$

All'inizio del secondo periodo se i datori di lavoro anticipano questo comportamento dell'autorità monetaria e credono che la probabilità di $c = W$ sia q, l'aspettativa $\pi_2^e(q)$ che formeranno massimizza

$$[4.15] \qquad -q[\pi_2^*(\pi_2^e, W) - \pi_2^e]^2 - (1 - q)[\pi_2^*(\pi_2^e, S) - \pi_2^e]^2.$$

In un equilibrio *pooling*, entrambi i tipi scelgono la stessa inflazione del primo periodo, poniamo π^*, perciò l'aspettativa del primo periodo dei datori di lavoro è $\pi_1^e = \pi^*$. Sul sentiero di equilibrio, i datori di lavoro iniziano il secondo periodo con la credenza che la probabilità $c = W$ sia p e così formano l'aspettativa $\pi_2^e(p)$. Poi, l'autorità monetaria del tipo c sceglie l'inflazione ottima del secondo periodo data questa aspettativa, cioè $\pi_2^*[\pi_2^e(p), c]$, e così termina il gioco. Per completare la descrizione di tale equilibrio, (come al solito) non rimane altro che definire le credenze fuori dall'equilibrio del Destinatario, per calcolare, per mezzo della [4.15], le azioni associate fuori dall'equilibrio, e per controllare che queste azioni fuori dall'equilibrio non creino un incentivo per nessun tipo del Mittente a deviare dall'equilibrio.

In un equilibrio *separating*, i due tipi scelgono livelli differenti dell'inflazione del primo periodo, poniamo π_W e π_S, perciò l'aspettativa del primo periodo dei datori di lavoro è $\pi_1^e = p\pi_W + (1 - p)\pi_S$. Dopo aver osservato π_W, i datori di lavoro iniziano il secondo periodo con la credenza $c = W$ e di conseguenza formano l'aspettativa $\pi_2^e(1)$; ragionando in modo analogo, l'osservazione di π_S conduce a $\pi_2^e(0)$. In equilibrio, quindi, il tipo debole dell'autorità monetaria sceglie $\pi_2^*[\pi_2^e(1), W]$ e il tipo forte sceglie $\pi_2^*[\pi_2^e(0), S]$, ponendo fine al gioco. Per completare la descrizione di questo equilibrio non solo occorre specificare le credenze e le azioni del Destinatario fuori dall'equilibrio e verificare che nessun tipo del Mittente abbia un incentivo a deviare, come sopra, ma occorre anche verificare che nessuno dei due tipi abbia un incentivo a imitare il comportamento di equilibrio dell'altro. Per esempio, in questo caso il tipo debole potrebbe avere la tentazione di scegliere π_S nel primo periodo e in tal modo ottenere $\pi_2^e(0)$ come aspettativa del secondo periodo dei datori di lavoro, e poi scegliere $\pi_2^*[\pi_2^e(0), W]$ per terminare il gioco. Cioè, anche se π_S è «fastidiosamente» basso per il tipo debole, l'aspettativa $\pi_2^e(0)$ potrebbe risultare talmente bassa che il tipo debole riceverebbe un enorme payoff dall'inflazione non anticipata del secondo periodo, $\pi_2^*[\pi_2^e(0), W] - \pi_2^e(0)$. In un equilibrio *separating*, l'inflazione del primo periodo del tipo forte deve essere sufficientemente bassa da dissuadere il tipo debole dalla tentazione di imitare il tipo forte, nonostante i benefici che si trarrebbero dall'inflazione non anticipata del secondo periodo. Per molti valori dei parametri, questo vincolo richiede che π_s sia più basso del livello di inflazione che il tipo forte sceglierebbe in condizioni di informazione completa, esattamente come accade nell'equilibrio *separating* del modello di Spence in cui il lavoratore con abilità alta investe più del dovuto in istruzione.

3. Altre applicazioni dell'equilibrio bayesiano perfetto

3.1. Giochi senza costi di comunicazione

I giochi senza costi di comunicazione (*cheap-talk games*) sono analoghi ai giochi di segnalazione con la differenza che nei giochi senza costi di comunicazione i messaggi del Mittente sono semplicemente dei discorsi – dichiarazioni che non comportano alcun costo, che non sono vincolanti né verificabili. Tali discorsi non possono avere una valenza informativa nel modello di segnalazione di Spence: un lavoratore che semplicemente annunciasse «la mia abilità è alta» non sarebbe creduto. Tuttavia, in altri contesti la comunicazione senza costi è in grado di trasmettere effettivamente informazione. Un esempio banale è l'interpretazione verosimile della frase «Attenzione a quell'autobus!». Per quanto riguarda le interpretazioni di maggiore interesse economico, Stein [1989] mostra che gli annunci di politica monetaria della banca centrale possono avere rilevanza informativa ma non possono essere troppo precisi e Matthews [1989] studia in che modo una minaccia di veto da parte del presidente possa influenzare quale disegno di legge verrà approvato dal congresso. Oltre ad analizzare l'effetto della comunicazione senza costi in un determinato ambiente, ci si può anche chiedere come progettare le condizioni ambientali per sfruttare al meglio la comunicazione senza costi. In questa direzione Austen-Smith [1990] mostra che in alcuni assetti istituzionali il dibattito fra legislatori portatori di interessi privati migliora il valore sociale della legislazione prodotta, e Farrell e Gibbons [1991] mostrano che in alcuni assetti istituzionali la sindacalizzazione migliora il benessere sociale (malgrado la distorsione sull'occupazione descritta nel paragrafo 1.3 del capitolo 2) in quanto facilita la comunicazione della forza lavoro con la direzione aziendale.

La ragione per cui la comunicazione senza costi non può avere un contenuto informativo nel modello di Spence è che tutti i tipi del Mittente hanno le stesse preferenze sulle possibili azioni del Destinatario: tutti i lavoratori preferiscono salari più alti indipendentemente dalla loro abilità. Per capire meglio perché questa uniformità delle preferenze tra i tipi del Mittente vizia la comunicazione senza costi (sia nel modello di Spence che in generale), si supponga che vi sia un equilibrio in strategie pure in cui un sottoinsieme dei tipi del Mittente, T_1, invia un messaggio, m_1, mentre un altro sottoinsieme dei tipi, T_2, invia un altro messaggio, m_2. (Ogni T_i potrebbe contenere soltanto un tipo, come in un equilibrio *separating*, oppure numerosi tipi come in un equilibrio parzialmente *pooling*). In equilibrio, il Destinatario interpreterà m_i come proveniente da T_i e sceglierà l'azione ottima data questa credenza; si indichi questa azione con a_i. Poiché tutti i tipi del Mittente hanno le stesse preferenze sulle azioni, se un tipo preferisce (per esempio) a_1 a a_2, allora tutti i tipi hanno questa preferenza e invieranno m_1 piuttosto che m_2, distruggendo di conseguenza il supposto equilibrio. Per esempio, nel modello di Spence se un messaggio che non comporta costi conducesse a un salario alto, mentre un altro messaggio, anch'esso privo di costi, portasse a un salario basso, i lavoratori di tutti i livelli di abilità invierebbero il primo messaggio; quindi, non può esistere un equilibrio in cui la comunicazione senza costi influenza i salari.

Affinché la comunicazione senza costi abbia un contenuto informativo, una condizione necessaria è che tipi del Mittente differenti abbiano preferenze differenti sulle azioni del Destinatario. Una seconda ovvia condizione necessaria è che il Destinatario preferisca azioni differenti a seconda del tipo del Mittente. (Sia la comunicazione senza costi che la segnalazione sono inutili se le preferenze del Destinatario sulle azioni sono indipendenti dal tipo del Mittente). Una terza condizione necessaria affinché la comunicazione senza costi abbia un contenuto informativo è che le preferenze del Destinatario sulle azioni non siano completamente opposte a quelle del Mittente. Anticipando un esempio successivo, si supponga che il Destinatario preferisca azioni basse quando il tipo del Mittente è basso e azioni alte quando il tipo del Mittente è alto. Se i tipi del Mittente bassi preferiscono azioni basse e i tipi alti azioni alte, la comunicazione può verificarsi, ma se il Mittente ha preferenze opposte allora la comunicazione non può avere luogo poiché il Mittente preferirebbe ingannare il Destinatario. Crawford e Sobel [1982] analizzano un modello astratto che soddisfa queste tre condizioni necessarie. Essi pervengono a due risultati intuitivi: approssimativamente, più sono in sintonia le preferenze dei giocatori e maggiore è la comunicazione che si può realizzare attraverso la comunicazione senza costi tuttavia, la comunicazione perfetta può verificarsi soltanto se le preferenze dei giocatori sono perfettamente in sintonia.

Ognuna delle applicazioni economiche sopra descritte – comunicazione senza costi da parte della banca centrale, minacce di veto, discussioni e contrasto di opinioni in un dibattito e istanze sindacali – riguarda non solo un semplice gioco senza costi di comunicazione, ma anche un modello più complicato dell'ambiente economico sottostante. L'analisi di una di queste applicazioni richiederebbe di descrivere non solo il gioco ma anche il modello e ciò distoglierebbe l'attenzione dalle principali forze che operano in tutti i giochi di comunicazione senza costi. Perciò, in questo paragrafo ci allontaniamo dallo stile adottato nel resto del libro e analizziamo i giochi senza costi di comunicazione soltanto in astratto, lasciando le applicazioni come letture ulteriori.

La struttura temporale del più semplice gioco senza costi di comunicazione è identica alla struttura temporale del più semplice gioco di segnalazione; soltanto i payoff sono diversi.

1) La natura estrae un tipo t_i per il Mittente da un insieme di tipi ammissibili, $T = \{t_1, ..., t_I\}$, in base a una distribuzione di probabilità $p(t_i)$, dove $p(t_i) > 0$, per ogni i, e $p(t_1) + ... + p(t_I) = 1$.

2) Il Mittente osserva t_i e poi sceglie un messaggio m_j da un insieme di messaggi ammissibili, $M = \{m_1, ..., m_J\}$.

3) Il Destinatario osserva m_j (ma non t_i) e poi sceglie un'azione a_k da un insieme di azioni ammissibili $A = \{a_1, ..., a_K\}$.

4) I payoff sono dati da $U_S(t_i, a_k)$ e $U_R(t_i, a_k)$.

La caratteristica fondamentale di questo gioco senza costi di comunicazione è che il messaggio non ha nessun effetto *diretto* né sul payoff del Mittente né su quello del Destinatario. Il messaggio può assumere rilevanza soltanto in riferimento al suo contenuto informativo: modificando la credenza del Destinatario sul tipo del Mittente, un messaggio può modificare l'azione del Destinatario e quindi influenzare indirettamente i payoff di entrambi i giocatori. Poiché una stessa informazione può essere comunicata in vari modi, spazi dei messaggi diversi possono portare agli stessi risultati. L'idea centrale sottostante alla comunicazione senza costi è che tale comunicazione può avvenire in qualsiasi modo, tuttavia se si formalizzasse esplicitamente questo aspetto occorrerebbe richiedere che M sia un insieme molto grande. Al contrario, noi assumeremo che M sia sufficientemente ampio da permettere di dire ciò che serve dire; cioè $M = T$. Con riferimento agli scopi di questo paragrafo, questa assunzione è equivalente a permettere che qualsiasi cosa possa essere detta; tuttavia, per quanto riguarda gli scopi dell'analisi del paragrafo 4 (raffinamenti dell'equilibrio bayesiano perfetto) l'assunzione dovrà essere rivista.

Poiché i più semplici giochi senza costi di comunicazione e i più semplici giochi di segnalazione hanno la stessa struttura temporale, le definizioni di equilibrio bayesiano perfetto dei due giochi sono identiche: un equilibrio bayesiano perfetto in strategie pure di un gioco senza costi di comunicazione è dato da una coppia di strategie $m^*(t_i)$ e $a^*(m_j)$ e una credenza $\mu(t_i|m_j)$ che soddisfano i Requisiti di segnalazione (1), (2R), (2S) e (3), sebbene le funzioni dei payoff $U_R(t_i, m_j, a_k)$ e $U_S(t_i, m_j, a_K)$ che compaiono nei Requisiti di segnalazione (2R) e (2S) sono ora equivalenti, rispettivamente, a $U_R(t_i, a_k)$ e $U_S(t_i, a_k)$. Una differenza tra giochi di segnalazione e giochi senza costi di comunicazione è che in questi ultimi esiste sempre un equilibrio *pooling*. Poiché i messaggi non hanno un effetto diretto sul payoff del Mittente, se il Destinatario ignorerà tutti i messaggi allora un comportamento *pooling* è una risposta ottima per il Mittente; poiché i messaggi non hanno alcun effetto diretto sul payoff del Destinatario, se il Mittente adotta un comportamento *pooling* allora una risposta ottima per il Destinatario è quella di ignorare tutti i messaggi. Formalmente, si indichi con a^* l'azione ottima del Destinatario in un equilibrio *pooling*; cioè a^* si ricava dalla soluzione del problema

$$\max_{a_k \in A} \sum_{t_i \in T} p(t_i)\, U_R(t_i, a_k).$$

La situazione descritta qui di seguito è un equilibrio bayesiano perfetto *pooling*: il Mittente gioca una qualsiasi strategia *pooling*, il Destinatario mantiene la credenza a priori $p(t_i)$ qualunque sia il messaggio osservato (sia sul sentiero di equilibrio che fuori), e inoltre il Destinatario sceglie l'azione a^* in risposta a qualsiasi messaggio. Perciò, un interessante problema per i giochi senza costi di comunicazione è quello di stabilire se esistano equilibri non *pooling*. I due giochi senza costi di comunicazione astratti che verranno discussi qui di seguito illustrano, rispettivamente, un equilibrio *separating* e uno parzialmente *pooling*.

Cominciamo da un esempio con due tipi e due azioni: $T = \{t_L, t_H\}$, $\text{Prob}(t_L) = p$, e $A = \{a_L, a_H\}$. Potremmo utilizzare un gioco di segnalazione con due tipi, due messaggi e due azioni analogo a quello della figura 4.6 per descrivere i payoff di questo gioco senza costi di comunicazione, tuttavia, poiché i payoff derivanti dalle coppie tipo-azione (t_i, a_k) sono indipendenti dal messaggio scelto, è più immediato utilizzare la figura 4.15 per descrivere tali payoff. Il primo payoff di ogni casella si riferisce al Mittente mentre il secondo al Destinatario; si noti che questa figura *non* è un gioco in forma normale, ma elenca semplicemente i payoff dei giocatori corrispondenti a ogni coppia tipo-azione. Come nella precedente discussione sulle condizioni necessarie affinché la comunicazione senza costi abbia un contenuto informativo, abbiamo scelto i payoff del Destinatario in modo tale che egli preferisca l'azione bassa (a_L) quando il tipo del Mittente è basso (t_L) e l'azione alta quando il tipo è alto. Per illustrare la prima condizione necessaria, si supponga che entrambi i tipi del Mittente abbiano le stesse preferenze sulle azioni: per esempio, $x > z$ e $y > w$, cioè, entrambi preferiscono a_L ad a_H. Poiché entrambi i tipi preferirebbero che il Destinatario creda che $t = t_L$, il Destinatario non può credere a una simile dichiarazione. Per illustrare la terza condizione necessaria, si supponga che le preferenze dei giocatori siano completamente opposte: $z > x$ e $y > w$, cioè che il tipo basso del Mittente preferisca l'azione alta, mentre il tipo alto l'azione bassa. Poiché t_L preferirebbe che il Destinatario creda che $t = t_H$, mentre t_H preferirebbe che il Destinatario creda che $t = t_L$, il Destinatario non può credere a nessuna di queste dichiarazioni. In questo gioco con due tipi e due azioni l'unico caso in cui sia la prima che la terza delle condizioni necessarie sono soddisfatte è $x \geq z$ e $y \geq w$, cioè gli interessi dei giocatori sono in sintonia perfetta, nel senso che dato il tipo del Mittente i giocatori concordano sull'azione da scegliere. Formalmente, in un equilibrio bayesiano perfetto *separating* di questo gioco senza costi di comunicazione, la strategia del Mittente è $[m(t_L) = t_L, m(t_H) = t_H]$, le credenze del Destinatario sono $\mu(t_L|t_L) = 1$ e $\mu(t_L|t_H) = 0$, e la strategia del Destinatario è $[a(t_L) = a_L, a(t_H) = a_H]$. Affinché queste strategie e queste credenze siano un equilibrio, ogni tipo t_i del Mittente deve preferire di dichiarare la verità, inducendo in tal modo l'azione a_i, piuttosto che mentire ed in tal modo indurre a_j. Perciò, un equilibrio *separating* esiste se e solo se $x \geq z$ e $y \geq w$.

	t_L	t_H
a_L	$x, 1$	$y, 0$
a_H	$z, 0$	$w, 1$

FIG. 4.15.

Il secondo esempio considerato è un caso particolare del modello di Crawford e Sobel. In questo caso gli spazi dei tipi, dei messaggi e delle azioni sono continui: il tipo del Mittente è distribuito in modo uniforme tra zero e 1 (formalmente, $T = [0, 1]$ e $p(t) = 1$ per tutti i t in T); lo spazio dei messaggi è lo spazio dei tipi ($M = T$), e lo spazio delle azioni è l'intervallo da 0 a 1 ($A = [0, 1]$). La funzione dei payoff del Destinatario è $U_R(t, a) = -(a - t)^2$ e quella del Mittente è $U_S(t, a) = -[a - (t + b)]^2$; quindi, quando il tipo del Mittente è t, l'azione ottima del Destinatario è $a = t$, mentre l'azione ottima del Mittente è $a = t + b$. Perciò, tipi del Mittente differenti hanno preferenze diverse sulle azioni del Destinatario (più precisamente, tipi più alti preferiscono azioni più alte), e le preferenze dei giocatori non sono completamente opposte (più esattamente, il parametro $b > 0$ misura la somiglianza delle preferenze dei giocatori – per b che tende a zero, gli interessi dei giocatori sono sempre più in sintonia).

Crawford e Sobel mostrano che tutti gli equilibri bayesiani perfetti di questo modello (e di una ampia classe di modelli con caratteristiche simili) sono equivalenti a un equilibrio parzialmente *pooling* della forma seguente: lo spazio dei tipi viene diviso in n intervalli $[0, x_1)$, $[x_1, x_2)$, ..., $[x_{n-1}, 1]$; tutti i tipi contenuti in un dato intervallo inviano lo stesso messaggio, ma i tipi che appartengono a intervalli differenti inviano messaggi differenti. Come si è notato precedentemente, esiste sempre un equilibrio *pooling* ($n = 1$). Mostreremo che, dato il valore del parametro b che esprime l'uniformità delle preferenze, vi è un numero massimo di intervalli che si possono verificare in equilibrio, indicato con $n^*(b)$, ed esistono equilibri parzialmente *pooling* per ogni $n = 1, 2, ..., n^*(b)$. Inoltre, una diminuzione del valore di b fa aumentare $n^*(b)$ – in questo senso, attraverso la comunicazione senza costi si può avere maggiore comunicazione quando le preferenze dei giocatori sono maggiormente in sintonia. Inoltre, $n^*(b)$ è finito per ogni $b > 0$, ma tende ad infinito quando b tende a zero, in altri termini, la comunicazione perfetta non può verificarsi a meno che le preferenze dei giocatori non siano perfettamente in sintonia.

Concludiamo questo paragrafo caratterizzando questi equilibri parzialmente *pooling* partendo da un equilibrio con due intervalli ($n = 2$). Supponiamo che tutti i tipi contenuti nell'intervallo $[0, x_1)$ inviano un messaggio, mentre quelli contenuti in $[x_1, 1]$ ne inviano un altro. Dopo aver ricevuto un messaggio in $[0, x_1)$, il Destinatario crederà che il tipo del Mittente sia distribuito in modo uniforme sull'intervallo $[0, x_1)$, perciò l'azione ottima del Destinatario sarà $x_1/2$; analogamente, dopo aver ricevuto il messaggio dai tipi appartenenti a $[x_1, 1]$, l'azione ottima del Destinatario sarà $(x_1 + 1)/2$. Affinché i tipi appartenenti a $[0, x_1)$ siano disposti ad inviare il loro messaggio è necessario che tutti questi tipi preferiscano l'azione $x_1/2$ all'azione $(x_1 + 1)/2$; analogamente, tutti i tipi al di sopra di x_1 devono preferire $(x_1 + 1)/2$ a $x_1/2$.

Poiché le preferenze del Mittente sono simmetriche attorno alla propria azione ottima, il tipo del Mittente t preferisce $x_1/2$ a $(x_1 + 1)/2$ se il punto intermedio tra queste due azioni è maggiore dell'azione ottima di quel tipo, $t + b$ (come nella figura 4.16), mentre preferisce $(x_1 + 1)/2$ a $x_1/2$ se $t + b$ è maggiore del punto intermedio. Affinché esista un «equilibrio con due intervalli», x_1 deve essere il

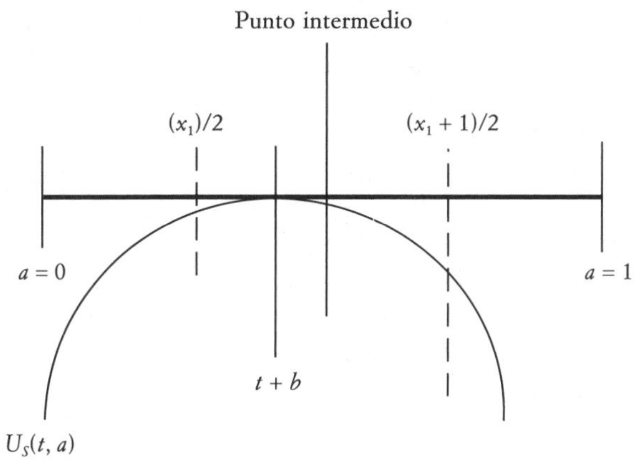

FIG. 4.16.

tipo t la cui azione ottima $t + b$ eguaglia esattamente il punto medio tra le due azioni:

$$x_1 + b = \frac{1}{2}\left[\frac{x_1}{2} + \frac{x_1 + 1}{2}\right],$$

cioè $x_1 = (1/2) - 2b$. Poiché lo spazio dei tipi è $T = [0, 1]$, x_1 deve essere positivo, perciò un «equilibrio con due intervalli» esiste soltanto se $b < 1/4$; per $b \geq 1/4$ le preferenze dei giocatori sono troppo dissimili per consentire anche questa limitata comunicazione.

Per completare la discussione di questo equilibrio con due intervalli, affrontiamo il problema dei messaggi che si trovano al di fuori del sentiero di equilibrio. Crawford e Sobel specificano la strategia (mista) del Mittente in modo da escludere la possibilità che tali messaggi esistano: tutti i tipi $t < x_1$ scelgono un messaggio in modo casuale, in base a una distribuzione uniforme su $[0, x_1)$; tutti i tipi $t \geq x_1$ scelgono un messaggio in modo casuale, in base ad una distribuzione uniforme su $[x_1, 1]$. Poiché abbiamo assunto $M = T$, in equilibrio qualsiasi messaggio può essere inviato con probabilità positiva, di conseguenza il Requisito di segnalazione 3 determina la credenza del Destinatario corrispondente ad ogni possibile messaggio: la credenza del Destinatario dopo aver osservato un qualsiasi messaggio scelto nell'intervallo $[0, x_1)$ è che t sia distribuito in modo uniforme su $[0, x_1)$, e la credenza del Destinatario dopo aver osservato un qualsiasi messaggio da $[x_1, 1]$ è che t sia distribuito in modo uniforme su $[x_1, 1]$. (L'impiego di distribuzioni uniformi per la costruzione di strategie miste del Mittente è un'assunzione completamente separata da quella di distribuzione uniforme del tipo del Mittente; la strategia mista del Mittente potrebbe anche essere costruita sulla base di una qualsiasi altra densità di probabilità, strettamente positiva e definita sugli intervalli indicati). Un approccio alternativo a quello di Crawford e Sobel, potrebbe essere quello di specificare una strategia pura per il Mittente e scegliere in modo appropriato le credenze del Destinatario fuori dal sentiero di equilibrio. Per esempio, poniamo che la strategia del Mittente sia che tutti i tipi $t < x_1$ inviano il messaggio 0 e tutti i tipi $t \geq x_1$ inviano il messaggio x_1; inoltre, si supponga che la credenza del Destinatario fuori dall'equilibrio sia che: dopo aver osservato un qualsiasi messaggio in $(0, x_1)$, t è distribuito in modo uniforme su $[0, x_1)$, mentre, dopo aver osservato qualsiasi messaggio in $(x_1, 1]$, t è distribuito in modo uniforme su $[x_1, 1]$.

Per caratterizzare un equilibrio con n intervalli, applichiamo ripetutamente la seguente osservazione sviluppata per il caso di equilibrio con due intervalli: l'intervallo superiore $[x_1, 1]$, è più lungo dell'intervallo inferiore, $[0, x_1)$, di un ammontare pari a $4b$. Questa osservazione si deduce dal fatto che, dato il tipo del Mittente (t), l'azione ottima del Mittente ($t + b$) è maggiore dell'azione ottima del Destinatario (t) di un ammontare pari a b. Quindi, se due intervalli adiacenti avessero la stessa lunghezza, il tipo che si trova sulla frontiera che separa i due intervalli (x_1 nell'equilibrio con due intervalli) preferirebbe strettamente inviare il messaggio associato all'intervallo superiore; in effetti, anche i tipi che si trovano appena al di sotto della frontiera preferirebbero questo messaggio. Affinché il tipo che si trova sulla frontiera sia indifferente tra i due intervalli (e quindi i tipi al di sopra e al di sotto preferiscano strettamente i loro rispettivi intervalli di appartenenza) è necessario che l'intervallo superiore sia più lungo di quello inferiore di un ammontare opportunamente scelto nel modo indicato qui di seguito.

Se l'intervallo $[x_{k-1}, x_k)$ è di lunghezza c (cioè, $x_k - x_{k-1} = c$) allora, l'azione ottima del Destinatario associata a questo intervallo – cioè, $(x_k + x_{k-1})/2$ – è più bassa di un ammontare $(c/2) + b$ rispetto all'azione ottima del tipo x_k – cioè, $x_k + b$. Affinché il tipo x_k che si trova sulla frontiera sia indifferente tra gli intervalli $[x_{k-1}, x_k)$ e $[x_k, x_{k+1})$, l'azione del Destinatario associata a quest'ultimo intervallo deve essere maggiore di un ammontare $(c/2) + b$ rispetto all'azione ottima per x_k:

$$\frac{x_{k+1} + x_k}{2} - (x_k + b) = \frac{c}{2} + b,$$

ovvero

$$x_{k+1} - x_k = c + 4b.$$

Quindi, ogni intervallo deve essere più lungo del precedente di un ammontare pari a $4b$.

In un equilibrio con n intervalli, se il primo intervallo è di lunghezza d, il secondo deve essere di lunghezza $d + 4b$, il terzo di lunghezza $d + 8b$ e così via. L'n-imo intervallo deve terminare esattamente in $t = 1$, perciò deve essere soddisfatta la condizione

$$d + (d + 4b) + ... + [d + (n - 1)4b] = 1.$$

Sapendo che $1 + 2 + ... + (n - 1) = n(n - 1)/2$, si ha

$$n \cdot d + n(n - 1) \cdot 2b = 1. \quad [4.16]$$

Dato un qualsiasi n tale che $n(n - 1) \cdot 2b < 1$, esiste un valore di d che risolve la [4.16]. Cioè, per ogni n tale che $n(n - 1) \cdot 2b < 1$ esiste un equilibrio parzialmente *pooling* con n intervalli e la lunghezza del primo intervallo è il valore di d che risolve la [4.16]. Poiché la lunghezza del primo intervallo deve essere positiva, il massimo numero possibile di intervalli in un tale equilibrio, $n^*(b)$, è il più grande valore di n che soddisfa la condizione $n(n - 1) \cdot 2b < 1$. Applicando la formula per la soluzione delle equazioni di secondo grado si ha che $n^*(b)$ è il più grande intero inferiore a

$$\frac{1}{2}\left[1 + \sqrt{1 + (2/b)}\right].$$

Coerentemente con l'equilibrio con due intervalli ricavato precedentemente, $n^*(b) = 1$ per $b \geq 1/4$: non è possibile nessuna comunicazione se le preferenze dei giocatori sono troppo differenti. Inoltre, come abbiamo affermato precedentemente, $n^*(b)$ è decrescente in b e tende ad infinito soltanto quando b tende a zero: si può realizzare una maggiore comunicazione per mezzo della comunicazione senza costi quando le preferenze dei giocatori sono in stretta sintonia, tuttavia la comunicazione perfetta non si può verificare a meno che le preferenze dei giocatori siano perfettamente in sintonia.

3.2. Contrattazione sequenziale in condizioni di informazione asimmetrica

Si consideri un'impresa ed un sindacato che contrattano i salari e si supponga, per semplicità, che l'occupazione sia fissata. Il salario di riserva del sindacato (cioè, la somma che guadagnano i membri del sindacato se non sono assunti dall'impresa) è w_r. Il profitto dell'impresa, indicato con π, si distribuisce in modo uniforme su $[\pi_L, \pi_H]$ e il vero valore di π è informazione privata dell'impresa. Questa informazione privata può riflettere, per esempio, la conoscenza da parte dell'impresa dei nuovi prodotti in fase di progettazione. Semplificheremo l'analisi assumendo che $w_r = \pi_L = 0$.

Il gioco di contrattazione dura al massimo due periodi; nel primo periodo, il sindacato effettua una offerta salariale, w_1. Se l'impresa accetta questa offerta il gioco termina: il payoff del sindacato è w_1 e quello dell'impresa è $\pi - w_1$. (Questi payoff sono i valori attuali dei flussi dei salari e dei profitti (netti) accumulati dai giocatori nel periodo di durata del contratto negoziato – normalmente tre anni). Se l'impresa rifiuta questa offerta, il gioco continua nel secondo periodo. Il sindacato effettua una seconda offerta salariale w_2; se l'impresa accetta questa offerta, i valori attuali dei payoff dei giocatori (misurati con riferimento al primo periodo) sono δw_2 per il sindacato e $\delta(\pi - w_2)$ per l'impresa, dove δ riflette sia l'operazione di sconto che la minore durata del contratto dopo il primo periodo. Se l'impresa rifiuta la seconda offerta del sindacato, il gioco termina e i payoff di entrambi i giocatori sono pari a zero. In un modello più realistico si potrebbe ammettere la possibilità che la contrattazione continui fino a quando non venga accettata un'offerta, oppure, dopo uno sciopero prolungato, si potrebbero costringere le parti in causa a sottoporsi ad un arbitrato vincolante. Tuttavia, nell'analisi che segue sacrificheremo il realismo allo scopo di rendere trattabile questo modello; per una analisi con orizzonte infinito si veda Sobel e Takahashi [1983] e il problema 4.12.

Derivare un equilibrio bayesiano perfetto per questo modello è leggermente complicato, tuttavia la risposta che alla fine si ottiene è semplice e intuitiva. Perciò, cominceremo illustrando brevemente l'unico equilibrio bayesiano perfetto di questo gioco.

i) L'offerta salariale del primo periodo del sindacato è

$$w_1^* = \frac{(2-\delta)^2}{2(4-3\delta)}\pi_H .$$

ii) Se il profitto dell'impresa, π, è maggiore di

$$\pi_1^* = \frac{2w_1}{2-\delta} = \frac{2-\delta}{4-3\delta}\pi_H$$

l'impresa accetta w_1^*; altrimenti l'impresa rifiuta w_1^*.

iii) Se la propria offerta del primo periodo viene rifiutata, il sindacato aggiorna la propria credenza sul profitto dell'impresa: la credenza del sindacato è che π sia uniformemente distribuito su $[0, \pi_1^*]$.

iv) L'offerta salariale del secondo periodo da parte del sindacato (condizionata al fatto che w_1^* venga rifiutata) è

$$w_2^* = \frac{\pi_1^*}{2} = \frac{2-\delta}{2(4-3\delta)}\pi_H < w_1^*.$$

v) Se il profitto dell'impresa, π, è maggiore di w_2^*, l'impresa accetta l'offerta, altrimenti la rifiuta.

In ogni periodo, le imprese con profitto alto accettano l'offerta del sindacato mentre le imprese con profitto basso le rifiutano, inoltre, la credenza del secondo periodo da parte del sindacato riflette il fatto che le imprese con profitto alto abbiano accettato l'offerta del primo periodo. (Si noti il leggero cambiamento di terminologia qui adottato: ci riferiremo in modo intercambiabile a una impresa con numerosi possibili tipi di profitto oppure a numerose imprese ognuna con un proprio livello di profitto). In equilibrio, imprese con profitto basso sono in grado di sopportare uno sciopero della durata di un periodo per convincere il sindacato che esse hanno un profitto basso e quindi indurre il sindacato ad offrire un salario minore nel secondo periodo. Tuttavia, per le imprese con profitto molto basso, anche la minore offerta del secondo periodo risulta troppo alta e quindi la rifiutano.

Cominciamo la nostra analisi dalla descrizione delle strategie e delle credenze dei giocatori, dopo di che definiremo un equilibrio bayesiano perfetto. La figura 4.17 illustra la rappresentazione in forma estesa di una versione semplificata del gioco: vi sono soltanto due valori di $\pi (\pi_L$ e $\pi_H)$, e il sindacato ha a disposizione soltanto due offerte salariali (w_L e w_H).

In questo gioco semplificato, il sindacato ha diritto alla mossa in tre insiemi informativi, pertanto la strategia del sindacato consiste di tre offerte salariali: l'offerta del primo periodo, w_1, e due offerte del secondo periodo, w_2 dopo che $w_1 = w_H$ è stato rifiutato e w_2 dopo che $w_1 = w_L$ è stato rifiutato. Queste tre mosse sono giocate in tre insiemi informativi con più di un nodo; in corrispondenza di tali insiemi informativi le credenze del sindacato sono indicate, rispettivamente, con $(p, 1-p)$, $(q, 1-q)$ e $(r, 1-r)$. Nel gioco completo (in contrapposizione al gioco semplificato della figura 4.17), una strategia del sindacato è un'offerta del primo periodo w_1 e una funzione di offerta del secondo periodo, $w_2(w_1)$, che specifica l'offerta w_2 da effettuare dopo che ogni possibile offerta w_1 è stata rifiutata. Ognuna di queste mosse si verifica in un insieme informativo con più di un nodo; inoltre, vi è un insieme informativo del secondo periodo per ogni differente offerta salariale del primo periodo che il sindacato può effettuare (e quindi vi è un continuum di tali insiemi informativi e non soltanto due come nella figura 4.17). Sia nell'unico insieme informativo del primo periodo che nel continuum di insiemi informa-

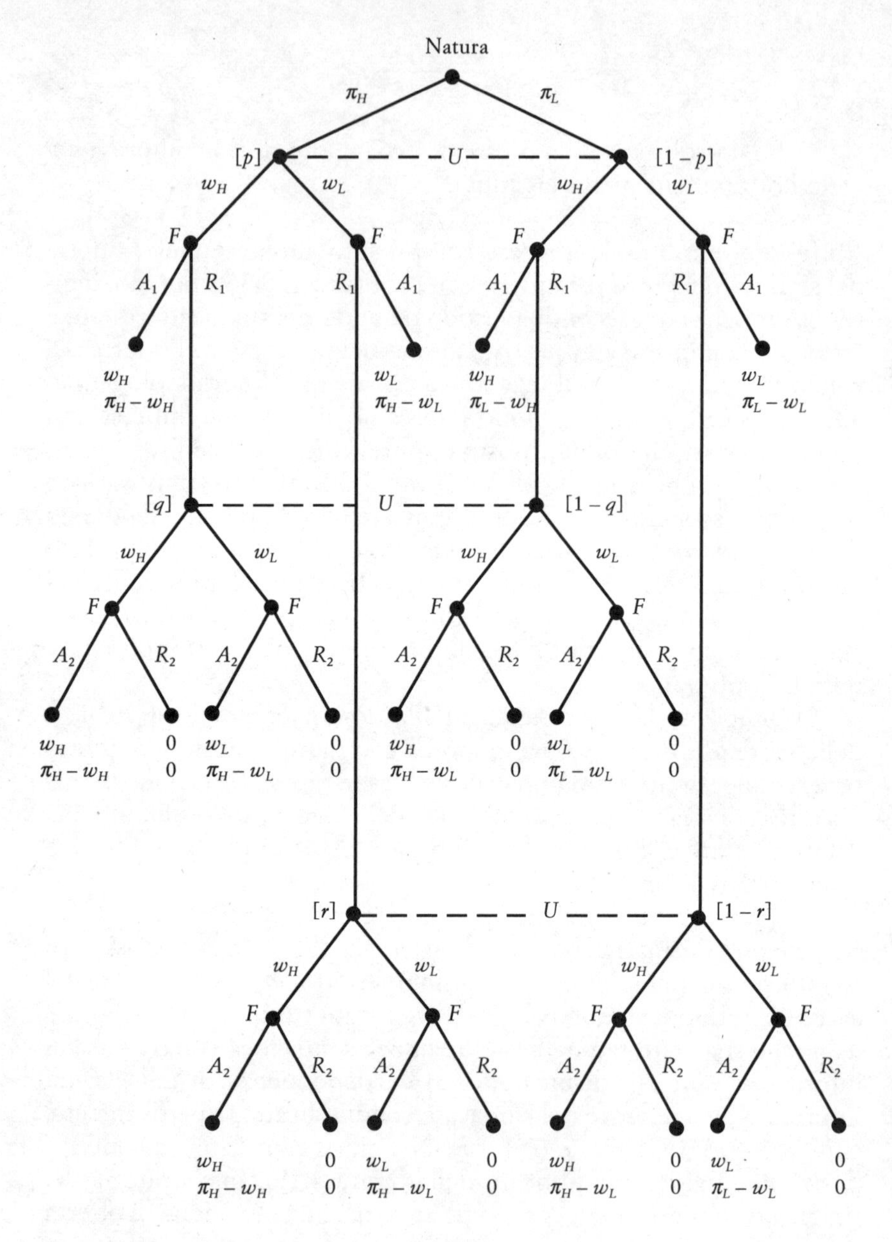

FIG. 4.17.

tivi del secondo, vi è un nodo decisionale per ogni possibile valore di π (perciò vi è un numero infinito di tali nodi e non soltanto due come nella figura 4.17). In ogni insieme informativo, la credenza del sindacato è una distribuzione di probabilità su questi nodi. Nel gioco completo, indichiamo la credenza del primo periodo del sindacato con $\mu_1(\pi)$, e la credenza del secondo periodo del sindacato (dopo che l'offerta del primo periodo w_1 è stata rifiutata), con $\mu_2(\pi|w_1)$.

Una strategia dell'impresa è composta da due decisioni (sia nel gioco semplificato che nel gioco completo). Si ponga $A_1(w_1|\pi)$ uguale a uno se l'impresa accetta l'offerta del primo periodo w_1 quando il suo profitto è π, e zero se l'impresa rifiuta w_1 quando il suo profitto è π. Analogamente, si ponga $A_2(w_2|\pi, w_1)$ uguale a uno se l'impresa accetta l'offerta del secondo periodo w_2 quando il suo profitto è π e l'offerta del primo periodo è stata w_1, e zero se l'impresa rifiuta w_2 nelle stesse circostanze. Una strategia dell'impresa è una coppia di funzioni $[A_1(w_1|\pi), A_2(w_2|\pi, w_1)]$. Poiché l'impresa ha informazione completa nel corso di tutto il gioco, le sue credenze sono ovvie.

Le strategie $[w_1, w_2(w_1)]$ e $[A_1(w_1|\pi), A_2(w_2|\pi, w_1)]$ e le credenze $[\mu_1(\pi), \mu_2(\pi|w_1)]$ costituiscono un equilibrio bayesiano perfetto se soddisfano i Requisiti 2, 3 e 4 del paragrafo 1. (La mera esistenza delle credenze del sindacato assicura che il Requisito 1 sia soddisfatto). Mostreremo che vi è un unico equilibrio bayesiano perfetto. Il passaggio più semplice del ragionamento è l'applicazione del Requisito 2 alla decisione del secondo periodo da parte dell'impresa, $A_2(w_2|\pi, w_1)$: poiché questa è l'ultima mossa del gioco la decisione ottima per l'impresa è accettare w_2 se e solo se $\pi \geq w_2$; w_1 è irrilevante. Data questa parte della strategia dell'impresa, risulta immediato applicare anche il Requisito 2 alla scelta di un'offerta salariale del secondo periodo da parte del sindacato: w_2 dovrebbe massimizzare il payoff atteso del sindacato, data la credenza del sindacato $\mu_2(\pi|w_1)$ e la strategia successiva dell'impresa $A_2(w_2|\pi, w_1)$. La parte più difficile del ragionamento è la determinazione della credenza $\mu_2(\pi|w_1)$, che sarà illustrata qui di seguito.

Cominciamo considerando provvisoriamente il seguente problema di contrattazione uniperiodale. (Successivamente ci serviremo dei risultati di questo problema per ricavare la soluzione del secondo periodo del problema biperiodale). Nel problema uniperiodale, si supponga che il sindacato creda che il profitto dell'impresa sia distribuito in modo uniforme su $[0, \pi_1]$, dove, per il momento, π_1 è arbitrario. Se il sindacato offre w, la risposta ottima dell'impresa è semplice: accettare w se e solo se $\pi \geq w$. Perciò, il problema del sindacato può essere formulato nel modo seguente:

$$\max_{w}\ w \cdot \text{Prob}\{\text{impresa accetta } w\} + 0 \cdot \text{Prob}\{\text{impresa rifiuta } w\},$$

dove Prob{impresa accetta w} $= (\pi_1 - w)/\pi_1$ per i valori rilevanti assunti dalle offerte salariali (cioè, $0 \leq w \leq \pi_1$). L'offerta salariale ottima è dunque $w^*(\pi_1) = \pi_1/2$.

Ritorniamo ora (definitivamente) al problema biperiodale. Mostriamo in primo luogo che, per valori arbitrari di w_1 e w_2, se il sindacato offre w_1 nel primo periodo e l'impresa si aspetta che il sindacato offra w_2 nel secondo periodo, tutte le imprese con un profitto sufficientemente alto accetteranno w_1, mentre tutte le altre lo rifiuteranno. I possibili payoff dell'impresa sono $\pi - w_1$ qualora si accetti w_1, $\delta(\pi - w_2)$ se si rifiuta w_1 e si accetta w_2, e zero se si rifiutano entrambe le offerte. Perciò, l'impresa preferisce accettare w_1 piuttosto che accettare w_2 se $\pi - w_1 > \delta(\pi - w_2)$, cioè

$$\pi > \frac{w_1 - \delta w_2}{1 - \delta} \equiv \pi^*(w_1, w_2),$$

e preferisce accettare w_1 piuttosto che rifiutare entrambe le offerte se $\pi - w_1 > 0$. Quindi, per valori arbitrari di w_1 e w_2 le imprese con $\pi > \max\{\pi^*(w_1, w_2), w_1\}$ accetteranno w_1 e imprese con $\pi < \max\{\pi^*(w_1, w_2), w_1\}$ rifiuteranno w_1. Poiché il Requisito 2 impone all'impresa di agire in modo ottimale date le strategie successive dei giocatori, possiamo derivare $A_1(w_1|\pi)$ per un valore arbitrario di w_1: le imprese con $\pi > \max\{\pi^*(w_1, w_2), w_1\}$ accetteranno w_1 e le imprese con $\pi < \max\{\pi^*(w_1, w_2), w_1\}$ rifiuteranno w_1, dove w_2 è l'offerta salariale del secondo periodo del sindacato $w_2(w_1)$.

Ora possiamo derivare $\mu_2(\pi|w_1)$, la credenza del secondo periodo del sindacato nell'insieme informativo raggiunto se l'offerta del primo periodo w_1 viene rifiutata. Il Requisito 4 implica che la credenza corretta è che π sia distribuito in modo uniforme su $[0, \pi(w_1)]$, dove $\pi(w_1)$ è il valore di π al quale l'impresa è indifferente tra accettare w_1 e rifiutarlo accettando l'offerta ottima del secondo periodo del sindacato data questa credenza – cioè, $w^*(\pi(w_1)) = \pi(w_1)/2$, che è stato calcolato per il problema uniperiodale. Per comprendere questo punto si rammenti che il Requisito 4 impone che la credenza del sindacato sia determinata dalla regola di Bayes e dalla strategia dell'impresa. Perciò, data la prima parte della strategia dell'impresa $A_1(w_1|\pi)$ che è stata appena derivata, la credenza del sindacato deve essere che i tipi rimanenti nel secondo periodo sono distribuiti in modo uniforme su $[0, \pi_1]$, dove $\pi_1 = \max\{\pi^*(w_1, w_2), w_1\}$ e w_2 è l'offerta salariale del secondo periodo del sindacato $w_2(w_1)$. Data questa credenza l'offerta ottima del secondo periodo del sindacato deve essere $w^*(\pi_1) = \pi_1/2$, da cui si ottiene una equazione che definisce implicitamente π_1 in funzione di w_1:

$$\pi_1 = \max\{\pi^*(w_1, \pi_1/2), w_1\}.$$

Per risolvere questa equazione implicita, si supponga che $w_1 \geq \pi^*(w_1, \pi_1/2)$. Allora $\pi_1 = w_1$, ma ciò contraddice $w_1 \geq \pi^*(w_1, \pi_1/2)$. Perciò, $w_1 < \pi^*(w_1, \pi_1/2)$, quindi $\pi_1 = \pi^*(w_1, \pi_1/2)$, cioè

$$\pi_1(w_1) = \frac{2w_1}{2-\delta} \quad \text{e} \quad w_2(w_1) = \frac{w_1}{2-\delta}.$$

A questo punto, abbiamo ridotto il gioco ad un problema di ottimizzazione uniperiodale per il sindacato: data l'offerta salariale del primo periodo del sindacato, w_1, abbiamo specificato la risposta ottima del primo periodo dell'impresa, la credenza del sindacato nel secondo periodo, l'offerta ottima del secondo periodo del sindacato e la risposta ottima del secondo periodo dell'impresa. Quindi, l'offerta salariale del primo periodo da parte del sindacato si ricava dalla soluzione del seguente problema:

$$\max_{w_1} w_1 \cdot \text{Prob}\{\text{impresa accetta } w_1\}$$
$$+ \delta w_2(w_1) \cdot \text{Prob}\{\text{impresa rifiuta } w_1, \text{ ma accetta } w_2\}$$
$$+ \delta \cdot 0 \cdot \text{Prob}\{\text{impresa rifiuta sia } w_1 \text{ che } w_2\}.$$

Si noti bene che Prob{impresa accetta w_1} *non* è semplicemente la probabilità che π sia maggiore di w_1, ma è la probabilità che π sia maggiore di $\pi_1(w_1)$:

$$\text{Prob}\{\text{impresa accetta } w_1\} = \frac{\pi_H - \pi_1(w_1)}{\pi_H}.$$

La soluzione di questo problema di ottimizzazione è w_1^*, la cui espressione è stata riportata all'inizio di questa analisi; π_1^* e w_2^* sono poi ricavati, rispettivamente, da $\pi_1(w_1^*)$ e $w_2(w_1^*)$.

3.3. Reputazione nel dilemma del prigioniero ripetuto un numero finito di volte

Nell'analisi dei giochi ripetuti un numero finito di volte con informazione completa del paragrafo 3.1 del capitolo 2, abbiamo mostrato che, se un gioco costituente ha un unico equilibrio di Nash, qualsiasi gioco ripetuto un numero finito di volte basato su questo gioco costituente ha un unico equilibrio di Nash perfetto nei sottogiochi: l'equilibrio di Nash del gioco costituente è giocato in ogni stadio e per ogni storia del gioco. In contrasto con questo risultato teorico, gran parte della evidenza sperimentale suggerisce che la cooperazione si verifica frequentemente nei dilemmi del prigioniero ripetuti un numero finito di volte, specialmente negli stadi che non sono troppo vicini a quelli finali; per i riferimenti bibliografici si veda Axelrod [1981]. Kreps, Milgrom, Roberts e Wilson [1982] mostrano che un modello di *reputazione* è in grado di offrire una spiegazione di questa evidenza sperimentale[7].

La più semplice esposizione di un equilibrio di reputazione per il dilemma del prigioniero ripetuto un numero finito di volte, comporta l'introduzione di un modo nuovo di incorporare nel modello l'informazione asimmetrica. Invece di assumere che un giocatore abbia informazione privata sui propri payoff, assumeremo che un giocatore abbia informazione privata sulle proprie strategie. In particolare, assumeremo che il giocatore di riga può giocare soltanto la strategia *Tit-for-Tat* (occhio per occhio, dente per dente) (che prescrive di iniziare il gioco ripetuto cooperando e procedere imitando la mossa precedente dell'avversario) con probabilità p, oppure giocare una qualsiasi delle strategie ammissibili del gioco ripetuto con informazione completa (compresa *Tit-for-Tat*) con probabilità $1 - p$. Seguendo l'uso corrente, chiameremo «razionale» quest'ultimo tipo di giocatore di riga (e chiameremo il primo tipo, giocatore di riga *Tit-for-Tat*). Il vantaggio di questa formulazione, dal punto di vista espositivo, deriva dal fatto che se il giocatore di riga dovesse deviare dalla strategia *Tit-for-Tat*, diventerebbe conoscenza comune che il giocatore di riga è razionale.

La strategia *Tit-for-Tat* è semplice e attraente; tra l'altro, è la strategia vincente del torneo del dilemma del prigioniero di Axelrod. Tuttavia, può sembrare poco interessante assumere che un giocatore abbia soltanto una strategia a disposizione, anche se tale strategia è attraente. Sacrificando in parte la semplicità espositiva, si potrebbe assumere, invece, che entrambi i tipi del giocatore di riga possano giocare qualsiasi strategia e che, con probabilità p, i payoff del giocatore di riga sono tali che *Tit-for-Tat* domina strettamente qualsiasi altra strategia del gioco ripetuto. (Con questa assunzione, l'esposizione diventa più complicata poiché una deviazione da *Tit-for-Tat* non rende conoscenza comune il fatto che il giocatore di riga è razionale). Questi payoff sono diversi da quelli assunti solitamente nei giochi ripetuti: affinché sia ottimo imitare la mossa precedente del giocatore di colonna, i payoff del giocatore di riga in uno stadio devono dipendere dalla mossa del giocatore di colonna nello stadio precedente. Come terza possibilità (nuovamente a spese della sem-

[7] Nel paragrafo 3.2 del capitolo 2 abbiamo mostrato che la cooperazione si può verificare nel dilemma del prigioniero ripetuto infinitamente. Alcuni autori si riferiscono a tale equilibrio indicandolo come equilibrio di «reputazione» anche se i payoff e le opportunità di entrambi i giocatori sono conoscenza comune. Per chiarezza, si potrebbe indicare un tale equilibrio con un termine differente, ad esempio equilibrio basato su «minacce e promesse», e riservare il termine «reputazione» per giochi in cui almeno un giocatore abbia qualcosa da apprendere sulle caratteristiche di un altro, come nel caso in esame.

plicità espositiva) si potrebbe ammettere la possibilità che un giocatore abbia informazione privata sui propri payoff del gioco costituente e tuttavia mantenere l'ipotesi che il payoff in uno stadio dipenda soltanto dalle mosse compiute in quello stadio e il payoff complessivo del gioco ripetuto sia dato dalla somma dei payoff di ogni gioco costituente. In particolare, si potrebbe assumere che, con probabilità p, la risposta ottima del giocatore di riga alla cooperazione è la cooperazione. Kreps, Milgrom, Roberts e Wilson (da ora in poi KMRW) mostrano che questo genere di informazione asimmetrica unilaterale non è sufficiente a far emergere la cooperazione in equilibrio; al contrario, in ogni stadio viene giocato «Parlare», come nel caso con informazione completa. Tuttavia, essi mostrano anche che se vi è informazione asimmetrica bilaterale di questo genere (cioè, se vi è anche una probabilità q che la risposta ottima del giocatore di colonna alla cooperazione è la cooperazione) allora può esistere un equilibrio in cui entrambi i giocatori cooperano fino agli stadi finali del gioco.

Riprendendo il discorso precedente, assumeremo che, con probabilità p, il giocatore di riga può giocare soltanto la strategia *Tit-for-Tat*. Il punto centrale dell'analisi di KMRW è che anche qualora p sia molto piccolo (cioè, anche se il giocatore di colonna ha soltanto un piccolissimo sospetto che il giocatore di riga possa non essere razionale), questa incertezza può avere un effetto molto grande; KMRW mostrano che vi è un limite superiore al numero di stadi nei quali, in equilibrio, o l'uno o l'altro dei due giocatori parla. Questo limite superiore dipende da p e dai payoff del gioco costituente, ma non dal numero degli stadi del gioco ripetuto. Quindi, in qualsiasi equilibrio di un gioco ripetuto sufficientemente lungo, la frazione di stadi in cui entrambi i giocatori cooperano è grande. (KMRW formulano il loro risultato con riferimento agli equilibri sequenziali, ma le loro considerazioni si applicano anche agli equilibri bayesiani perfetti). Due passaggi chiave nel ragionamento di KMRW sono: *i*) se il giocatore di riga deviasse da *Tit-for-Tat*, diventerebbe conoscenza comune che egli è razionale e, da quel momento in avanti, nessun giocatore coopererebbe; quindi, il giocatore di riga razionale ha un incentivo a «imitare» *Tit-for-Tat*; e *ii*) data un'assunzione sui payoff del gioco costituente che sarà introdotta più oltre, la risposta ottima del giocatore di colonna a *Tit-for-Tat* sarebbe di cooperare fino all'ultimo stadio del gioco.

Per dare un semplice quadro delle forze che operano nel modello di KMRW, considereremo un caso complementare all'analisi da loro svolta: invece di assumere che p sia piccolo e analizzare giochi ripetuti lunghi, assumeremo che p sia sufficientemente grande e che vi sia un equilibrio di un gioco ripetuto breve, in cui entrambi i giocatori cooperano in tutti gli stadi, tranne che negli ultimi due. Cominciamo con il caso biperiodale; la struttura temporale è la seguente:

1) La natura estrae il tipo del giocatore di riga. Con probabilità p il giocatore di riga ha a disposizione soltanto la strategia *Tit-for-Tat*; con probabilità $1 - p$, il giocatore di riga ha a disposizione qualsiasi strategia. Il giocatore di riga viene a conoscenza del proprio tipo, ma il giocatore di colonna non apprende il tipo del giocatore di riga.

2) Il giocatore di riga e quello di colonna giocano il dilemma del prigioniero. Le scelte dei giocatori in questo gioco costituente diventano conoscenza comune.

3) Il giocatore di riga e quello di colonna giocano il dilemma del prigioniero per la seconda ed ultima volta.

4) Si ricevono i payoff. I payoff del giocatore di riga razionale e del giocatore di colonna sono dati dalle somme (non scontate) dei loro payoff nei giochi costituenti. Il gioco costituente è riportato nella figura 4.18.

Affinché questo gioco costituente sia un dilemma del prigioniero assumiamo che $a > 1$ e $b < 0$. Inoltre, KMRW assumono che $a + b < 2$, così che (come abbiamo affermato in *ii*) precedentemente) la risposta ottima del giocatore di colonna a *Tit-for-Tat* sarebbe di Cooperare fino all'ultimo stadio del gioco piuttosto che alternare tra Cooperare e Parlare.

		Giocatore di colonna	
		Cooperare	Parlare
Giocatore di riga	Cooperare	1, 1	b, a
	Parlare	a, b	0, 0

FIG. 4.18.

Come nell'ultimo periodo di un dilemma del prigioniero ripetuto un numero finito di volte, Parlare (F) domina strettamente Cooperare (C) nell'ultimo stadio di questo gioco biperiodale con informazione incompleta, sia per il giocatore di riga razionale che per il giocatore di colonna. Poiché il giocatore di colonna certamente parlerà nell'ultimo stadio, non vi è alcuna ragione per la quale il giocatore di riga razionale dovrebbe cooperare nel primo stadio. Infine, il giocatore di riga *Tit-for-Tat* inizia il gioco cooperando; quindi l'unica mossa da determinare è la mossa del giocatore di colonna del primo periodo (X), che sarà imitata dal giocatore di riga *Tit-for-Tat* nel secondo periodo, come è mostrato dal sentiero di equilibrio della figura 4.19.

Scegliendo $X = C$, il giocatore di colonna riceve il payoff atteso

$p \cdot 1 + (1 - p) \cdot b$ nel primo periodo e $p \cdot a$ nel secondo periodo. (Poiché il giocatore di riga *Tit-for-Tat* e quello razionale scelgono mosse differenti nel primo periodo, il giocatore di colonna inizierà il secondo periodo sapendo se il giocatore di riga è *Tit-for-Tat* oppure razionale. Il payoff atteso del secondo periodo $p \cdot a$ riflette l'incertezza del giocatore di colonna sul tipo del giocatore di riga, nel momento in cui decide se cooperare oppure parlare nel primo periodo). Al contrario, scegliendo $X = F$, il giocatore di colonna riceve $p \cdot a$ nel primo periodo e zero nel secondo. Quindi, il giocatore di colonna sarà disposto a cooperare nel primo periodo a condizione che

$$p + (1 - p)b \geq 0. \quad [4.17]$$

Da qui in avanti assumiamo che la [4.19] sia soddisfatta.

	$t = 1$	$t = 2$
Giocatore di riga *Tit-for-Tat*	C	X
Giocatore di riga razionale	F	F
Giocatore di colonna	X	F

FIG. 4.19.

	$t = 1$	$t = 2$	$t = 3$
Giocatore di riga *Tit-for-Tat*	C	C	C
Giocatore di riga razionale	C	F	F
Giocatore di colonna	C	C	F

FIG. 4.20.

Ora consideriamo il caso con tre periodi. Data la [4.17] se il giocatore di colonna e il giocatore di riga razionale cooperano nel primo periodo, il sentiero di equilibrio del secondo e del terzo periodo saranno dati dalla figura 4.19, con $X = C$ e modificando opportunamente le indicazioni relative ai periodi. Deriveremo condizioni sufficienti affinché il giocatore di colonna e il giocatore di riga razionale cooperino nel primo periodo, come è mostrato dal sentiero di equilibrio a tre periodi della figura 4.20.

In questo equilibrio, il payoff del giocatore di riga razionale è $1 + a$ e il payoff atteso del giocatore di colonna è $1 + p + (1 - p)b + pa$. Se il giocatore di riga razionale parla nel primo periodo, diviene conoscenza comune che il giocatore di riga è razionale, perciò entrambi i giocatori parlano nel secondo e nel terzo periodo. Quindi, il payoff totale del giocatore di riga razionale corrispondente a Parlare nel primo periodo è a, il quale è minore del payoff di equi-

	$t = 1$	$t = 2$	$t = 3$
Giocatore di riga *Tit-for-Tat*	C	F	F
Giocatore di riga razionale	C	F	F
Giocatore di colonna	F	F	F

FIG. 4.21.

librio $1 + a$, perciò il giocatore di riga razionale non ha alcun incentivo a deviare dalla strategia implicita nella figura 4.20.

Verifichiamo poi se esiste un incentivo a deviare per il giocatore di colonna. Se il giocatore di colonna parla nel primo periodo, il giocatore di riga *Tit-for-Tat* parlerà nel secondo periodo e il giocatore di riga razionale parlerà nel secondo periodo poiché è certo che il giocatore di colonna parlerà nell'ultimo periodo. Avendo parlato nel primo periodo il giocatore di colonna deve decidere se parlare o cooperare nel secondo periodo. Se il giocatore di colonna parla nel secondo periodo, il giocatore di riga *Tit-for-Tat* parlerà nel terzo periodo, quindi lo svolgimento del gioco sarà come quello descritto nella figura 4.21. Il payoff che il giocatore di colonna ottiene da questa deviazione è a, il quale è minore del payoff atteso di equilibrio se

$$1 + p + (1 - p)b + pa \geq a.$$

Data la [4.17], una condizione sufficiente affinché il giocatore di colonna non giochi questa deviazione è

$$1 + pa \geq a. \tag{4.18}$$

Alternativamente, il giocatore di colonna potrebbe deviare parlando nel primo periodo ma cooperando nel secondo, in tal caso il giocatore di riga *Tit-for-Tat* coopererebbe nel terzo periodo, così lo svolgimento del gioco sarebbe come quello mostrato nella figura 4.22. Il payoff atteso che ottiene il giocatore di colonna da questa deviazione è $a + b + pa$, il quale è minore del payoff atteso di equilibrio se

$$1 + p + (1 - p)b + pa \geq a + b + pa.$$

Data la [4.17], una condizione sufficiente affinché il giocatore di colonna non giochi questa deviazione è

$$a + b \leq 1. \tag{4.19}$$

Abbiamo mostrato che se la [4.17], la [4.18] e la [4.19] sono soddisfatte, il gioco descritto nella figura 4.20 è il sentiero di equilibrio di un equilibrio bayesiano perfetto del dilemma del prigioniero a tre periodi. Per un dato valore di p, i payoff a e b soddisfano queste tre diseguaglianze se appartengono alla regione ombreggiata della figura 4.23. Per p che tende a zero, questa regione ombreggiata tende a scomparire; ciò è coerente col fatto che in questo paragrafo analizziamo la cooperazione in equilibrio per giochi brevi con valori elevati di p, mentre KRMW si concentrano su giochi lunghi con bassi valori di p. Dall'altro lato, se p è sufficientemente elevato da sostenere la cooperazione in un gioco breve, esso è certamente sufficientemente alto da sostenere la cooperazione anche in un gioco lungo. Formalmente, se a, b e p soddisfano la [4.17], la [4.18] e la [4.19], per ogni finito $T > 3$ esiste un equilibrio bayesiano perfetto nel gioco ripetuto con T periodi in cui sia il giocatore di riga razionale che il giocatore di colonna cooperano fino al periodo $T-2$, dopo di che i periodi $T-1$ e T sono come quelli descritti nella figura 4.19. Per una dimostrazione di questo risultato si veda l'Appendice a questo paragrafo.

	$t = 1$	$t = 2$	$t = 3$
Giocatore di riga *Tit-for-Tat*	C	F	C
Giocatore di riga razionale	C	F	F
Giocatore di colonna	F	C	F

FIG. 4.22.

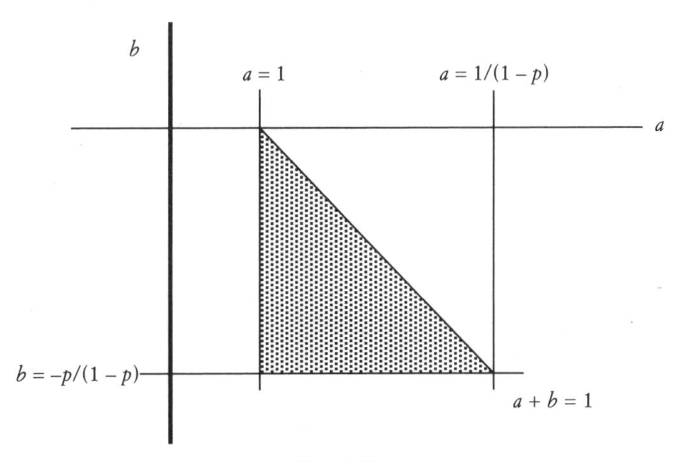

FIG. 4.23.

Appendice. Per brevità indicheremo un equilibrio bayesiano perfetto di un dilemma del prigioniero ripetuto per T periodi con il termine *equilibrio cooperativo* se il giocatore di riga razionale e il giocatore di colonna cooperano fino al periodo $T-2$ e i periodi $T-1$ e T sono come quelli descritti nella figura 4.19. Mostreremo che se a, b e p soddisfano la [4.17], la [4.18] e la [4.19], esiste un equilibrio cooperativo per ogni $T > 3$. Seguiremo un ragionamento di tipo induttivo: dato che per ogni $\tau = 2, 3, \dots, T - 1$ esiste un equilibrio cooperativo per il gioco con τ periodi, mostriamo che esiste un equilibrio cooperativo per il gioco con T periodi.

Innanzitutto mostriamo che il giocatore di riga razionale non ha alcun incentivo a deviare da un equilibrio cooperativo del gioco con T periodi. Se il giocatore di riga parlasse in un qualsiasi periodo $t < T - 1$, diventerebbe conoscenza comune che il giocatore di riga è razionale, perciò il giocatore di riga riceverebbe il payoff a nel periodo t e zero in ogni periodo successivo. Poiché il payoff di equilibrio del giocatore di riga è pari a uno nei periodi da t a $T - 2$ e pari ad a nel periodo $T - 1$, oppure $(T - t - 1) + a$, per ogni $t < T - 1$ non è conveniente parlare. L'argomentazione riguardante la figura 4.19 implica che il giocatore di riga razionale non ha alcun incentivo a deviare nei periodi $T - 1$ e T.

Mostriamo ora che non esiste alcun incentivo a deviare per il giocatore di colonna. L'argomentazione relativa alla figura 4.19 implica che il giocatore di colonna non ha alcun incentivo a deviare cooperando fino al periodo $T - 2$ e poi parlare nel periodo $T - 1$; inoltre, l'argomentazione riguardante la figura 4.20 implica che il giocatore di colonna non ha alcun incentivo a deviare cooperando fino al periodo $T - 3$ e poi parlare nel periodo $T - 2$. Perciò, occorre mostrare che il giocatore di colonna non ha alcun incentivo a deviare cooperando fino al periodo $t - 1$ e poi parlare nel periodo t con $1 \leq t \leq T - 3$.

Se il giocatore di colonna parla nel periodo t, il giocatore di riga *Tit-for-Tat* parlerà nel periodo $t + 1$, quindi anche il giocatore di riga razionale parlerà nel periodo $t + 1$ (infatti, Parlare domina strettamente Cooperare nel gioco costituente del periodo $t + 1$, dopo di che parlare da $t + 2$ fino a T assicura un payoff almeno pari a zero; dall'altro lato, Cooperare in $t + 1$ significherebbe far risultare conoscenza comune che il giocatore di riga è razionale e di conseguenza si avrebbe un payoff esattamente pari a zero da $t + 2$ a T). Poiché sia il giocatore di riga *Tit-for-Tat* che il giocatore di riga razionale cooperano fino al periodo t e poi entrambi parlano nel periodo $t + 1$, la credenza del giocatore di colonna all'inizio del periodo $t + 2$ è che la probabilità che il giocatore di riga sia del tipo *Tit-for-Tat* è p. Perciò, se il giocatore di colonna coopera nel periodo $t + 1$ il gioco di continuazione che inizia nel periodo $t + 2$ sarà identico ad un gioco con τ periodi, con $\tau = T - (t + 2) + 1$. Dall'ipotesi di induzione, esiste un equilibrio cooperativo per questo gioco di continuazione con τ periodi; si assuma che esso venga giocato. Allora, il payoff del giocatore di colonna nei periodi che vanno da t fino a T, che si ottiene parlando nel periodo t e cooperando nel periodo $t + 1$ è

$$a + b + [T - (t + 2) - 1] + p + (1 - p)b + pa,$$

il quale è minore del payoff di equilibrio del giocatore di colonna nei periodi da t fino a T,

$$2 + [T - (t + 2) - 1] + p + (1 - p)b + pa. \qquad [4.20]$$

Fino a questo punto abbiamo mostrato che il giocatore di colonna non ha alcun incentivo a deviare cooperando fino al periodo $t - 1$, parlando nel periodo t e poi cooperando nel periodo $t + 1$, dato che l'equilibrio cooperativo sarà giocato nel gioco di continuazione che comincia dal periodo $t + 2$. Più in generale, il giocatore di colonna potrebbe cooperare fino al periodo $t + 1$, parlare nei periodi da t fino a $t + s$ e poi cooperare nel periodo $t + s + 1$. Vi sono tre casi ovvi: 1) se $t + s = T$ (cioè, il giocatore di colonna non coopera mai più dopo aver parlato in t) allora il payoff del giocatore di colonna è a nel periodo T e poi zero da quel momento in poi e quindi è minore di quello dato dalla [4.20]; 2) se $t + s + 1 = T$ allora il payoff del giocatore di colonna da t fino a T è $a + b$, che è minore di quello del caso (1); e 3) se $t + s + 1 = T - 1$ allora il payoff del giocatore di colonna da t fino a T è $a + b + pa$, che è minore di quello dato dalla [4.20]. Non resta che considerare i valori di s tali che $t + s + 1 < T - 1$. Come nel caso $s = 0$ visto sopra, esiste un equilibrio cooperativo del gioco di continuazione che comincia nel periodo $t + s + 2$; si assuma che esso venga giocato. Allora il payoff che il giocatore di colonna ottiene nei periodi da t fino a T giocando questa deviazione è

$$a + b + [T - (t + s + 2) - 1] + p + (1 - p)b + pa,$$

che è nuovamente minore di quello dato dalla [4.20].

4. Perfezionamenti dell'equilibrio bayesiano perfetto

Nel paragrafo 1 abbiamo definito un equilibrio bayesiano perfetto come un insieme di strategie e di credenze che soddisfano i Requisiti da 1 a 4 e abbiamo osservato che, in un tale equilibrio, la strategia di ogni giocatore non può essere strettamente dominata a partire da un insieme informativo qualsiasi. Ora consideriamo due requisiti ulteriori (sulle credenze fuori dal sentiero di equilibrio), il primo dei quali formalizza la seguente idea: poiché l'equilibrio bayesiano perfetto esclude che il giocatore i giochi una strategia strettamente dominata a partire da un qualsiasi insieme informativo, non è plausibile che il giocatore j creda che il giocatore i giochi tale strategia.

Per dare maggior concretezza a questa idea, si consideri il gioco della figura 4.24, in cui vi sono due equilibri bayesiani perfetti in strategie pure $(L, L', p = 1)$, e $(R, R', p \leq 1/2)$[8]. La caratteristica principale di questo esempio è che M è una strategia del giocatore 1 strettamente dominata: il payoff pari a 2 che si riceve giocando R è maggiore di entrambi i payoff che il giocatore 1 potrebbe ricevere giocando M, cioè 0 e 1. Quindi, non è plausibile che il giocatore 2 creda che 1 possa aver giocato M; formalmente, non è plausibile che $1 - p$ sia positivo, quindi p deve essere uguale a uno. Se la credenza $1 - p > 0$ non è plausibile, allora non lo è neppure l'equilibrio bayesiano perfetto $(R, R', p \leq 1/2)$, e l'unico equilibrio bayesiano perfetto che soddisfa questo requisito sarà $(L, L', p = 1)$.

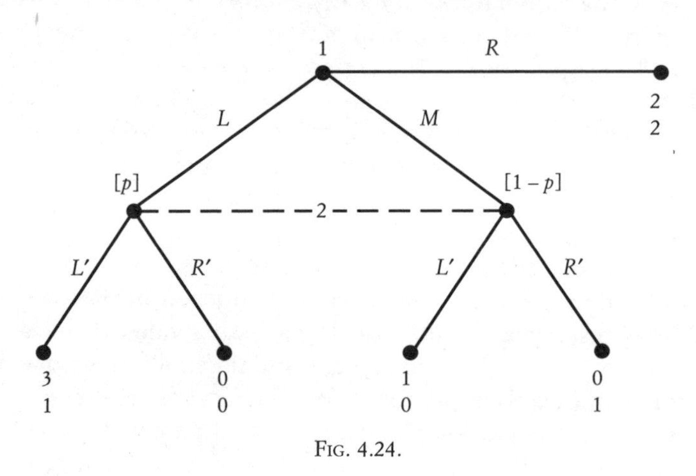

FIG. 4.24.

Altri due aspetti di questo esempio meritano un cenno. Primo, mentre M è strettamente dominato, L non lo è. Se L fosse strettamente dominato (come accadrebbe se il payoff del giocatore 1 pari a 3 fosse, ad esempio, pari a 3/2) allora lo stesso ragionamento implicherebbe che non è plausibile che p sia positivo, da cui si dedurrebbe che p deve essere pari a zero; ma ciò sarebbe in contraddizione con il risultato precedente in base al quale p deve essere pari a 1. In tal caso, quindi, questo requisito non imporrebbe restrizioni sulle credenze del giocatore 2 fuori dall'equilibrio; si veda la definizione formale data più oltre.

[8] Ricavando la rappresentazione in forma normale si scopre che, in questo gioco vi sono due equilibri di Nash in strategie pure: (L, L') e (R, R'). Poiché nella forma estesa non vi sono sottogiochi, entrambi gli equilibri di Nash sono perfetti nei sottogiochi. In (L, L'), l'insieme informativo del giocatore 2 è sul sentiero di equilibrio, quindi il Requisito 3 impone che $p = 1$. In (R, R'), questo insieme informativo è fuori dal sentiero di equilibrio e il Requisito 4 non impone alcuna restrizione su p. Quindi, imponiamo soltanto che la credenza di 2, p, renda l'azione R' ottima – cioè $p \leq 1/2$.

Secondo, l'esempio non illustra precisamente il requisito descritto inizialmente poiché M, non solo è strettamente dominato a partire da un insieme informativo, ma è anche strettamente dominato. Per cogliere la differenza si rammenti dal paragrafo 1.2 del capitolo 1 che la strategia s'_i è strettamente dominata se esiste un'altra strategia s_i tale che, per ogni possibile combinazione di strategie degli altri giocatori, il payoff che riceve i giocando s_i è strettamente maggiore del payoff che riceve giocando s'_i. Si consideri ora una versione ampliata del gioco della figura 4.24, in cui il giocatore 2 ha una mossa che precede la mossa del giocatore 1 nella figura, e ha due scelte in corrispondenza di questa mossa iniziale: terminare il gioco oppure passare il gioco a 1 nell'insieme informativo di 1 nella figura. In questo gioco ampliato, M è ancora dominato strettamente a partire dall'insieme informativo di 1, tuttavia, M non è strettamente dominato poiché, se 2 termina il gioco nel nodo iniziale, allora L, M ed R conducono allo stesso payoff.

Poiché M è strettamente dominato nella figura 4.24, certamente non è plausibile che il giocatore 2 creda che 1 possa aver giocato R, tuttavia la dominanza stretta è un test troppo forte e quindi produce un requisito troppo debole. (Poiché le strategie strettamente dominate a partire da un insieme informativo sono più numerose di quelle strettamenete dominate, richiedere che j non creda che i possa aver giocato una delle strategie del primo genere impone maggiori restrizioni sulle credenze di j di quante se ne imporrebbero richiedendo che j non creda che i possa aver giocato una strategia del secondo genere). In quanto segue, ci atteniamo alla formulazione del requisito data inizialmente: il giocatore j non dovrebbe credere che il giocatore i possa aver giocato una strategia che è strettamente dominata a partire da un qualsiasi insieme informativo. Ora presentiamo questo requisito in modo formale.

DEFINIZIONE. Si consideri un insieme informativo in cui la mossa spetta al giocatore i. La strategia s'_i è *strettamente dominata a partire da questo insieme informativo* se esiste un'altra strategia s_i tale che per ogni credenza che i può avere in quel dato insieme informativo, e per ogni possibile combinazione delle strategie successive degli altri giocatori (dove una «strategia successiva» è un piano completo di azione che contempla qualsiasi circostanza che si può presentare dopo che il dato insieme informativo è stato raggiunto) il payoff atteso che i riceve, giocando l'azione specificata da s_i al dato insieme informativo e giocando la strategia successiva specificata da s_i, è strettamente maggiore del payoff atteso che riceve giocando l'azione e la strategia successiva specificate da s'_i.

REQUISITO 5. Se possibile, le credenze di ogni giocatore fuori dal sentiero di equilibrio dovrebbero assegnare probabilità zero ai nodi che sono raggiunti soltanto se un altro giocatore gioca una strategia che è strettamente dominata a partire da qualche insieme informativo.

La qualificazione «se possibile» nel Requisito 5 tiene conto dei casi come quello che sorgerebbe nella figura 4.24 se R dominasse sia M che L; cioè, ad esempio, se il payoff pari a 3 del giocatore 1 fosse 3/2. In tal caso, il Requisito 1 imporrebbe che il giocatore 2 abbia una credenza, tuttavia, non è possibile che questa credenza attribuisca una probabilità zero ai due nodi successivi a M e a L, perciò il Requisito 5 non si applicherebbe.

Come seconda illustrazione del Requisito 5 si consideri il gioco di segnalazione della figura 4.25. Come nel paragrafo 2.1, la strategia del Mittente (m', m'') significa che il tipo t_1 sceglie il messaggio m' e il tipo t_2 sceglie m'', e la strategia del Destinatario (a', a'') significa che il Destinatario sceglie l'azione a' a seguito di L e a'' a seguito di R. È immediato verificare che le strategie e le credenze $[(L, L), (u, d), p = 0,5, q]$ costituiscono un equilibrio bayesiano perfetto *pooling* per ogni $q \geq 1/2$. Tuttavia, la caratteristica rilevante di questo gioco di segnalazione è che non è in alcun modo plausibile che t_1 giochi R. Formalmente, le strategie del Mittente (R, L) e (R, R) – cioè, le strategie in cui t_1 gioca R – sono strettamente dominate a partire dall'insieme informativo del Mittente corrispondente a t_1[9]. Quindi, il nodo dell'insieme informativo del Destinatario che si raggiunge se t_1 gioca R, può essere raggiunto soltanto se il Mittente gioca una strategia che è strettamente dominata a partire da un insieme informativo. Inoltre, il nodo dell'insieme informativo del Destinatario che si raggiunge se t_2 gioca R, può essere raggiunto con una strategia che non è strettamente dominata a partire da un insieme informativo, cioè (L, R). Perciò, il Requisito 5 impone che $q = 0$. Poiché $[(L, L), (u, d), p = 0,5, q]$ è un equilibrio bayesiano perfetto soltanto se $q \geq 1/2$, un tale equilibrio non può soddisfare il Requisito 5.

Un modo equivalente di imporre il Requisito 5 sugli equilibri

[9] Poiché l'insieme informativo del Mittente in corrispondenza di t_1 è un insieme informativo con un singolo nodo, le credenze del Mittente non svolgono nessun ruolo nella definizione di dominanza stretta a partire da questo insieme informativo. Mostrare che (R, L) e (R, R) sono strettamente dominate a partire da questo insieme informativo, equivale dunque, a ricavare una strategia alternativa per il Mittente che consenta a t_1 di ricevere un payoff più alto per ogni strategia che il Destinatario potrebbe giocare. Tale strategia è (L, R): nel peggiore dei casi consente a t_1 di ricevere 2, mentre (R, L) e (R, R) consentono di ricevere 1 nel migliore dei casi.

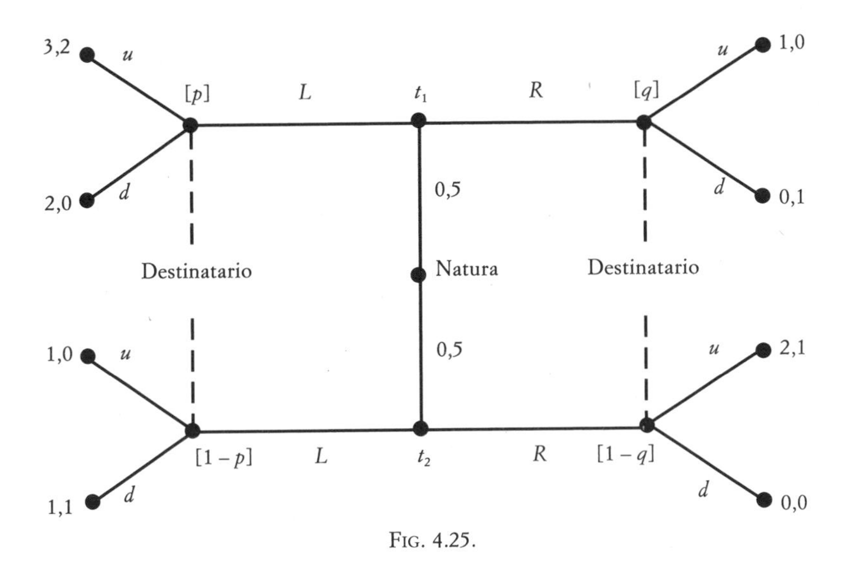

FIG. 4.25.

bayesiani perfetti del gioco di segnalazione definito nel paragrafo 2.1 è il seguente.

DEFINIZIONE. In un gioco di segnalazione il messaggio m_j scelto da M è *dominato per il tipo* t_i scelto da T, se esiste un altro messaggio $m_{j'}$ scelto da M tale che il più basso possibile payoff che t_i riceve da $m_{j'}$ è più grande del più alto possibile payoff che t_i riceve da m_j:

$$\min_{a_k \in A} U_S(t_i, m_{j'}, a_k) > \max_{a_k \in A} U_S(t_i, m_j, a_k).$$

REQUISITO DI SEGNALAZIONE 5. Se l'insieme informativo successivo a m_j è fuori dal sentiero di equilibrio e m_j è dominato per il tipo t_i, allora (se possibile) la credenza del Destinatario $\mu(t_i|m_j)$ dovrebbe attribuire probabilità zero al tipo t_i. (Questo è possibile a condizione che m_j non sia dominato per tutti i tipi in T).

Nel gioco della figura 4.25, l'equilibrio bayesiano perfetto *separating* $[(L, R), (u, u), p = 1, q = 0]$ soddisfa il Requisito di segnalazione 5 in modo ovvio (poiché non vi sono insiemi informativi fuori da questo sentiero di equilibrio). Come esempio di un equilibrio che soddisfa il Requisito 5 di segnalazione in modo non banale, si supponga che i payoff del Destinatario quando il tipo t_2 gioca R sono invertiti: si riceve 1 giocando d e zero giocando u invece che 0 e 1 come nella figura 4.25. Ora, $[(L, L), (u, d), p = 0{,}5, q]$ è un equilibrio bayesiano perfetto *pooling* per qualsiasi valore di q, quindi, $[(L, L), (u, d), p = 0{,}5, q = 0]$ è un equilibrio bayesiano perfetto *pooling* che soddisfa il Requisito di segnalazione 5.

In alcuni giochi, vi sono equilibri bayesiani perfetti che sembrano poco plausibili e pur tuttavia soddisfano il Requisito 5. Una delle aree più attive della recente ricerca di teoria dei giochi riguarda due questioni strettamente legate fra loro: *i*) quand'è che un equilibrio bayesiano perfetto non è plausibile? e *ii*) quali ulteriori requisiti possono essere aggiunti alla definizione di equilibrio per eliminare tali equilibri bayesiani perfetti non plausibili? Uno dei primi e più importanti contributi in questa area è quello di Cho e Kreps [1987]. Concludiamo questo paragrafo con la discussione di tre aspetti del loro articolo: 1) il gioco di segnalazione «Birra o Tartine», il quale mostra che equilibri bayesiani perfetti non plausibili possono soddisfare il Requisito di segnalazione 5; 2) una versione più forte (ma non la più forte possibile) del Requisito di segnalazione 5, chiamata il *criterio intuitivo* (*intuitive criterion*), e 3) la applicazione del criterio intuitivo al gioco di segnalazione nel mercato del lavoro di Spence.

Nel gioco di segnalazione «Birra o Tartine» («Beer and Quiche»)[10], il Mittente è uno dei due tipi: t_1 = «codardo» (con probabilità 0, 1) e t_2 = «irascibile» (con probabilità 0, 9). Il messaggio del Mittente consiste nella scelta tra una colazione a base di birra e una a base di tartine; l'azione del Destinatario consiste nella scelta tra sfidare a duello il Mittente oppure no. Le caratteristiche qualitative dei payoff sono che il tipo codardo preferirebbe le tartine a colazione, il tipo irascibile preferirebbe la birra, entrambi i tipi preferirebbero non entrare in duello con il Destinatario (e danno maggiore importanza a questo piuttosto che al genere di colazione che consumano), e il Destinatario preferirebbe sfidare a duello il tipo codardo ma non il tipo irascibile. (Assegnando dei nomi più convenzionali ai tipi, ai messaggi e alle azioni, questo gioco potrebbe essere considerato un modello di deterrenza all'entrata molto simile a quello di Milgrom e Roberts [1982]). Nella rappresentazione in forma estesa della figura 4.26, il payoff che si ottiene scegliendo la colazione preferita è pari a uno per entrambi i tipi del Mittente, il payoff aggiuntivo per aver evitato il duello è pari a 2 per entrambi i tipi del Mittente e il payoff del Destinatario, nel caso di duello con il tipo codardo (irascibile), è pari a uno (–1); tutti gli altri payoff sono pari a zero.

In questo gioco, [(Tartine, Tartine), (No, Duello), p = 0, 9, q] è un equilibrio bayesiano perfetto *pooling* per ogni $q \geq 1/2$. Inoltre,

[10] La traduzione di «Quiche» con «Tartine» non è fedele, ma dovrebbe rendere l'idea di un cibo preferito dalle persone con gusti più effemminati; *quiche* è una sorta di focaccia a base di uova e formaggio tipica della cucina francese e molto diffusa negli Stati Uniti a partire dagli anni '70. Negli anni '80, *quiche* è diventato sinonimo di un piatto per «femminucce», infatti «A real man does not eat quiche» [*N.d.T.*].

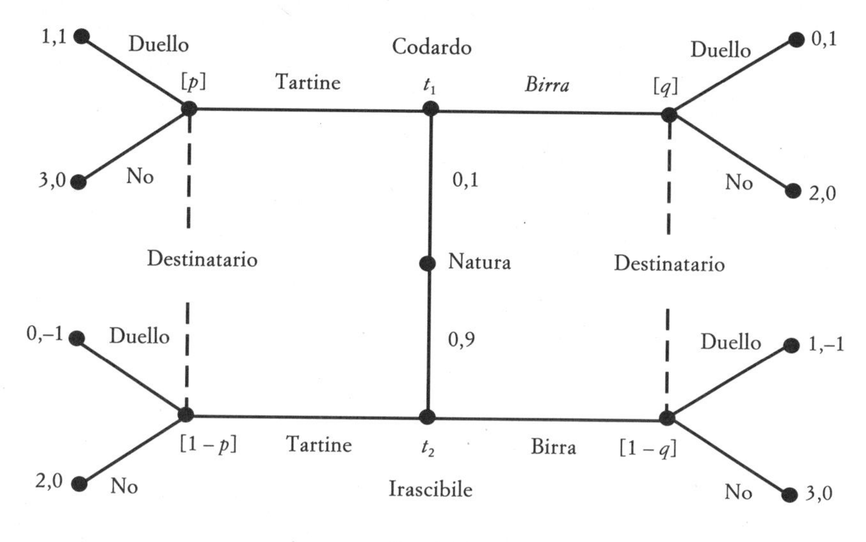

FIG. 4.26.

questo equilibrio soddisfa il Requisito di segnalazione 5 poiché Birra non è dominato per nessuno dei due tipi del Mittente. In particolare il tipo codardo non ha alcuna garanzia di fare meglio a consumare Tartine (nel peggiore dei casi un payoff pari a 1) piuttosto che Birra (al massimo un payoff pari a 2). Dall'altro lato, la credenza del Destinatario fuori dal sentiero di equilibrio, sembra sospetta: se il Destinatario osserva inaspettatamente Birra, egli conclude che la probabilità che il Mittente sia codardo è almeno pari alla probabilità che sia irascibile (cioè, $q \geq 1/2$), anche se *a*) il tipo codardo non può eventualmente migliorare il payoff di equilibrio pari a 3 scegliendo Birra piuttosto che Tartine, mentre *b)* il tipo irascibile potrebbe migliorare il payoff di equilibrio pari a 2 ricevendo un payoff pari a 3 se la credenza del Destinatario fosse $q < 1/2$. Dati *a*) e *b*), ci si potrebbe attendere che il tipo irascibile scelga Birra e poi faccia il seguente discorso:

> Il vedermi scegliere Birra dovrebbe convincerti che io sono il tipo irascibile: scegliere Birra non potrebbe migliorare la sorte del tipo codardo, per la *a*); e se la scelta di Birra ti convincerà che io sono il tipo irascibile allora, per la *b*), così facendo la mia sorte migliorerà.

Se il discorso viene creduto esso impone che $q = 0$ e ciò non è compatibile con questo equilibrio bayesiano perfetto *pooling*.

Possiamo generalizzare questo ragionamento alla classe dei giochi di segnalazione definita nel paragrafo 2.1 e ricavare il Requisito di segnalazione 6.

DEFINIZIONE. Dato un equilibrio bayesiano perfetto di un gioco di segnalazione, il messaggio m_j scelto da M è *equilibrio-dominato per il tipo* t_i scelto da T se il payoff di equilibrio di t_i, indicato con $U^*(t_i)$, è maggiore del più alto payoff possibile che t_i riceve da m_j:

$$U^*(t_1) > \max_{a+k \in A} U_S(t_i, m_j, a_k).$$

REQUISITO DI SEGNALAZIONE 6. «Il criterio intuitivo», Cho e Kreps [1987]: se l'insieme informativo successivo a m_j è fuori dal sentiero di equilibrio e m_j è equilibrio-dominato per il tipo t_i, la credenza del Destinatario $\mu(t_i|m_j)$ (se possibile) dovrebbe attribuire probabilità zero al tipo t_i. (Questo è possibile a condizione che m_j non sia equilibrio-dominato per tutti i tipi in T).

Il gioco «Birra o Tartine» mostra che un messaggio m_j può essere equilibrio-dominato per t_i, senza essere dominato per t_i. Tuttavia, se m_j è dominato per t_i, allora m_j deve essere equilibrio-dominato per t_i, perciò, se si impone il Requisito di segnalazione 6, il Requisito di segnalazione 5 diviene ridondante. Cho e Kreps utilizzano un risultato più forte dovuto a Kohlberg e Mertens [1986] per mostrare che qualsiasi gioco di segnalazione appartenente alla classe definita nel paragrafo 2.1 ha un equilibrio bayesiano perfetto che soddisfa il Requisito di segnalazione 6. A volte si dice che le argomentazioni che usano questa linea di ragionamento fanno ricorso alla *forward induction* (*induzione in avanti*), poiché nell'interpretare una deviazione – cioè nel formare la credenza $\mu(t_i|m_j)$ – il Destinatario si chiede se il comportamento passato del Mittente sia stato razionale, mentre la *backwards induction* assume che il comportamento futuro sarà razionale.

Per illustrare il Requisito di segnalazione 6 lo applicheremo al caso con invidia del modello di segnalazione nel mercato del lavoro analizzato nel paragrafo 2.2. Si rammenti che in questo modello vi sono numerosi equilibri bayesiani perfetti sia *pooling*, sia *separating* che ibridi. Sorprendentemente, soltanto uno di questi equilibri è coerente con il Requisito di segnalazione 6 – l'equilibrio *separating* in cui il lavoratore con abilità bassa sceglie il proprio livello di istruzione come nel caso di informazione completa e il lavoratore con abilità alta sceglie il livello di istruzione esattamente sufficiente a rendere indifferente, per il lavoratore con abilità bassa, imitare il lavoratore con abilità alta, come illustrato nella figura 4.27.

In ogni equilibrio bayesiano perfetto, se il lavoratore sceglie il livello di istruzione e e le imprese, successivamente, credono che la probabilità che il lavoratore abbia abilità alta sia $\mu(H|e)$, il salario del lavoratore sarà

$$w(e) = \mu(H|e) \cdot y(H, e) + [1 - \mu(H|e)] \cdot y(L, e).$$

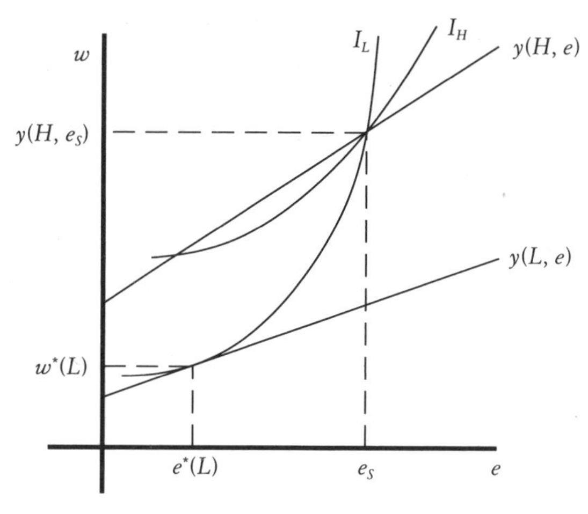

FIG. 4.27.

Perciò, l'utilità che il lavoratore con abilità bassa ottiene scegliendo $e^*(L)$ è pari ad almeno $y[L, e^*(L)] - c[L, e^*(L)]$, che è maggiore dell'utilità che il lavoratore ottiene scegliendo un qualsiasi $e > e_s$, indipendentemente da ciò che le imprese credono dopo aver osservato e. Cioè, in termini del Requisito di segnalazione 5, qualsiasi livello di istruzione $e > e_s$ è dominato per il tipo con abilità bassa. Approssimativamente, il Requisito di segnalazione 5 implica che la credenza delle imprese debba essere $\mu(H|e) = 1$ per $e > e_s$, che, a sua volta, implica che un equilibrio *separating* in cui il lavoratore con abilità alta sceglie un livello di istruzione $\hat{e} > e_s$ non può soddisfare il Requisito di segnalazione 5, poiché in tale equilibrio le imprese devono credere che $\mu(H|e) < 1$ per scelte di istruzione comprese tra e_s ed $\hat{e}$. (Una formulazione precisa è la seguente: il Requisito di segnalazione 5 implica che $\mu(H|e) = 1$ per $e > e_s$ a condizione che e non sia dominato per il tipo con abilità alta; tuttavia, se esiste un equilibrio *separating* in cui il lavoratore con abilità alta sceglie un livello di istruzione $\hat{e} > e_s$, le scelte del livello di istruzione comprese tra e_s e $\hat{e}$ non sono dominate per il tipo con abilità alta, e così il ragionamento è completo). Perciò, l'unico equilibrio *separating* che soddisfa il Requisito di segnalazione 5 è l'equilibrio mostrato nella figura 4.27.

Da questo ragionamento si ricava anche una seconda conclusione: in ogni equilibrio che soddisfa il Requisito di segnalazione 5, l'utilità del lavoratore con abilità alta deve essere pari ad almeno $y(H, e_s) - c(H, e_s)$. Mostriamo che questa conclusione implica che alcuni degli equilibri *pooling* e ibridi non possono soddisfare il Requisito di segnalazione 5. Vi sono due casi, che dipendono dal fatto che la probabilità che il lavoratore abbia abilità alta (q) sia sufficientemente bassa da assicurare che la funzione del salario $w = q \cdot y(H, e) +$

$(1 - q) \cdot y(L, e)$ giaccia al di sotto della curva di indifferenza del lavoratore con abilità alta, passante per il punto $[e_s, y(H, e_s)]$.

Innanzitutto, assumiamo che q sia basso come mostrato nella figura 4.28. In questo caso, nessun equilibrio *pooling* soddisfa il Requisito di segnalazione 5, poiché in un tale equilibrio il lavoratore con abilità alta non può raggiungere l'utilità $y(H, e_s) - c(H, e_s)$. Analogamente, nessun equilibrio ibrido in cui il lavoratore con abilità alta compie le proprie scelte in modo casuale soddisfa il Requisito di segnalazione 5, poiché il punto (istruzione, salario) al quale si verifica il comportamento *pooling* in tale equilibrio, giace al di sotto della funzione del salario $w = q \cdot y(H, e) + (1 - q) \cdot y(L, e)$. Infine, nessun equilibrio ibrido in cui il lavoratore con abilità bassa sceglie in modo casuale le strategie soddisfa il Requisito di segnalazione 5, poiché il punto (istruzione, salario) al quale si verifica il comportamento *pooling* in tale equilibrio deve trovarsi sulla curva di indifferenza del lavoratore con abilità bassa passante per il punto $[e^*(L), w^*(L)]$, come nella figura 4.14, e perciò giace al di sotto della curva di indifferenza del lavoratore con abilità alta passante per il punto $[e_s, y(H, e_s)]$. Perciò, nel caso mostrato nella figura 4.28, l'unico equilibrio bayesiano perfetto che soddisfa il Requisito di segnalazione 5 è l'equilibrio *separating* mostrato nella figura 4.27.

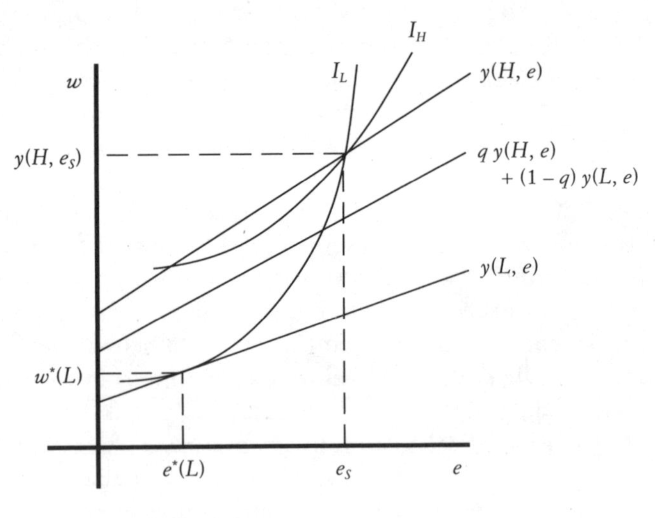

FIG. 4.28.

Supponiamo ora che q sia alto come mostrato nella figura 4.29. Come prima, gli equilibri ibridi in cui il tipo con abilità bassa effettua una scelta casuale tra le proprie strategie non possono soddisfare il Requisito di segnalazione 5, ma ora gli equilibri *pooling* e gli equilibri ibridi in cui il tipo alto sceglie in modo casuale possono soddi-

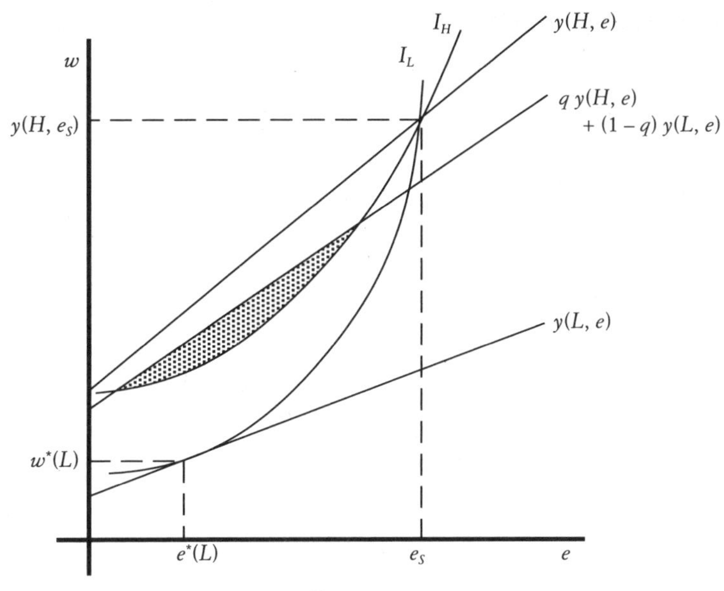

FIG. 4.29.

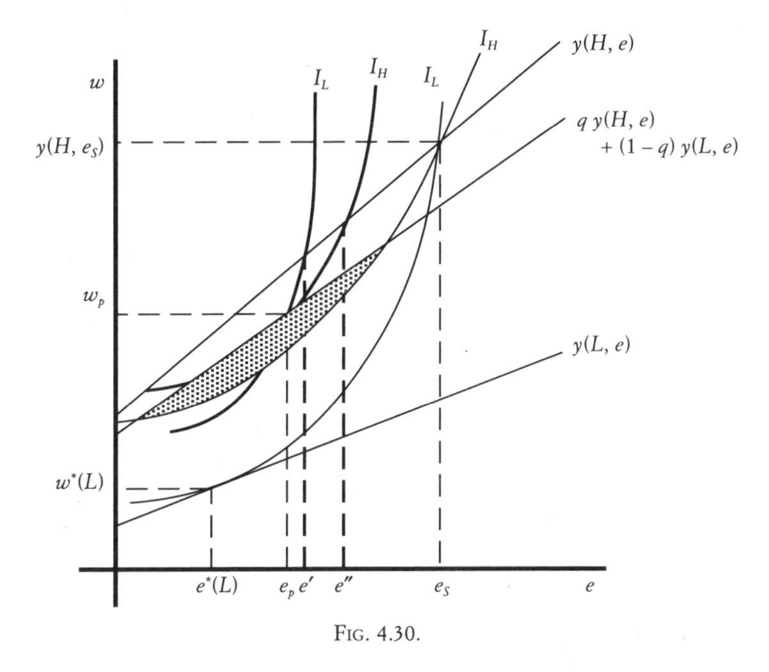

FIG. 4.30.

sfare questo requisito se il comportamento *pooling* si verifica in un punto (istruzione, salario) contenuto nella regione ombreggiata della figura. Tuttavia, tale equilibrio non può soddisfare il Requisito di segnalazione 6.

Si consideri l'equilibrio *pooling* in e_p mostrato nella figura 4.30.

Le scelte di istruzione $e > e'$ sono equilibrio-dominate per il tipo con abilità bassa, poiché anche il più alto salario che potrebbe essere pagato ad un lavoratore con istruzione e, cioè $y(H, e)$, presenta un punto (istruzione, salario) al di sotto della curva di indifferenza del lavoratore con abilità bassa, passante per il punto di equilibrio (e_p, w_p). Tuttavia, le scelte di istruzione comprese tra e' ed e'' non sono equilibrio-dominate per il tipo con abilità alta: se una tale scelta convince le imprese che il lavoratore ha abilità alta, allora le imprese offriranno il salario $y(H, e)$, che migliorerebbe il benessere del lavoratore con abilità alta rispetto all'equilibrio *pooling* indicato. Perciò se $e' < e < e''$ allora il Requisito di segnalazione 6 implica che la credenza delle imprese sia $\mu(H|e) = 1$, che a sua volta implica che l'equilibrio *pooling* indicato non può soddisfare il Requisito di segnalazione 6 poiché in tale equilibrio le imprese devono credere che $\mu(H|e) < 1$ per scelte di istruzione comprese tra e' ed e''. Questo ragionamento può essere ripetuto per tutti gli equilibri ibridi e *pooling* della regione ombreggiata della figura, perciò l'unico equilibrio bayesiano perfetto che soddisfa il Requisito di segnalazione 6 è l'equilibrio *separating* mostrato nella figura 4.27.

5. Problemi

Paragrafo 1

4.1. Nei seguenti giochi in forma estesa si derivi la forma normale del gioco e si trovino tutti gli equilibri di Nash in strategie pure, gli equilibri di Nash perfetti nei sottogiochi e gli equilibri bayesiani perfetti.

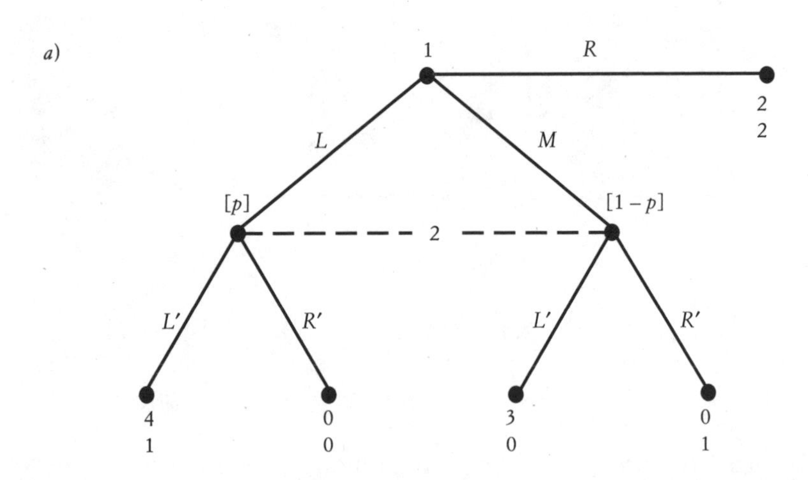

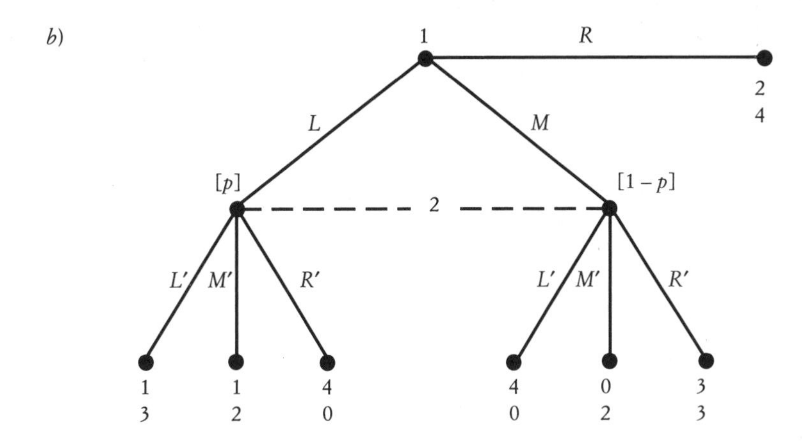

4.2. Si mostri che, nel seguente gioco in forma estesa, non esiste un equilibrio bayesiano perfetto in strategie pure. Qual è l'equilibrio bayesiano perfetto in strategie miste?

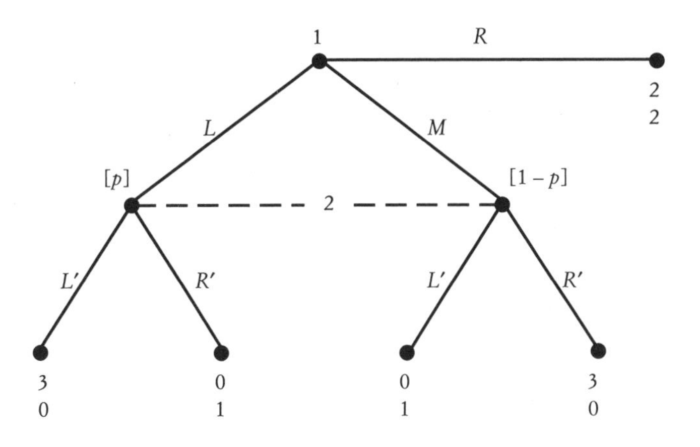

Paragrafo 2

4.3. *a*) Si specifichi un equilibrio bayesiano perfetto *pooling* in cui entrambi i tipi del Mittente giocano R nel gioco di segnalazione seguente.

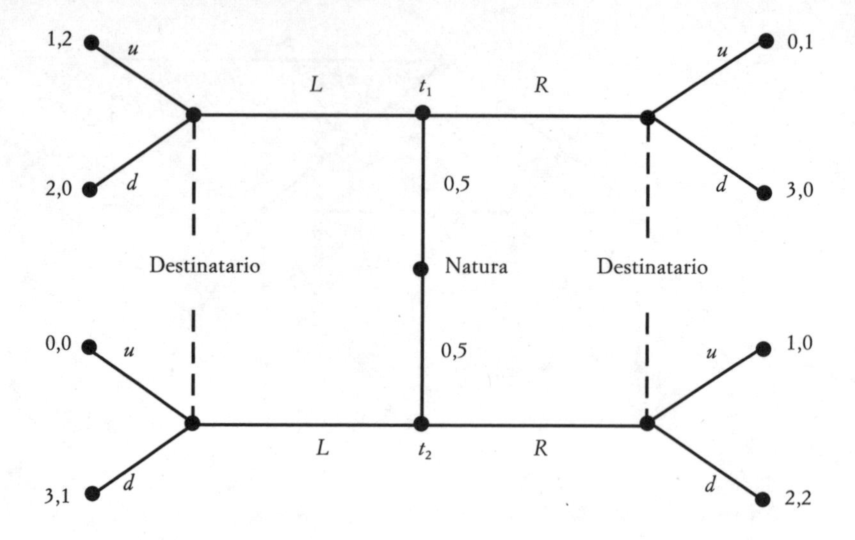

b) Il seguente gioco di segnalazione con tre tipi comincia con una mossa della natura, non mostrata nell'albero del gioco, che assegna ad ognuno dei tre tipi la stessa probabilità. Si specifichi un equilibrio bayesiano perfetto *pooling* in cui tutti e tre i tipi del Mittente giocano L.

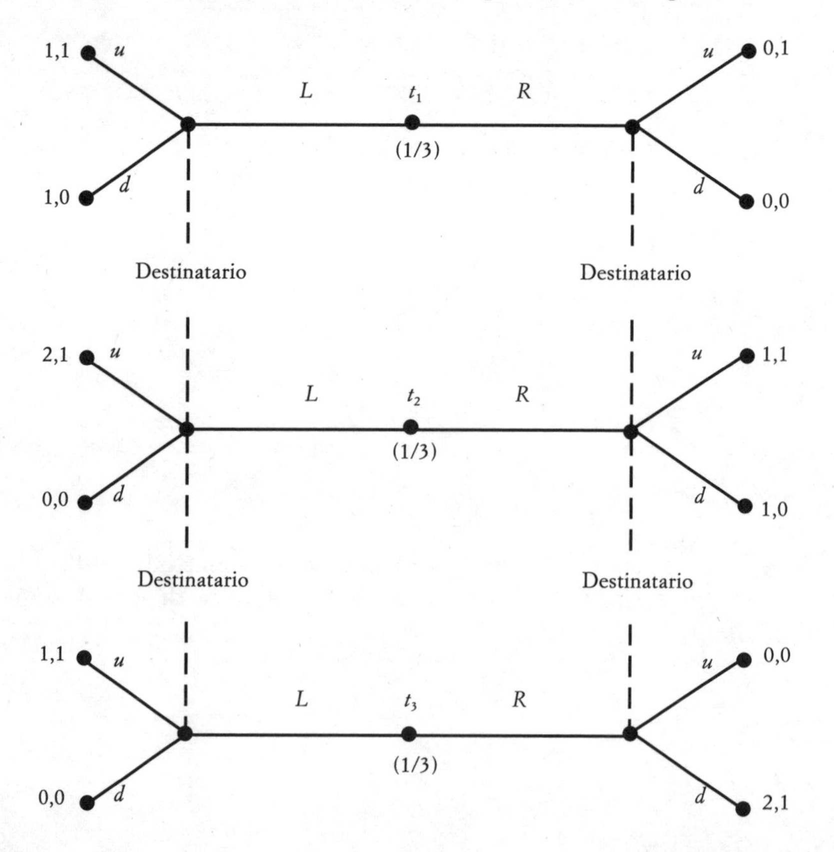

4.4. Si descrivano tutti gli equilibri bayesiani perfetti in strategie pure, sia *pooling* che *separating* dei seguenti giochi di segnalazione.

a)

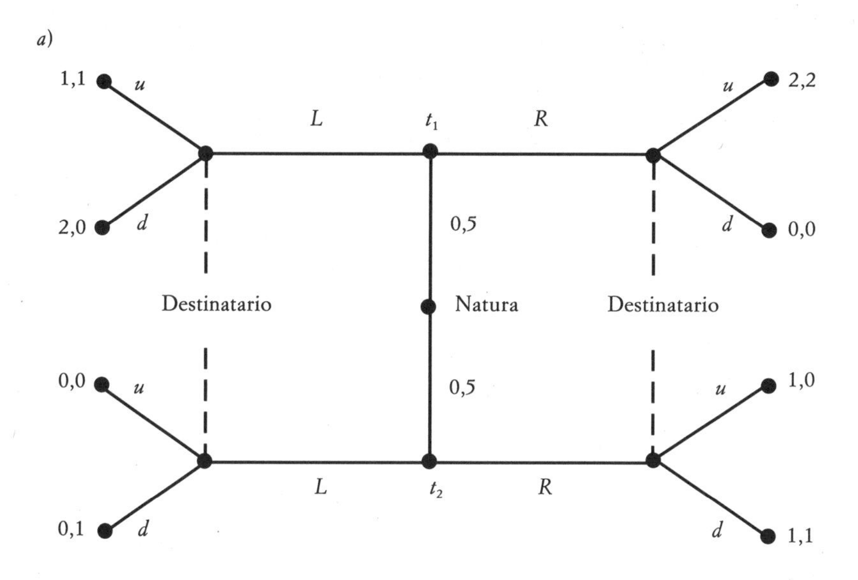

b)

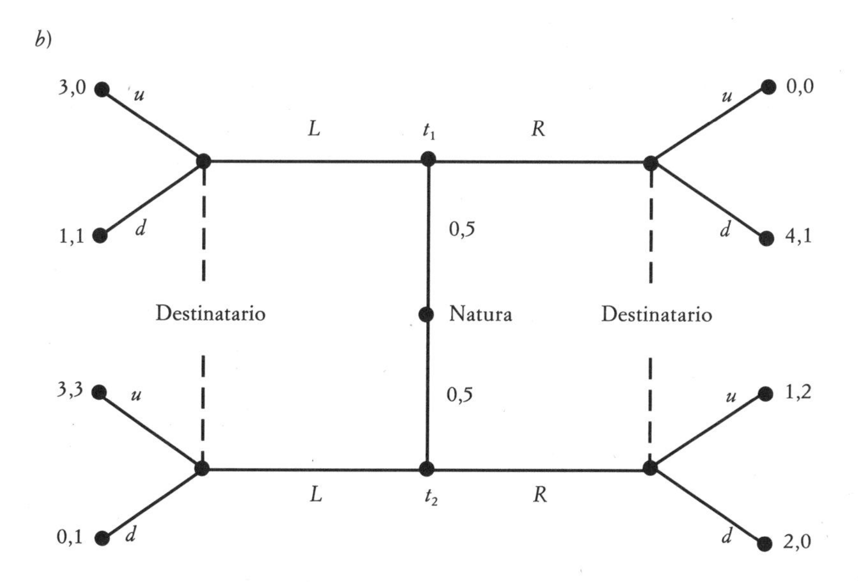

4.5. Si trovino tutti gli equilibri bayesiani perfetti in strategie pure del problema 4.3 *a)* e *b)*.

4.6. Il seguente gioco di segnalazione è analogo al gioco dinamico con informazione completa ma imperfetta della figura 4.1. (I tipi t_1 e t_2 sono equivalenti alle mosse L e M del giocatore 1 nella figura 4.1; se nel gioco di segnalazione il Mittente sceglie R, il gioco termina, come accade nella figura 4.1 se il giocatore 1 sceglie R). Per questo gioco di segnalazione si trovino *i*) gli equilibri di Nash bayesiani in strategie pure, e *ii*) gli equilibri bayesiani perfetti in strategie pure. Si mettano in relazione *i*) con gli equilibri di Nash e *ii*) con gli equilibri bayesiani perfetti della figura 4.1.

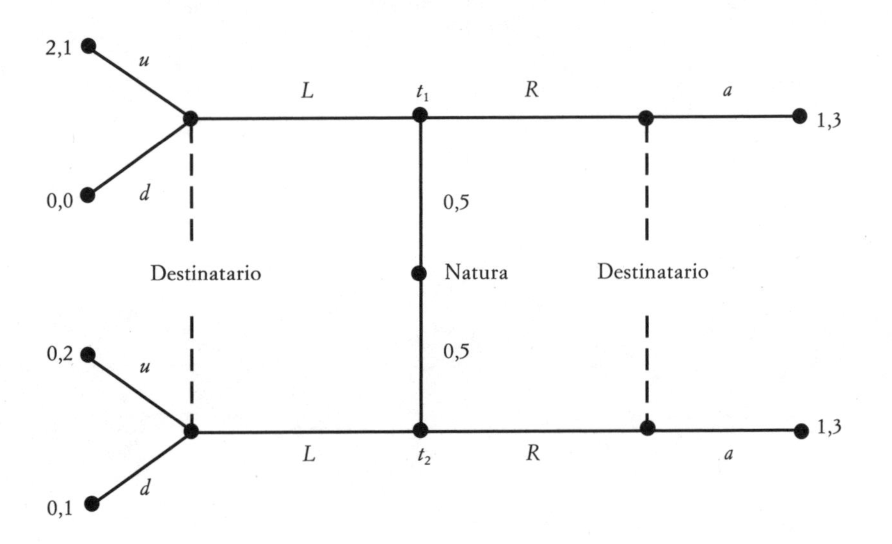

4.7. Si disegnino le curve di indifferenza e le funzioni di produzione per un gioco di segnalazione nel mercato del lavoro con due tipi. Si specifichi un equilibrio bayesiano perfetto ibrido in cui il lavoratore con abilità alta sceglie in modo casuale.

Paragrafo 3

4.8. Si trovino gli equilibri bayesiani perfetti in strategie pure del seguente gioco senza costi di segnalazione. Ogni tipo ha la stessa probabilità di essere estratto dalla natura. Come nella figura 4.15, il primo payoff di ogni casella si riferisce al Mittente mentre il secondo al Destinatario; si noti che la figura non è un gioco in forma normale, ma elenca semplicemente i payoff dei giocatori corrispondenti a ogni coppia tipo-azione.

	t_1	t_2	t_3
a_1	0, 1	0, 0	0, 0
a_2	1, 0	1, 2	1, 0
a_3	0, 0	0, 0	2, 1

4.9. Si consideri l'esempio del modello senza costi di comunicazione di Crawford e Sobel discusso nel paragrafo 3.1: il tipo del Mittente è distribuito in modo uniforme tra zero e uno (formalmente, $T = [0, 1]$ e $p(t) = 1$ per tutti i tipi in T); lo spazio delle azioni è l'intervallo compreso tra zero e uno ($A = [0, 1]$); la funzione dei payoff del Destinatario è $U_R(t, a) = -(a - t)^2$ e la funzione dei payoff del Mittente è $U_S(t, a) = -[a - (t + b)]^2$. Per quali valori di b esiste un equilibrio con tre intervalli? Il payoff atteso del Destinatario è più alto in un equilibrio con tre intervalli oppure con due? Quali tipi del Mittente migliorano il proprio benessere in un equilibrio con tre intervalli rispetto ad un equilibrio con due?

4.10. Due soci devono interrompere il loro sodalizio. Il socio 1 posside la quota s della società, il socio 2 possiede la quota $1 - s$. I soci si mettono d'accordo e decidono di giocare il seguente gioco: il socio 1 annuncia un prezzo, p, per l'intera società e successivamente il socio 2 sceglie se acquistare la quota di 1 per p_s oppure vendere la propria quota a 1 per $p(1 - s)$. Si supponga che sia conoscenza comune che le valutazioni dei soci per la proprietà dell'intera società sono indipendenti e distribuite in modo uniforme su $[0, 1]$, ma che la valutazione di ogni socio sia informazione privata. Qual è l'equilibrio bayesiano perfetto ?

4.11. Un compratore ed un venditore hanno, rispettivamente, le seguenti valutazioni, v_b e v_s. È conoscenza comune che vi sono vantaggi derivanti dallo scambio (cioè, che $v_b > v_s$), ma la dimensione dei vantaggi è informazione privata: la valutazione del venditore è distribuita in modo uniforme su $[0, 1]$, la valutazione del compratore è $v_b = k \cdot v_s$, dove $k > 1$ è conoscenza comune; il venditore conosce v_s (e quindi v_b), ma il compratore non conosce v_b (o v_s). Si supponga che il compratore effettui una singola offerta, p, che il venditore può accettare oppure rifiutare. Qual è l'equilibrio bayesiano perfetto quando $k < 2$? E quando $k > 2$? [Si veda Samuelson 1984].

4.12. Questo problema considera la versione con orizzonte infinito del gioco di contrattazione a due periodi analizzato nel paragrafo 3.2. Come in precedenza, l'impresa ha informazione privata sul proprio profitto (π) il quale è distribuito in modo uniforme su $[0, \pi_0]$, e il sindacato effettua tutte le offerte salariali e ha un salario di riserva $w_r = 0$.

Nel gioco a due periodi l'impresa accetta la prima offerta del sindacato (w_1) se $\pi > \pi_1$, dove il tipo-profitto π_1 è indifferente tra *i*) accettare w_1 e *ii*) rifiutare w_1 ma accettare l'offerta del secondo periodo del sindacato (w_2), dove w_2 è l'offerta ottima del sindacato dato che il profitto dell'impresa è distribuito in modo uniforme su $[0, \pi_1]$ e dato che rimane soltanto un periodo di contrattazione. Nel gioco con orizzonte infinito, invece, w_2 sarà l'offerta ottima del sindacato dato che il profitto dell'impresa è distribuito in modo uniforme su $[0, \pi_1]$ e dato che rimane un numero infinito di periodi di (potenziale) contrattazione. Sebbene π_1 sarà nuovamente il tipo-profitto che è indifferente tra le opzioni *i*) e *ii*), il cambiamento di w_2 comporterà un cambiamento del valore di π_1.

Il gioco di continuazione che comincia nel secondo periodo del gioco con orizzonte infinito è una versione su scala diversa del gioco nel suo complesso: nuovamente vi è un numero infinito di periodi di (potenziale) contrattazione e, nuovamente, il profitto dell'impresa è distribuito in modo uniforme tra zero e un limite superiore; l'unica differenza è che il limite superiore è ora π_1 invece che π_0. Sobel e Takahashi [1983] mostrano che il gioco con orizzonte infinito ha un equilibrio bayesiano perfetto stazionario. In questo equilibrio, se il profitto dell'impresa è distribuito in modo uniforme tra zero e π^*, il sindacato effettua l'offerta salariale $w(\pi^*) = b\pi^*$, perciò la prima offerta è $b\pi_0$, la seconda $b\pi_1$ e così via. Se il sindacato gioca questa strategia stazionaria, la risposta ottima dell'impresa garantisce $\pi_1 = c\pi_0$, $\pi_2 = c\pi_1$ e così via, e il valore atteso scontato del payoff del sindacato, quando il profitto dell'impresa è uniformemente distribuito tra zero e π^*, è $V(\pi^*) = d\pi^*$. Si mostri che $b = 2d$, $c = 1/[1 + \sqrt{1-\delta}]$, e $d = [\sqrt{1-\delta} - (1-\delta)]/2\delta$.

4.13. Un'impresa e un sindacato giocano il seguente gioco di contrattazione a due periodi. È conoscenza comune che il profitto dell'impresa, π, è distribuito in modo uniforme tra zero e uno, che il salario di riserva del sindacato è w_r e che soltanto l'impresa conosce il vero valore di π. Si assuma che $0 < w_r < 1/2$. Si trovi l'equilibrio bayesiano perfetto del seguente gioco.

1) All'inizio del periodo 1, il sindacato propone un'offerta salariale all'impresa, w_1.

2) L'impresa accetta oppure rifiuta w_1. Se l'impresa accetta w_1, la produzione si realizza in entrambi i periodi, quindi i payoff sono

$2w_1$ per il sindacato e $2(\pi - w_1)$ per l'impresa. (I payoff non sono scontati). Se l'impresa rifiuta w_1 non vi è produzione nel primo periodo e i payoff del primo periodo sono pari a zero sia per l'impresa che per il sindacato.

3) All'inizio del secondo periodo (assumendo che l'impresa abbia rifiutato w_1), l'impresa propone un'offerta salariale al sindacato, w_2. (Diversamente da quanto avviene nel modello di Sobel-Takahashi non è il sindacato a proporre questa offerta).

4) Il sindacato accetta oppure rifiuta w_2. Se il sindacato accetta w_2, ha luogo la produzione; quindi, i payoff del secondo periodo (e totali) sono w_2 per il sindacato e $\pi - w_2$ per l'impresa. (Si rammenti che i payoff del primo periodo sono pari a zero). Se il sindacato rifiuta w_2 la produzione non ha luogo; quindi, nel secondo periodo, il sindacato ottiene il proprio salario di riserva, w_r, e l'impresa chiude e guadagna zero.

4.14. Nalebuff [1987] analizza il seguente modello di contrattazione preliminare al processo tra un querelante ed un imputato. Se la causa va in tribunale, l'imputato sarà condannato a pagare al querelante un ammontare pari a d a titolo di indennizzo. È conoscenza comune che d è distribuito in modo uniforme su $[0, 1]$ e che soltanto l'imputato conosce il valore vero di d. Il costo del processo per il querelante è $c < 1/2$, il costo per l'imputato, invece, (per semplicità) è pari a zero.

La struttura temporale è la seguente: 1) il querelante propone un'accordo che consiste in un'offerta pari a s. 2) L'imputato accetta l'accordo (nel qual caso il payoff del querelante è s e quello dell'imputato $-s$) oppure rifiuta l'offerta. 3) Se l'imputato rifiuta s allora il querelante decide se procedere nel processo, nel qual caso il payoff del querelante sarà $d - c$ e quello dell'imputato $-d$, oppure ritira la querela, nel qual caso i payoff di entrambi i giocatori sono pari a zero.

Nello stadio 3), se il querelante crede che esista un qualche d^* tale che l'imputato si sarebbe accordato se e solo se $d > d^*$, qual è la decisione ottima del querelante per quanto riguarda il processo? Nello stadio 2), data un'offerta pari ad s, se l'imputato crede che la probabilità che il querelante proceda al processo qualora s venga rifiutato è p, qual è la decisione di accordo ottimo per l'imputato del tipo d? Data un'offerta $s > 2c$, qual è l'equilibrio bayesiano perfetto del gioco di continuazione che comincia nello stadio 2)? E qual è, per un'offerta $s < 2c$? Qual è l'equilibrio bayesiano perfetto dell'intero gioco se $c < 1/3$? E se $1/3 < c < 1/2$?

4.15. Si consideri un procedimento legislativo in cui le politiche ammissibili variano in modo continuo da $p = 0$ a $p = 1$. La politica ideale per il parlamento è c, mentre lo status quo è s con $0 < c < s < 1$; cioè, la politica ideale per il parlamento è a sinistra dello status quo. La politica ideale per il presidente è t, che è distribuito in modo uniforme su $[0, 1]$ ed è informazione privata del presidente. La struttura temporale del gioco è semplice: il parlamento propone una politica, p, che il presidente può approvare oppure bloccare con un veto. Se p è approvato i payoff sono $-(c - p)^2$ per il parlamento e $-(t - p)^2$ per il presidente; se invece il presidente pone il veto, allora i payoff sono $-(c - s)^2$ e $-(t - s)^2$. Qual è l'equilibrio bayesiano perfetto? Si verifichi che in equilibrio $c < p < s$.

Ora si supponga che il presidente possa effettuare una dichiarazione (cioè, possa inviare un messaggio senza costi di comunicazione) prima che il parlamento proponga una politica. Si consideri un equilibrio bayesiano perfetto a due stadi in cui il parlamento propone p_L oppure p_H, a seconda del messaggio inviato dal presidente. Si mostri che in un tale equilibrio non si può avere $c < p_L < p_H < s$. Si spieghi perché si deduce che non vi può essere alcun equilibrio in cui il parlamento effettua tre o più proposte. Si derivino i dettagli dell'equilibrio a due stadi in cui $c = p_L < p_H < s$: quali tipi inviano quale messaggio e qual è il valore di p_H? [Si veda Matthews 1989].

Paragrafo 4

4.16. Si considerino gli equilibri *pooling* descritti nei problemi 4.3 *a*) e *b*). Per ogni equilibrio: *i*) si determini se l'equilibrio può essere sostenuto dalle credenze che soddisfano il Requisito di segnalazione 5; *ii*) si determini se l'equilibrio può essere sostenuto dalle credenze che soddisfano il Requisito di segnalazione 6 (il criterio intuitivo).

6. Indicazioni bibliografiche per ulteriori approfondimenti

Milgrom e Roberts [1982] presentano una classica applicazione dei giochi di segnalazione alla teoria dell'organizzazione industriale. Per quanto riguarda l'economia finanziaria, Bhattacharya [1979] e Leland e Pyle [1977] analizzano (rispettivamente) la politica dei dividendi e la gestione della proprietà azionaria con l'impiego dei modelli di segnalazione. Per quanto riguarda la politica monetaria, Rogoff [1989] passa in rassegna i giochi ripetuti, la segnalazione e i modelli di reputazione; inoltre, Ball [1990] introduce modificazioni (non osservabili) nel corso del tempo del tipo della banca centrale, per spiegare il sentiero temporale dell'inflazione. Per le applicazioni dei giochi senza costi di comunicazione (*cheap-talks games*), si consultino gli articoli, descritti nel testo, di Austen-Smith [1990], Farrell e Gibbons [1991], Matthews [1989] e Stein [1989]. Kennan e Wilson [1992] passano in rassegna i modelli teorici ed empirici di contrattazione in condizioni di informazione asimmetrica, dando maggior rilievo alle applicazioni relative agli scioperi e alle vertenze. Cramton e Tracy [1992] ammettono la possibilità che un sindacato possa decidere se scioperare oppure abbandonare la vertenza (cioè, continuare a lavorare al salario precedente); essi mostrano che l'abbandono si verifica frequentemente nei dati e che un tale modello può spiegare molti dei fenomeni empirici relativi agli scioperi. Sulla reputazione, si veda la «teoria della credibilità» di Sobel [1985], nella quale un giocatore informato può essere un «amico» oppure un «nemico» di un altro giocatore non informato, in una successione di giochi senza costi di comunicazione. Infine, per altro materiale sul raffinamento nei giochi di segnalazione si veda l'articolo di Cho e Sobel [1990], il quale comprende un raffinamento che seleziona l'equilibrio *separating* efficiente del modello di Spence quando vi sono più di due tipi.

Riferimenti bibliografici

Riferimenti bibliografici

Capitolo 1

Aumann, R.
1974 *Subjectivity and Correlation in Randomized Strategies*, in «Journal of Mathematical Economics», 1, pp. 67-96.
1976 *Agreeing to disagree*, in «Annals of Statistics», 4, pp. 1236-1239.
1987 *Correlated Equilibrium as an Expression of Bayesian Rationality*, in «Econometrica», 55, pp. 1-18.

Bertrand, J.
1883 *Théorie Mathématique de la Richesse Sociale*, in «Journal des Savants», pp. 499-508.

Brandenburger, A.
1992 *Knowledge and Equilibrium in Games*, in «Journal of Economic Perspective».

Cournot, A.
1838 *Recherches sur le Principes Mathématique de la Théorie des Richesses*, Paris, ristampa anastatica a cura di O. Nuccio, Bizzarri, 1967[8].

Dasgupta, P. e Maskin, E.
1986 *The Existence of Equilibrium in Discontinuous Economic Games, I: Theory*, in «Review of Economic Studies», 53, pp. 1-26.

Farber, H.
1980 *An Analysis of Final-Offer Arbitration*, in «Journal of Conflict Resolution», 35, pp. 683-705.

Friedman, J.
1971 *A Noncooperative Equilibrium for Supergames*, in «Review of Economic Studies», 28, pp. 1-12.

Gibbons, R.
1988 *Learning in Equilibrium Models of Arbitration*, in «American Economic Review», 78, pp. 896-912.

Hardin, G.
1968 *The Tragedy of Commons*, in «Science», 162, pp. 1243-1248.

Harsanyi, J.
1973 *Games with Randomly Disturbed Payoffs: A New Rationale for Mixed Strategy Equilibrium Points*, in «International Journal of Game Theory», 2, pp. 1-23.

Hotelling, H.
1929 *Stability in Competition*, in «Economic Journal», 39, pp. 41-57.

Hume, D.
1739 *A Treatise of Human Nature*, ristampa, London, J.M. Dent, 1952.

Kakutani, S.
1941 *A Generalization of Brouwer's Fixed Point Theorem*, in «Duke Mathematical Journal», 8, pp. 457-459.

Kreps, D. e Scheinkman, J.
1983 *Quantity Precommitment and Bertrand Competition Yield Cournot Outcomes*, in «Bell Journal of Economics», 14, pp. 326-337.

Montgomery, J.
1991 *Equilibrium Price Dispersion and Interindustry Wage Differentials*, in «Quarterly Journal of Economics», 106, pp. 163-179.

Nash, J.
1950 *Equilibrium Points in n-Person Games*, in «Proceedings of the National Academy of Sciences», 36, pp. 48-49.

Pearce, D.
1984 *Rationalizable Strategic Behaviour and the Problem of Perfection*, in «Econometrica», 52, pp. 1029-1050.

Stackelberg, H. von
1934 *Marktform und Gleichgewicht*, Wien, Julius Springer.

Capitolo 2

Abreu, D.
1986 *Extremal Equilibria of Oligopolistic Supergames*, in «Journal of Economic Theory», 39, pp. 191-225.
1988 *On the Theory of infinitely Repeated Games with Discounting*, in «Econometrica», 56, pp. 383-396.

Abreu, D., Pearce, D. e Stacchetti, E.
1986 *Optimal Cartel Equilibria with Imperfect Monitoring*, in «Journal of Economic Theory», 39, pp. 251-269.

Admati, A. e Perry, M.
1991 *Joint Projects without Commitment*, in «Review of Economic Studies», 58, pp. 258-276.

Akerlof, G. e Yellen, J. (a cura di)
1986 *Efficiency Wage Models of the Labor Market*, Cambridge, England, Cambridge University Press.

Ball, L.
1990 *Time-Consistent Policy and Persistent Changes in Inflation*, National Bureau of Economic Research Working Paper n. 3529, dicembre.

Barro, R. e Gordon, D.
1983 *Rules, Discretion and Reputation in a Model of Monetary Policy*, in «Journal of Monetary Economics», 12, pp. 101-121.

Becker, G.
1974 *A Theory of Social Interactions*, in «Journal of Political Economy», 82, pp. 1063-1093.

Benoit, J.-P. e Krishna, V.
1985 *Finitely Repeated Games*, in «Econometrica», 53, pp. 905-922.
1989 *Rinegotiation in Finitely Repeated Games*, Harvard Business School Working Paper n. 89-004.

Buchanan, J.
1975 *The Samaritan's Dilemma*, in *Altruism, Morality and Economic Theory*, a cura di E. Phelps, New York, Russell Sage Fundation.

Bulow, J. e Rogoff, K.
1989 *Sovereign Debt: Is to Forgive to Forget?*, in «American Economic Review», 79, pp. 43-50.

Diamond, D. e Dybvig, P.
1983 *Bank Runs, Deposit Insurance, and Liquidity*, in «Journal of Political Economy», 91, pp. 401-419.

Espinosa, M. e Rhee, C.
1989 *Efficient Wage Bargaining as a Repeated Game*, in «Quarterly Journal of Economics», 104, pp. 565-588.

Farrell, J. e Maskin, E.
1989 *Renegotiation in Repeated Games*, in «Games and Economic Behaviour», 1, pp. 327-360.

Fernandez, R. e Glazer, J.
1991 *Striking for a Bargain Between two Completely Informed Agents*, in «American Economic Review», 81, pp. 240-252.

Friedman, J.
1971 *A Non-cooperative Equilibrium for Supergames*, in «Review of Economic Studies», 38, pp. 1-12.

Fudenberg, D. e Maskin, E.
1986 *The Folk Theorem in Repeated Games with Discounting and Incomplete Information*, in «Econometrica», 54, pp. 533-554.

Green, E. e Porter, R.
1984 *Noncooperative Collusion Under Imperfect Price Information*, in «Econometrica», 52, pp. 87-100.

Huizinga, H.
1989 *Union Wage Bargaining and Industry Structure*, Stanford University, dattiloscritto.

Jacklin, C. e Battacharya, S.
1988 *Distinguishing Panics and Information-based Bank Runs: Welfare and Policy Implications*, in «Journal of Political Economy», 96, pp. 568-592.

Kreps, D.
1990 *A Course in Microeconomic Theory*, Princeton, NJ, Princeton University Press.

Kreps, D. e Wilson, R.
1982 *Sequential Equilibrium*, in «Econometrica», 50, pp. 863-894.

Lazear, E.
1989 *Pay Equality and Industrial Politics*, in «Journal of Political Economy», 97, pp. 561-580.

Lazear, E. e Rosen, S.
1981 *Rank-Order Tournaments as Optimum Labor Contracts*, in «Journal of Political Economy», 89, pp. 841-864.

Leontief, W.
1946 *The Pure Theory of Guaranteed Annual Wage Contract*, in «Journal of Political Economy», 54, pp. 76-79.

McMillan, J.
1986 *Game Theory in International Economics*, Chur, CH, Harwood Academic Publishers.

Osborne, M. e Rubinstein, A.
1990 *Bargaining and Markets*, San Diego, Academic Press.

Prendergast, C.
1992 *The Role of Promotion in Inducing Specific Human Capital Acquisition*, in «Quarterly Journal of Economics», di prossima pubblicazione.

Rosen, S.
1986 *Prizes and Incentives in Elimination Tournaments*, in «American Economic Review», 76, pp. 701-715.

Rotemberg, J. e Saloner, G.
1986 *A Supergame-Theoretic Model of Business Cycles and Price Wars during Booms*, in «American Economic Review», 76, pp. 390-407.

Rubinstein, A.
1982 *Perfect Equilibrium in a Bargaining Model*, in «Econometrica», 60, pp. 97-109.

Selten, R.
1965 *Spieltheoretische Behandlung eines Oligopol-modells mit Nachfragetragheit*, in «Zeitschrift für Gesamte Staatswissenshaft», 121, pp. 301-324.

Shaked, A. e Sutton, J.
1984 *Involuntary Unemployment as a Perfect Equilibrium in a Bargaining Model*, in «Econometrica», 52, pp. 1351-1364.

Shapiro, C. e Stiglitz, J.
1984 *Equilibrium Unemployment as a Discipline Device*, in «American Economic Review», 74, pp. 433-444.

Sobel, J. e Takahashi, I.
1983 *A multistage Model of Bargaining*, in «Review of Economic Studies», 50, pp. 411-426.

Stackelberg, H. von
1934 *Marktform und Gleichgewicht*, Wien, Julius Springer.

Staiger, D.
1991 *Why Do Union Contract Exclude Employment?*, Stanford University, dattiloscritto.

Tirole, J.
1988 *The Theory of Industrial Organization*, Cambridge, Mit Press, trad. it. *Teoria dell'organizzazione industriale*, Milano, Hoepli, 1991.

Capitolo 3

Baron, D. e Myerson, R.
1982 *Regulating a Monopolist with Unknown Costs*, in «Econometrica», 50, pp. 911-930.

Bulow, J. e Klemperer, P.
1991 *Rational Frenzies and Crashes*, Stanford University Graduate School of Business Research Paper n. 1150.

Chatterjee, K. e Samuelson, W.
1983 *Bargaining Under Incomplete Information*, in «Operations Research», 31, pp. 835-851.

Deere, D.
1988 *Bilateral Trading as an Efficient Auction over Time*, in «Journal of Political Economy», 96, pp. 100-115.

Hall, R. e Lazear, E.
1984 *The Excess Sensitivity of Layoffs and Quits to Demand*, in «Journal of Labor Economics», 2, pp. 233-257.

Harsanyi, J.
1967 *Games with Incomplete Information Played by Bayesian Players Parts I, II and III*, in «Management Science», 14, pp. 159-182, 320-334, 486-502.
1973 *Games with Randomly Disturbed Payoffs: A New Rationale for Mixed Strategy Equilibrium Points*, in «International Journal of Game Theory», 2, pp. 1-23.

Hart, O.
1983 *Optimal Labour Contracts under Asymmetric Information*, in «Review of Economic Studies», 50, pp. 3-35.

McAfee, P. e McMillan, J.
1987 *Auctions and Bidding*, in «Journal of Economic Literature», 25, pp. 699-738.

Myerson, R.
1979 *Incentive Compatibility and the Bargaining Problem*, in «Econometrica», 47, pp. 61-73.
1981 *Optimal Auction Design*, in «Mathematics of Operations Research», 6, pp. 58-73.
1985 *Bayesian Equilibrium and Incentive Compatibility: An Introduction*, in *Social Goals and Social Organization*, a cura di L. Hurwicz, D. Schmeidler e H. Sonnenschein, Cambridge, Cambridge University Press.

Myerson, R. e Satterthwaite, M.
1983 *Efficient Mechanisms for Bilateral Trading*, in «Journal of Economic Theory», 28, pp. 265-281.

Sappington, D.
1983 *Limited Liability Contracts Between Principal and Agent*, in «Journal of Economic Theory», 29, pp. 1-21.

Capitolo 4

Austen-Smith, D.
1990 *Information Transmission in Debate*, in «American Journal of Political Science», 34, pp. 124-152.

Axelrod, R.
1981 *The Emergence of Cooperation Among Egoists*, in «American Political Science Review», 75, pp. 306-318.

Ball, L.
1990 *Time-Consistent Policy and Persistent Changes in Inflation*, National Bureau of Economic Research Working Paper n. 3529, dicembre.

Barro, R.
1986 *Reputation in a Model of Monetary Policy with Incomplete Information*, in «Journal of Monetary Economics», 17, pp. 3-20.

Bhattacharya, S.
1979 *Imperfect Information, Dividend Policy and the «Bird in the Hand» Fallacy*, in «Bell Journal of Economics», 10, pp. 259-270.

Cho, I.K. e Kreps, D.
1987 *Signaling Games and Stable Equilibria*, in «Quarterly Journal of Economics», 102, pp. 179-222.

Cho, I.K. e Sobel, J.
1990 *Strategic Stability and Uniqueness in Signaling Games*, in «Journal of Economic Theory», 50, pp. 381-413.

Cramton, P. e Tracy, J.
1992 *Strikes and Holdouts in Wage Bargaining: Theory and Data*, in «American Economic Review», 82, pp. 100-121.

Crawford, V. e Sobel, J.
1982 *Strategic Information Transmission*, in «Econometrica», 50, pp. 1431-1451.

Dybvig, P. e Zender, J.
1991 *Capital Structure and Dividend Irrelevance with Asymmetric information*, in «Review of Financial Studies», 4, pp. 201-219.

Farrell, J. e Gibbons, R.
1991 *Union Voice*, Cornell University, dattiloscritto.

Fudenberg, D. e Tirole, J.
1991 *Perfect Bayesian Equilibrium and Sequential Equilibrium*, in «Journal of Economic Theory», 53, pp. 236-260.

Harsanyi, J.
1967 *Games with Incomplete Information Played by Bayesian Players Parts I, II and III*, in «Management Science», 14, pp. 159-182, 320-334, 486-502.

Kennan, J. e Wilson, R.
1992 *Bargaining with Private Information*, in «Journal of Economic Literature», in corso di pubblicazione.

Kohlberg, E. e Mertens, J.-F.
1986 *On the Strategic Stability of Equilibria*, in «Econometrica», 54, pp. 1003-1038.

Kreps, D. e Wilson, R.
1982 *Sequential Equilibrium*, in «Econometrica», 50, pp. 863-894.

Leland, H. e Pyle, D.
1977 *Informational Asymmetries, Financial Structure and Financial Intermediation*, in «Journal of Finance», 32, pp. 371-387.

Matthews, S.
1989 *Veto Threats: Rhetoric in a Bargaining Game*, in «Quarterly Journal of Economics», 104, pp. 347-369.

Milgrom, P. e Roberts, J.
1982 *Limit Pricing and Entry under Incomplete Information: An Equilibrium Analysis*, in «Econometrica», 40, pp. 443-459.

Mincer, J.
1974 *Schooling, Experience, and Earnings*, New York, Columbia University Press for NBER.

Myers, S. e Majluf, N.
1984 *Corporate Financing and Investment Decision When Firms have Information that Investors Do Not Have*, in «Journal of Financial Economics», 13, pp. 187-221.

Nalebuff, B.
1987 *Credible Pretrial Negotiation*, in «Rand Journal of Economics», 18, pp. 198-210.

Noldeke, G. e van Damme, E.
1990 *Signalling in a Dynamic Labour Market*, in «Review of Economic Studies», 57, pp. 1-23.

Rogoff, K.
1989 *Reputation, Coordination, and Monetary Policy*, in *Modern*

Business Cycle Theory, a cura di R. Barro, Cambridge, Harvard University Press.

Samuelson, W.
1984 *Bargaining Under Asymmetric Information*, in «Econometrica», 52, pp. 995-1005.
1985 *A Theory of Credibility*, in «Review of Economic Studies», 52, pp. 557-573.

Sobel, J. e Takahashi, I.
1983 *A Multistage Model of Bargaining*, in «Review of Economic Studies», 50, pp. 411-426.

Spence, A.M.
1973 *Job Market Signaling*, in «Quarterly Journal of Economics», 87, pp. 355-374.
1974 *Competitive and Optimal Responses to Signaling: An Analysis of Efficiency and Distribution*, in «Journal of Economic Theory», 8, pp. 296-332.

Stein, J.
1989 *Cheap Talks and the Fed: A Theory of Imprecise Policy Announcements*, in «American Economic Review», 79, pp. 32-42.

Vickers, J.
1986 *Signalling in a Model of Monetary Policy with Incomplete Information*, in «Oxford Economic Papers», 38, pp. 443-455.

Indice analitico

Indice analitico

Finito di stampare nel mese di gennaio 1994
presso le Grafiche Galeati di Imola